林慶彰 總策畫
民國時期稀見期刊彙編
第一輯

政學科研究年報⑥
（經濟、法律政治篇）

臺北帝國大學研究年報

第廿一冊

政學科研究年報

第六輯

臺北帝國大學文政學部

故津下剛君肖影

略歷

明治三十八年二月二日生。熊本縣立熊本中學校及び第五高等學校理科甲類を經て、大正十四年東京帝大農學部農業經濟學科に入學し、昭和三年三月學士試驗に合格す。東大在學中より黒正巖教授の學風を慕ひ卒業間もなく京都に赴く。乃ち同年四月京都帝大農學部副手を囑託され、橋本、黒正兩教授に師事し、續いて爾後經濟學部本庄教授にも敎をうくるに至る。昭和八月五月日本經濟史研究所々員を命ぜられ、昭和十年四月大谷大學教授、更に九月同豫科教授を囑託さる。此間各地に農史資料採訪旅行に赴き、學會にての研究報告、學術雜誌への研究發表亦尠からず。昭和十二年三月京都帝大農學部講師を囑託されしが、五月臺北帝大の招聘に應じ文政學部講師を囑託され、六月京大の講師解囑。臺北帝大にありては農業政策及び經濟史を擔當し、昭和十二、十三年度兩者を講じたりしが、十三年四月別に兼ねて附屬農林専門部講師を囑託され經濟原論を講じたり。十四年度は經濟史として日本經濟史を講ずる豫定の處、病を得て靜養のため五月內地に歸省、同年七月九日永眠。享年三十五歲。未だ著書なけれど發表せる論文多し。本輯所載の論文は臺北帝大理農學部奧田彧教授編輯の「農林經濟論考」原稿として差出されてありしを特に廻していただいたもので、正に最後に書かれし遺稿である。

臺北帝國大學文政學部 政學科研究年報 第六輯

目次

第二部 經濟篇

第一部 法律政治篇

第二部　經　濟　篇

明治初年に於ける農書

——附　農業史三部作——

津　下　剛

追悼の辭

津下君の訃電を聞いた時ほど吾々同僚の多くが耳を疑ふばかりに驚いたことはなかつた。君は春頃から健康勝れず、初夏の候に內地に靜養に歸つてをられた位であるから、直前まで活動してをられた人でなかつたのであるが、尙ほそのやうに驚きに感じられたのは、恐らく君の剛なる性格の然らしむる所だと思ふ。實に、君に接してゐると、病氣や死などといふこととは凡そ隔絕してゐる人のやうな感じで、威勢のよい、氣の强いたちであつた。剛健とか剛直といふ言葉があるが、君は剛健と云ふには少し身體が小柄で瘠形であり、意見を吐く場合など完全に練つた上とみるよりも直觀的に摑んでなす方であつたから剛直とも少し違ふやうで、矢張り單に剛といふのが一番當つてゐると思ふ。まさか名前で性格が規定されるといふものでなからうから、君の剛といふお名前は何と適はしく附けられたものかなあと奇しくも感ぜられる所だ。而して君は此性格を以て世の人と交はられたのみならず、學問を進められたのであつて、專門以外の方面まで物識りたらんとし、論文を書く時一氣に纏め上げる態度、研究會に於ける報告者に對する又講義に於ける他の學者の見解に對する痛烈なる批判など、何れも上の現はれと見られる。ただ相許せば非常に元氣附けてくれる良い友人となるが、似たやうな性格の人との間が圓滑にゆかないことがあり、君の唯一の短所を作してゐたといふ風であつた。

聞けば內地に居られた時も上と同樣であつたといふ。それに娛樂なども色々と仲々うまかつたそうである。つまり臺灣に於ても內地の振舞を延長してをられたわけである。而して君の負じ魂は、內地に居られた時と同じ勢で、始終內地の先輩、同學を目標とし勉學のピッチを進められたもので、特に昨秋から本春にかけて僅の間に多數の玉稿を舊作の上に加へられてゐた。誠に學者的な態度であつたが、遺憾乍らそれが君の健康を害する主な一事情となつたことを否み得ないのだ。

君が歸省後、當地で診て貰はれた醫師の話に、病勢が非常に昂進してゐたと云ふ。何故もつと早く氣付かれなかつたのか、恐らく君の氣一本の性質が身體の異狀を我と打消し、持續けてゐたのでなからうか。茲で吾々の考へるのは、君の發病が臺灣の氣候とも何だか關係がなかつたかであり、等しく臺灣に居る吾々としてそこに思ひ到る時、人事ならず、しみじみとお氣の毒に感ずるのである。

何れにしても君の死は堅い木の倒れた感じである。君としても尙ほ春秋に富む身、學半ばにして倒れ如何にも殘念であらう。君の學問的意圖は、農具の發達と結付けて日本農業の進展を究明せんとするにあると漏されたが、數多き舊稿は直接にはそれを示すものばかりではない。京都に於ける君の師友達は夫等を纏め論文集として刊行せられる豫定なりと聞くが、出來上れば矢張り君の學問の一端を永久に傳へるに役立つことを信じ、其の完成を祈つてゐる次第である。君を喪ふて吾々政學科の中に今更君のよさが偲ばれるといふ聲を聞くが、口にしなくても誰しも思つてゐる所であらう。これは單に君の死を悼む心からのみでなく、政學科として君のやうな學究によつて始めて滿たされてゐるものがあつたからに外ならない。君の在臺は僅か二年に過ぎなかつたが、殘した印象は確に深く、君を識る人々の生涯忘れ得ぬ所と信ずる。庶くば君の靈よ靜に眠りませ。

昭和十四年十月三十一日

臺北帝國大學政學科研究會

一　序　言

明治新政府が維新當初に於て農業政策の一方法として採用した農業關係書籍の刊行事情を眺めるのが本論文の目的である。こゝに維新當初と云ふのは主として農商務省が設立された明治十四年迄を意味する。勿論前後の關係からそれ以後のことも記すのではあるが、特に農業史三部作はこれと密接な關係にあり乍らも何れも二十年代に屬するものである。

明治政府の當初十數年間の農業政策は元來確固たる一定の方針がなかつたとも考えられる。强いて云へば歐米文化の輸入の線に沿ふて、種々の新しい試みがなされたのではあるが、その目的は富國强兵にあつたにしても、實際上の經過及びその結果は、筆者が他の色々な場合にも述べた如くに啓蒙的範圍を出でなかつたものと思ふ。勿論商工業未だ近代的機構の下に完成されず、農業のみが國富維持の源泉をなしてゐたのであるから、一部に云はれる如く商工業の發達のみに政策の重點を置いたのではなく、農業生產力の發展といふことには、多くの精力が用ひられたのは當然である。唯當時に於ける科學的智識の貧困さのために、徒らに新しい方法の採用にのみ意を用ひ、確固たる不動の決心なく、これは如何、あれはどうだといふ風に手を附けながら、失敗してもその原因を科學的に探究する所もなきまゝ、それは樹立された一定方向への政策の實行といふことよりも多分に新しき珍らしいものに對する追求の弊を生んだものであつて、保護干渉政策は自由主義的政策に、新式農業經營より老農主義へと、僅か十數年にして方向轉換を餘儀なくさせられたのである。

農業生産力の開發は他の生産業と同じく、否むしろそれより以上に實地の指導と智的啓發とによつて長年月を經て始めて可能である。巡回教師や試驗場の設立は前者であり、勸業博覽會や農談會や農業書の刊行は後者である。そしてこの兩者を兼ねたものが學校教育となつて現はれた。而も洋農亞流式の經營、技術方法から復古的・老農的なものへの轉換は、筆者はこの時期を大體に於て十四年の農商務省設立前後を以て劃するものであるが、農業の實地指導の部面と智的啓發の部面との全面に亘つて同時に行はれたのではない。概して云へばそれは復古的と云へないかも知れないが、日本古來の農業を再認識して普遍化せしむるといふ點からみれば、農業書による智的啓發の部面はその以前可なり早くから手をつけられてゐた。これは洋書の飜譯が行はれるのと同時に發行された我國古典農業書の複刻にみられる。この日本古來の農業の再認識或はその普及を目的としたことは政策の方向轉換後に於ては尚一層努力された。それは十五年の『農書纂修之儀伺』(一)に、本邦夙に農を以て著はれ歐米各國に比して敢へて遜色するものなきものがあるが、唯慣行によつてのみ行ひその理を知らないから、汎く中外古今の農書・學説を蒐集して完備せる農書を編纂せんといふ意味の文句によつて分るやうに從來の云はゞ無差別的な新式採用奬勵から、古い農業技術に新しい科學的根據を見出さんとしたことである。併し乍らかうした意味の綜合的農業書は完成されずに、我々が現在手にする如き「大日本農史」その他となつて刊行された。それも二十三年以後のことである。

扨而、然らば政策轉換以前の農業書は如何にして發行され、如何なるものが刊行されたか。筆者はこれを官版と私版に二大別して眺めることゝする。

二　官　版

農書の編輯・刊行は特に官の職制を設けて行つたものであるが、これが具備されたのは明治三年九月民部省勸農局内に開墾・種藝・養蠶と共に編輯の五課を設けた時である。併し乍らその以前明治二年三月には従来の養蠶方法の缺點を是正し、撰種・蠶病について實驗せしむるために「養蠶方法書」[illegible]亦養蠶の方法を諮問してその粹をとつて一書を編まんため「同下問書」が民部省から各府縣に頒布されてゐるから、これは生絲貿易のための一手段ではあるが、書籍編纂の意のある處を示したものと云えやう。四年四月勸農局は勸業局となり、勸業司より勸業寮に改められ、勸農課となり、勸業課と稱され、改廢・改稱不斷に行はれたが、七年一月内務省内に勸業寮が置かれた。この間農書の刊行は中止されてゐたわけではなく四年には佐藤信淵著「農政本論」が複刻され、五年五月には「蠶種生絲說」、八月には「山蠶飼養方法書」が大藏省より頒布され、文部省は同年伊藤圭介著「日本物產志」中の山城・近江・武藏の三部と、六年十月小野職愨の「博物圖」四幅を發行した。この「博物圖」は第二幅菓物、第三幅穀物、第四幅葉莖を描畫したものである。開拓使は六年四月と十月に「西洋蔬菜栽植便覽」、「開拓使官園動植品類簿」と「西洋菓樹栽培法」、「西洋蔬菜栽培法」を、大蔵省亦同年「全國物産表」を刊行して内務省より各府県に頒布したのである。

前述した如く七年一月勧業寮が設けらるゝや、寮内に農務・商務・工務・編纂の四課が置かれ次いで勧業寮處務條令を定めて農務課中に編纂掛他九を分掌して農書編輯に當らしめた。この年四月勧業寮は「紅茶製法書」を發兌し、十二月「勧業寮報告」第一號を創刊してゐるが、特記す可きは十一月、廣く和漢洋の諸説を參照し、完全なる「農家月令」及び「農業集成書」の編輯を議決したことである。十月呈出の鳴門義民の『農業書編輯伺』(2)に曰く

『抑モ土地アレバ必ズ自然生ノ植物アリ、人之レヲ食フ、然リト雖モ人口増加スルニ隨ヒ、其ノ植物ヲ以テ口腹ヲ養フニ足ラス、故ニ禽獸ヲ捕ヘテ其不足ヲ補フ、逐次人員蕃殖スルニ隨ヒ、動植二物モ亦足ラス、是ヲ以テ人々土地ヲ開墾シ、食物トナルベキ艸木ヲ樹藝シ、禽畜ヲ鞠養ス、之レ農業ノ始メナリ、而シテ此ノ農業ニ自然優劣ヲ生シ、之レニ巧ミナルモノ、彼レニ拙ナルアリ、故ニ古今未タ農務ノ遺利ナキ少シトセズ、皇國從來ノ農書ヲ閲スルニ、甲ハ穀菜ノ培養ニ長シ、乙ハ艸木ノ樹藝ニ秀ツ、然レトモ未ダ□□業全備セリ□□□ニ足テ□日ツ□ク□陰陽□□□説ニ惑溺シ、日日□善悪等ヲ掲ゲ、農家ヲ□惑スル少ナカラズ、又禽獸育畜ノ方法等ニ至ツテ、從來我國ニ傳フル所ノモノ、極メテ疎略ナリ、又方今内外ノ農書ヲ著述刊行シテ發賣セル者陸續出ツルト雖モ、大抵射利ニ目的セルモノナレバ、其ノ實贅言多クシテ要旨ハ稀ナリ、右ノ如キノ群籍ヲ閲シテ、其ノ美ヲ擧用ナスハ、專ラ其業ニ從事セル輩ニテモ至難ナラン、故ニ農籍彌多クシテ農家ニ益多岐ニ迷

ハン、加フルニ陰暦ヲ廢シ、陽暦ヲ以フ、故ニ農家ノ確據トナスベキ農籍ハ一ツモ我カ國內ニナキガ如シ、是ヲ以テ、此際在來ノ諸書ヨリ良法ヲ拔萃シテ、陽暦ノ日月ニ配當シ、支干等ノ惑說ヲ省キ、溫度ハ「フハーレンヘイト」ノ寒暖計ヲ以ヒ、農家月令ト農業集成書ノ二部ヲ編輯刊行シ、文明ノ外邦ニ習ヒ、良法發明等ヲ全世界ニ需メテ、右ノ二部ヲ每歲增補シ、之レヲ天下ニ頒布ナサバ、庶民ヲシテ無益ナル群籍ヲ閱スルノ勞ヲ免レシメ、其ノ時間ヲ有益ナル事業ニ以フルニ至ラシメン事必セリ、其他ハ兼テ着手相成シ通リ、全國ノ農家ニ代リテ試驗專ラニシ、動植二物ノ良種ヲ選ミテ其ノ善惡ヲ諭示シ、好メルモノヘハ頒賦有之等、大ヒニ諸民ノ便ヲ開キ、其ノ資ニ依リテ、全國ノ牧穫增加セン、云々」

と、この編書の目的は指導的立場に在る。陽暦採用による農作業の適應月日を知らしめ、併せて最良の農業技術の普及を目的としたものであるが、この事自身既に幾多の矛盾を含んでゐると見る可きである。それは經營上に於ける水田と畑作といふ根本的彼我の相異を如何にして調和せしむるか、當時輸入された園藝作物は未だ嘗つて我國に存在しなかつた新しいものを多く含んでゐるのであるが、試驗場及び二三の例外を除いてはその實地指導さえ充分に行はれてゐないのに如何にして書物の上のみに於て了解せしむることが出來るか、況してや當時の農業者に書を讀んで理解するだけの修業が用意されてあるとは云ひ得ない。これ等の事實は農書編輯の前途に幾多の難關あることを豫想せしむるに充分である。所謂農民の稼職指導としての理想も、編輯意の如くならず、當初の目的とは異つた書目解題として出版された。これが十一年に刊行された「農書要覽」である。云はば後年の「大日本農史」とその揆を一にしたものとも見る可く「農事參考書解題」に先行するものである。

八年九月勸業寮の分課改正せられ、編纂部門は第三課に屬したが、九年九月寮中の事務章程が更正され、商務課は商務局に引繼かれて、勸業寮は農務・工務・農學・庶務・編纂・主計の六課となり、編纂課は編輯・報告・照査・製表の四掛りとなつた。そして大體次のやうな事務が取扱はれることゝなつたのである。(3)

一、全寮ノ諸簿冊ヲ編輯整頓シテ之ヲ惣括保存スル事
一、寮中一切ノ實務ヲ精細檢閱シ其要旨ヲ摘拔シテ年報ヲ編製スル事
一、勸業上諸般ノ報告書ヲ編製スル事
一、和漢洋ノ諸書ニ索メテ勸業有益ノ件ヲ摘錄スル事
一、臨時ノ編輯及ビ海外ノ往復文書ヲ掌ル事
一、各地方ノ物產其他ノ諸表ヲ製スル事

十年勸業寮廢止されて勸農局となり、分課も更正されて編輯は報告課に屬し、十一年三月通報・飜譯・製表・簿書に分れ、十三年報告課は通信・統計・編輯・簿冊となつたが、十四年農商務省設立によつてその農務局に引繼がれた。(4) 十六年四月農商務省に新しく農書編纂掛を設けて局長田

中芳男の兼任となした。この農書編纂掛は農務局報告課の編輯掛（改名して纂修掛）とは全く別のものである。即ち十五年農務局の庶務課に新に編輯掛を設けたが、これは局務重要の事件を編輯し、處務の考證に供し、議冊の謄寫を要して編次するものであり、従來の編輯擔當は纂修掛と呼ばれることゝなつてゐたのである。(5) 而して纂修掛の分擔は次の如くであるが(6)

第一　內外諸書ニ據リ農書ヲ纂修反譯スル事

但農書編纂掛事業ノ分ヲ除ク

第二　內外ノ農況及ビ農務ヲ抄譯シテ年報ヲ纂修スル事

第三　農事報告ヲ纂修スル事

第四　周年ノ局務ヲ抄錄シテ年報ヲ纂修スル事

第五　刊行スヘキ一切書籍類ノ校正ヲ主リ及ビ刊行ノ手續ヲナス事

第六　刊行書籍ノ分配及ビ書籍購入ノ手續ヲナス事

第七　局中ノ書籍ヲ收攬スル事

第八　局員巡回及ビ出張ノ復命書ヲ保存シテ考證ニ供スル事

これに對して農書編纂掛の事務條項は以下の如く、(7) 日本古來の農書を中心とするものであり、兩者は明らかに記されてゐる如くその性質を異にする。

農書編纂掛事務條項

本邦ノ農事慣行ヲ包羅集輯シテ應用諸學科ノ學理ニ對照シ完全ノ一大農書ヲ編纂スル所トス掛中ノ事務ヲ分ケテ纂修庶務ノ二科トス

纂修科

一、農書編纂ノ條規ヲ調査スル事
一、本邦農業ノ事實ヲ廣ク蒐集スル事
一、本邦農政ニ係ル書類ヲ蒐集スル事
一、外國ノ農業ニ關スル要件ヲ參査スル事

庶務科

一、編書ニ係ル文書ノ往復ヲ取扱フ事
一、算査ニ係ル諸務ヲ取扱フ事
一、諸般供給ニ係ル事務ヲ取扱フ事
一、掛長及ビ掛印ヲ保管スル事
一、掛ニ屬スル公文ヲ整理スル事
一、掛員ノ身上ニ係ル文書ヲ取扱フ事

一、和漢洋參考ノ書籍ヲ保存スル事

以上の如く農書編輯主部の異動ありしにも係はらず、農書の官營發行・飜譯は續々として行はれ、八年九月勸業寮より「獨乙農事圖解」三十枚・附錄「接木法」が飜譯・刊行された。これは田中芳男が澳國博覽會の際持參したものであつて、耕種・牧畜より農產製造に至る迄を圖解したものである。內務省は九年二月「牛病新書」・「牛疫容體書」を頒布したが、これはこの近年各地方に牛疫の流行するあり、その豫防・手當を知らしめたものである。次いで博物館に於て「敎草」三十枚を再板した。筆者所藏のものによれば曲尺にして縱一尺一寸四分・橫一尺六寸七分の美濃紙印刷であつて、これより先き六年澳國博覽會出品のため編成・出版したものが、八年七月の內務省出火のため第一より第二十四迄を消失し、こゝに再版をみたのである。稻米・糖製・養蠶・生絲・樟蟲・野蠶・葛布・苧麻・草綿・纖維・草木・索麪・葛粉・藍・靑花紙・製茶・烟草・漆・蒔繪・蠟・白柿・疊表・香蕈・製紙・蜂蜜・油・膩脂・澱粉・褐腐・豆腐を採色圖を以てその種類・用途や生產過程を示したものである。この他內務省は八、九年「斯氏農書」を、ついで「斯氏農業問答」を刊行した。衆知の如くこの兩者は英國ヘンリー・ステーフェンの著であり、前者が浩翰に過ぐるを以て、後者を後藤達三に譯出・刊行せしめたのである。九年八月先きに頒布した「牛病新書」中痢病部の脫したるを補ひ、十一月「甜菜砂糖製造法」の飜譯が刊行され、文部省は八年に先きに發行した伊藤圭介の「日本物産志」美濃部を刊行した。十年一月同じく勸農局よりは「草本移植心得」勸業中屬織田完之・權中屬高畠千畝に校訂された信淵の「農政垂統紀」、清國胡秉樞著「茶務僉議」及び「舊勸業寮第一回年報」が出版された。十年十月紙幣局より「亜麻效用略説」十一月勸農局より「杞柳栽培製造法」が出たが、特筆す可きは、この年我國最初に著述されたる農業史とも云ふ可き「舊典類纂田制篇」が横山由清によつて大成された。十一年一月「農書要覽」は前述の如き經緯を以て出版され、三月「農事月報第一號」及び「英國農業編」、五月には局員多田元吉の支那・印度に於ける實見記及び英コロネルモネの原著を編纂した「紅茶製法纂要」と「牛病通論」、九月には農業の綜合的書籍たる英トーマス・フレッチェルの原著が諸方儀一に譯されて「泰西農學」として刊行され、獨立百年記念米國博覽會に於ける「農務局列品解説」と勸農寮員衣笠豪谷擔當の「人工孵卵圖解」を、十二月にはコロネルモネ原著を多田氏が評説した「紅茶説」及び局員金田歸苑が鮭鱒の孵化育成の法を學んで執筆した「養魚法一覽」を十二年二月には本邦竝外國の甘蔗栽培・製造・生産高・輸出入を記した「砂糖略説」、八月には武田昌次が持來した佛イ・エ・カリエールの著書を譯して「加氏葡萄栽培書」とし、十二年九月「農務統計表」十三年一月昨年駒場に於て實驗した蘆粟及甜菜の成績を纏めて「製糖試驗錄」となし、五月同じく勸農局員が植物御苑内に於て栽培した蘆粟の成績を記して「製糖試驗錄補遺」

とし、局員宮里正靜をして各地方の蘆粟栽培指導のために「蘆粟栽製簡易法」を發行してその便に供すると共に、新しき生產方法の普及を測つた。これと同時に九月には前年シドニーの萬國博覽會に出品した土壤・肥料及び食物の分析を「農用分析表」に撮譯して化學的智識を普及せんとするかと思えば、局員牛井榮の讃岐地方に於て見聞せし甘蔗製糖法の圖解を附して先きの「蘆粟栽製簡易法」を重刊し、以て彼我の如何を對照・實驗せしめ、十四年一月織田完之・高鋭一・衣笠豪谷・小田行藏・根岸和五郎・溝口傳三をして乾隆帝の「欽定授時通考」を複刻せしめて府縣に頒布し、以て彼地の農政を知らしめた。同年二月發刊の「獸醫全書」は獨ウーシツペルレンの原著を飜譯したものであり、東京府赤城廣敬の「備荒餘錄」及び織田完之の「農家永續救助講法」が出たのもこの月である。三月には「牧草手引草」と福羽逸人の「甲州葡萄栽培法」、四月には英ソーモの「甘蔗砂糖製造法」の譯が成つた。同月第二回勸業博覽會出品の害蟲寫生圖及び模造蟲を略解した「害蟲圖解說」が發行され、翌月「十二年度農產表」が刊行された。七月「舶來穀菜目錄」が三田育種場育成の分を主として載せられ、ついでこの本は十六年三月「改訂增補舶來穀菜目錄」、十八年二月「舶來穀菜要覽」となつた。九月にはいると駒場農學校の「穀菜耕作表」と獨逸漁業博覽會事務官たりし松原新之助の、獨逸の水產・農學及び農務省の現況を報じた「獨乙農務觀察記」があり、「勸農諮問會日誌」が創刊されてゐる。十月「驗糖簡易方法」を刊して糖業者に資し、翌々月讃岐の糖業者井上甚太郎の申請により同人が印刷に附した「第二期砂糖集談會雜誌」製造部を糖業地方に配布せしめ、十五年五月駒場農學校に於ける前年度の「米國種蘆粟栽製試驗表」を刊した。六月「十三年度農產表」、「下總種畜場事業問答筆記」、「府縣老農名簿」が出來た。「下總種畜場事業問答筆記」は十四年東京に於て開會された農談會閉會後、會員中牧畜・開墾に志有る者をして下總牧場を參觀せしめ、牧畜の利害得失を討論せしめたものであつて、農牧混同式に對する當時の世論を示したものである。「府縣老農名簿」は政府が奬勵してゐた種苗交換の便をはからんため、各地方の老農家及び種苗所有者の氏名・住所を記載したものであり、品種の改良・優良種の普及をはかると同時に、その裏面には古來農業への認識を新しくせんとしたものである。米については十一月從來輸入・試驗されてゐたジャヴ稻について「伊太利瓜哇栽稻法」の飜行をみるばかりである。この原著は和蘭東印度會社農務官ソルレウェイン・ゼルプケの手になるものである。更にこの年注意す可きは、勸農局が廢止されて新しく農商務省が設けられ從來の仕事は擧げて引繼がれたのであるが、勸農局自身の歷史的變遷を記した「勸農局沿革錄」が刊行されたことであらう。

以上は勸農局を中心として編年的に農書の出版事情を眺めたのであるが、その中に二、三觸れた如くに他の中央官廳に於ても官版事業は行はれてゐる。例者十一年には文部省は「博物圖」の第

五、各用植物部を小野職愨の選によつて刊行し、「百科農學」以下十五種の農・水・林に關するものを譯行し、英ジョンストン原書の「戎氏農業化學」が譯刊されたのが十七年である。地理局は「山林叢書」第一卷を、山林局は十四年に獨ウイダルの原著を譯して「森林保護要略」と獨フイシユバフ原著の「樹林學講義」第一編を出し、開拓使は十四年にロシアの「種痲要編」を譯刊し、そして尚大藏省は「大日本租税志」をこの頃に於いて完成した。二十二年は北海道廳が開拓・移住の案内書として「北海道農業手引草」を出した。工務局は局員吉田健作著「痲事改良説」を出刊したのが、十六年である。この他地方官廳に於ては滋賀縣は管内物産の統計及その沿革を記して十三年「物産誌」を編み、鹿兒島縣は彼の有名な青江秀の「薩隅烟草錄」を十四年に、東京府は管内六郡の穀菜菓樹・桑・茶の栽培法を記して「農事要覽」として十四年各府縣に頒布し、綿糖共進會は十三年「砂糖ノ説」を發刊した。(8)

右に述べた所は大體明治十四、五年迄を主體として眺めたのである。飜譯的のものと然らざるものと相半してゐる。飜譯された中の主なるものは以上の如くであるが、稿本として出版されなかつたものに次の如き多數のものがある。これは十五年現在舊勸農局に於て『刊行セサル分』として記されてある。(9) 但し、「斯氏農書」の如きは内務省より明治八年に刊行されてゐるから、これは何かの間違ひとしても他にこれに類するものがあるかも知れない。（文書記載ノママ）

ステーフェンス氏著「ゼ、ブック、ヲフ、ゼ、ファム」(斯氏農書)、チューソン氏著「ベテルナリー、ファマコピヤ」(獸醫藥方錄)、マイルス氏著「ストックブリーデング」(畜産蕃殖法)、ヒギュエ氏著「レ、インセックツ」(多節六足蟲新說)、ソアム氏著「エ、トリエチィス、ヲン、ゼ、マニファクチュル、ヲフ、シュガア」(製糖要說)、ウリング氏著「ゼ、イレメンツ、ヲフ、アグリカルチュル」(農學原論)、ボウサレゴール氏著「ルーラル、イコノミイ」(農家利要書)、ハルリス氏著「インセックツ、イレジュリヲス、ツウベヂテェジョン」(植物蟲害)、ヒューズ氏著「レス、プランツ、ヲレヂ子ス」(生油植物書)、ブリル氏著「ファム、ガテァンニング、エンド、シイドグロウィング」(野菜種藝法)、ライマン氏著「コットン、カルチュウル」(植綿篇)、ラック氏著「フレンチ、ワイン、エンド、リックヲル、マニュファクチュル」(釀酒法)、ロイニス氏著「シュトル、ナトウールゲシヒテ、ツワイテル、タイル、ボタニク」(植物學)、ジョンソン氏著「ハヲ、クロウプス、グロウ」(生植如何)、ワァゲンフェルド氏著「デベクアメベエヤルス」(獸醫讀本)、ヒギュエ氏著「レス、メルベエド、リンダストリー」(抄譯、食鹽ノ部)、著者未詳「チイ、カルチュウル、イン、セイロン」(南印度錫蘭茶樹栽培心得)、リヲンデ氏著「ロリブエ」(阿利襪略說)、ジョンストン氏著「カタキスム、ヲフ、アグリカルチュラル、ケミストリイ、エンド、ヂォロヂイ」(農業舍密問答)、モルトン氏著「アルマナック、ヲフ、ファマァ」(抄譯農家月令抄譯)、レイ氏著「ゼ、プラクチカル、シュガア、プランタァ」(抄譯實行甘蔗耕作法抄譯)、バビュエー氏著「ラ、セリシカルチュル、ラウ、ジヤポン」(日本蠶業記事本末抄譯)、パスチュル氏著「エチュ、ソドル、レス、モラデイ、ア、ベル、ア、ソア」(抄譯蠶病論)、レヲンクリュエー氏著「ヂヲグラフォキ、ド、ラソァ」（抄譯蠶絲攬要）、パトルソン氏著「イングリス、フォノセリイ、ラウ」（抄譯英國漁業律）、チャウレス氏著「モウベエ、コヲド、ジュ、シヤシュル」（佛國鳥獸獵規則）、著者不詳「ゼ、デパットメント、フワ、アグリカルチュル、イッツ、ヒストリイ、エンド、ヲブゼエ」（米國華盛頓農務省略史聯目的）

尤もこの時代迄には民間に於ても次に述ぶる如く可なりの飜譯書を看るのであるが、中央官廳に於ては爾後農書編纂掛の手によつて蒐められたものは、地方的な我國古來の農業を主としたものであつた。ついでに附加しておくが、當時の飜譯料はどの位であつたかと調べてみると、大體四百字詰原稿用紙一枚に付一圓五十錢以下五十錢以上となつてゐて、その豫算は年千八百圓以上となつてゐる。（一一）

三　私　版

私版とは官版に對して個人の飜刻・發行したものをいふ。私人の著作・刊行について第一に指を屈す可きものは鷹洲・織田完之翁であらう。その著書及び校訂刊行書は「大日本農政史」（大日本農政類編）附錄と「鷹洲刊書記」に詳かである。

私版の最初は出羽の岡田明義が文久元年に出版した「無水岡田開闢法」である。(11)明治改元後二ヶ月を經て出版されたものであり、その內容については既に筆者が發表した處である。二年一月柳河春三抄譯獨カルマルスの「蠶種說」と吉田屋表二郎の「蠶種商法」が合本されて、開物新書第一集として發行された。(12)七月には當時の養豚熱流行の浪に乘じて角田米三郎の「協救社衍義草稿」が刊行され、十二月美濃の三浦千春が慶應四年に發兌した「租調考」が新刊された。蓋し最初の農業史・經濟史關係書と稱す可きであらう。三年九月若山三毛證は「雀糞論說」を清國同治四年香港版の「雀糞論」より飜刻し、新肥料としてのグアノの效用を普及せんとした。(13)筑前の醫師河野禎造は「農家備要」・「農業花曆」を、十二月東京麻布六本木織元商社は「苧麻培養製絲略圖說」を著はして、纖維作物の栽培を開明すれば、四年一月には彦根藩上木の「蠶桑圖解」「製茶圖解」があり、讃岐の奈良專二は多年の經驗になる稻麥・甘藷・茄子・草綿・蘿蔔の「栽培法及持木法」を自費頒布し、五年近藤芳樹は「牛乳考」・「屠殺考」を合本印行し、六年一月寶曆年間豊後の江藤彌七が著した「農業往來」は、備中の荻田長三によつて「改正農業往來」となつて著はれ、三月靜岡の杉山安親は蘭エンクラールの「牧牛說」を譯し、五月佛パロー及ウーセの原著は神田豐の譯によつて「西洋農家訓」となり、八月佐々井半十郎は「製茶餘話」を、十月島村泰は太陽暦による農作業の順序を示した「勸農新暦」を著述して政府の目論んだ指導書たる「農家月令」に先んじ、七年三月には獨レーベの「農家提要」が杉山・吉見兩氏によつて譯された。因にレーベの原著は「養蠶說」（七年）「牧羊說」（十五年）も飜譯されてゐる。四月愛媛の竹內信英は「茶園閑話」を刊してゐるが、この中には我國の茶の歷史的敍述を含んでゐる。七月には信淵の「草木六部耕種法」が複刻されたが、佐藤家學の主なるものは殆ど織田翁の手にかゝつたものである。例者既に五年に信淵の「農政本論」があり、六年には「培養秘錄」・「土性辨」、七年には「農政垂統紀」があり、以後「漁村維持法」（九年）・「田畯年中行事」（十年）・「垂統秘錄」（十一年）・「內洋經緯記」（十三年）・「致富小記」・「種樹秘要」（十四年）・「養蠶養記」（十六年）・「薩藩經緯記」（十七年）・「農政敎戒六個條」・「責難錄」・「經濟提要」・「經濟要錄」（十九年）・「混同秘策」（二十年）等その他である。[14]

同年近藤圭造・神田豐の共著になる「土著提要」が刊行されたが、この年記憶さる可さは、津田仙の「農業三事」が出版されたことである。この「農業三事」は衆知の如く、澳國ホーイブレンクの指導になるものであり、彼津田は澳國博覧會に審査員として出張した際、ホーイブレンクに半歳指導をうけ、自ら學び得た氣筒・偃曲・媒助の三法を撰記したものである。(15) 八年には早々に師弟の問答體に記して英ジェームス・ジョンソンの「農學簡明」が志賀雷山の譯になり、米ジッケルメン及びビュールの原著が河出良二譯によつて「葡萄栽培新方」となつて光を浴びた。四月豐後の丸山祐義は「稲苗新語」を刊して耕種の方法及びその實收成績を示した。九年五月藤井徹著「菓木栽培法」第一編　第四編が田中芳男の校訂を經て出版され、九月土方幸瞻の手によつて「日本地誌略」中の物産部が「日本地誌略物産解」と改められ、十年七月内藤新宿北町に試験園靜里園を設けて自ら實驗してゐた前記藤井氏は、自らの體驗を「靜里園實驗法繪入農業新話」として藍の製造法を記し、九月には小澤善平これ亦米國に於ての體驗を本として「葡萄栽培摘要」を刊し、十月片山直人は「山林新說」を敍述した。十一年四月上州の船津傳次平は先きに著した「太陽暦耕作一覽」及び「桑苗簾伏方法」を勸農局に献じてその普及を促し、十二月には先きに著はれた「草木栽培法」が第五編―第八編の漿菓・仁菓・核菓・乾菓・育養を以て終つた。(16) 十二年四月東京に於て東洋農會が開設され「東洋農會四季報告」が刊行されたが、これに後る二年にして、十四年七月大日本農會はその報告第一號を刊行し、十五年八月「穀物菜種集談會報告」を發表した。これよりさき十二年には樋口彌門は「暦日略解種まき鑑」を著はし、十四年、天保十二年の下野田村仁左ヱ門著「農業自得」が複刻され、十六年四月陸中の佐藤庄五郎は「養蠶法」を發行し二十四年高橋正作は「飢歳問答」を著作し、二十五年松村作三は「和漢洋對譯本草辭典」を作製して、この種の魁をなした。

以上は著書・譯書の單行本を主としてこれに特に意義あると思はれる報告書・圖表等についてその創刊を述べたことは前述官版の場合と同様であるが、學術雜誌として最初のものであり、特に一筆すべきは明治九年一月に發行された「農業雜誌」である。この雜誌は彼の津田仙が東京麻布に開設した我國農學校の權輿と云はれる學農社より毎月二冊の豫定を以て發行したものである。今筆者の手にある創刊號によれば "Agriculture is the most healthful, most useful, and most noble employment of man" なる Washington の言葉を掲げ、これを漢譯して『農者人民職中最健全最尊貴而最有益者也』と記し、その下に發刊の意を左の如く述べてゐる。

『弊社にて雜誌を編集し之を世上に頒布せんとするは社友會同廣く泰西の農書を講究し普く本邦の農業を折衷し新法を摘譯し良法を考案し世の農家の裨益を謀らんと欲すればなり世若し新術良法及び農具等の新發明あらば一書遞送の煩を厭はず速に當社迄御報告玉はらん事を請ふ

東京麻布東町二十三番地

明治九年一月　　　　　　　　學農社中敬白

再白　耕作に害ある蟲類を初め其他農家に不便不利及び農業に付き不審の事等あらば我社友は其れを問題となして討論講究し或は其状を雑誌に載せ明解を江湖の諸君に要め其害を除き其審らかならざるを詳にせんと欲す希ねがはくは四方の君子備さに其状を報じ玉はんことを』

以上の文言は毎號掲げられしものであるが雑誌の發行の目的は殖産興業・富國の本を農業にありとし、農業の勃興こそ國家百年存續の大計なることと自覺し、以て農業界を指導せんとするに在る。(17)曰く

『今ヤ我國各國トノ貿易日ニ益々盛大ナラントスルモ、輸出ハ常々輸入ヲ償ハズ、月々我レニ百萬圓餘ノ損失アルヲ聞ク、苟クモ愛國ノ志情アルモノ此現況ヲ目撃セバ、誰カ之ヲ深憂苦慮セザルモノアランヤ、而シテ夫ノ時務ヲ講ズル朝野士君子ノ說ヲ聞クニ、皆曰此ノ輸出入ノ不償ヲ救フハ人智ヲ進メ物產ヲ增シ、且ツ通商航海ノ術ヲ盛ンニスルニ在リト、而シテ我ガ農ヲ以テ國ヲ立ツル日本ニ於テ、最緊最要ナル農學ニ至テハ、或ハ曰ク鄙事ナリ、曰ク賤業ナリト、之ヲ講究スルノ有志者實ニ稀ナリ、嗚呼何ゾ時務ヲ知ラズ時事ヲ辨ゼザルノ甚シキヤ……偶々學士ノ名アル識者モ、纔ニ政事政務ヲ談ズルヲ以テ人間最上ノ快事ト爲シ、更ニ實業ニ勉ムルヲ知ラズ、悲哉、西人云ハズヤ、農ハ國ノ父母ナリ、吾人ノ衣服食膳ヨリ以テ人間社會ノ結合ニ至ルマデ一ニ皆其本ヲ農ノ一事ニ發セザルハナシ、若シ夫レ天下ニ農ナクンバ、何ニ由テカ百般ノ物品ヲ製造シ、何ニ由テカ萬種ノ品物ヲ商賣スルヲ得ン……我黨玆ニ感アリ、嚢キニ學農社會ヲ麻布ニ開キタルニ入學ノ有志モ亦

甚ダ多シ、是ニ因テ同志ノ社友ト相謀リ、共ニ農學ノ粹美ヲ西書中ヨリ拔萃シ、或ハ親シク聞見スル所ニ就テ農學ニ裨益アル者ヲ雜錄シ、毎月二小册ヲ出版シ以テ農業雜誌ト唱ヘ廣ク世上同志ノ諸君ニ頒布セントス、亦是國產ヲ盛大ニシ輸出ヲシテ輸入ヨリ多カラシメ、以テ國家獨立ノ大本ヲ堅フセント欲スル婆心ナリ、江湖ノ諸君共レ此情ヲ諒察シ玉ヘ』

と、以て言々その意あるところみる可きであらう。筆者手藏の同雜誌は、第一號及び四・五・七・八・九・十・十一號の八部に過ぎないが、創刊號のみ菊判和紙であり、他は菊半截和紙になつてゐて、說述する處必ずしも農業に限らず水產關係の部分をも含んでゐる。

今一つの專門雜誌は明治十五年五月農藝志林社から發行された「農藝志林」を擧ぐ可きであらう。發刊の目的は『本邦農事の改良を謀らんと欲する者は宜しく學理を究め經驗を積み兼て農具を改良し六畜を蕃息すべし、若し全國農家にして飜然茲に注目し銳意進取せば泰西諸邦の農業何ぞ美むに足らんや』との刊行趣旨によつて窺ふことが出來るし、單なる在來の技術改良を目的としたものでなく、各地方の經營方法の是否を正してこれを批判すると共に採る可きものは普及せしめて農牧混同經營を主張した處に特長がある。橘玄氏を發起人として社盟を結び、月刊するものであるが、その形式は多分に「農業雜誌」に似てゐる。唯前者が學校を背景とするに對し、これは民間の有志の集りである處にその相異をみることが出來るが、發表論文に可なり學理的のものが多いのは當時この前後から實社會に出て來た農業教育を終えた人々の論稿であると共に、船津傳次平の如き老農の寄稿あるのをみて、在來農業への再認識の一面が分る。

四　農書の編年的分類

右の通り明治初年以來の、筆者の目に觸れた農書及びこれに類する刊行物は可なり多數に上つてゐるが、決して以上を以て完全なるものとは言ひ難い。尙この他に追加すべきものが多々あることは云ふ迄もない。これを分類概觀すれば大體次の如くである。

類別＼年次	通載	耕種	園藝	養蠶	養畜	農產	林業	其他
一	無水尚田開闢法							
二				蠶種說、蠶種商法	協救式衍義草稿			租調考
三	農家備用、農業花暦、西洋開拓新說、泰西農學		苧麻培養製絲略圖說	養蠶方法書、養蠶新書				雀嚢論說、牛產道案內
四	農政本論、栽培法及接木法			蠶家圖解、山蠶やしなひ草		製茶圖解		西洋水利新說
五				蠶蠶生絲說、山蠶飼養方法書、養蠶新論	牛乳考、屠畜考、養豚略說			日本物產誌、土培養秘錄、性辨

六	西洋農家訓、勸農新暦、農工三十種業中經濟、農家往來		西洋蔬菜栽培便覽、西洋菓樹栽培法、西洋蔬菜栽培法	山蠶養法、新撰養蠶往來、養蠶事實、養蠶拾遺篇、養蠶輯要補、養蠶手引草	牧牛說	製茶餘話		開拓使官園動植品類簿、全國物產表、日本物產國盡
七	農家提要、農政垂統紀、土着提要、農業三事、改正農業往來	草木六部耕種法、稻苗新語		養蠶說		紅茶製法書、茶園閑話		勸業寮報告
八	獨乙農事圖解、斯氏農書、同農業問答、農學簡明、勸農雜話		接木法、葡萄栽培新法	養蠶事誌、養蠶全書				日本物產志、日本物產字引
九	牧草		草木栽培法		牛病新書、牛疫容體書	甜菜砂糖製造法		漁村維持法、日本地誌略物產解、農業雜誌、堤防溝渠誌
一〇	田畯年中行事、靜里園實驗法、繪入農業新話、農理學初步、勸農捷徑		草木移植心得、杞柳栽培製造法、葡萄栽培法提要、菓物糖藏篇、	山繭或問、養蠶摘要		茶務僉議、亞麻効用略說	山材芻說	勸業寮年報、農業沿革錄、舊典類纂田制篇、
一一	英國農業編、垂統秘錄、太陽暦耕作一覽、栽培經濟論、泰西農學		菓木栽培法	桑苗簾伏方法、養蠶傳書、養蠶手引草	牛病通論、人工孵卵圖解、養魚法一覽	紅茶製法纂要、紅茶說	山林叢書	農書要覽、農事月報、農務局列品解說、博物圖、百科全書

一二	農民便利建議、同措置建議、農業談、興産教授農學初歩	暦日略解穂まき鑑	加氏葡萄栽培法	養蠶益書、養蠶小學、養蠶清涼瀬要	牧畜必携	砂糖略説		農務統計表、東洋農會四季報告、南柯夢中
一三	報徳富國論、農家矩		蘆粟栽製簡易法	養蠶扱方、養蠶神德經		製糖試驗録、同補遺、砂糖ノ説、農産物分析集		農甲分析表、内洋經緯記、北海道開拓雜誌
一四	欽定授時考、獨乙農務觀察記、農事要覽、農工商經濟論、農業自得	穀菜耕作表	甲州葡萄栽培法、舶來穀菜目録、種麻要論、種樹秘要、薩隅烟草録		獸醫全書	甘蔗砂糖製造法、驗糖簡易法	森林保護要略、樹林學講義	備荒餘録、農家永續救助講法、害蟲圖解說、十二年度農産表、勸農諸問會日誌、致富小記、大日本農會報
一五	農業小學、改定農業全書	伊太利瓜哇栽稻法	米國蘆粟栽製試驗表	養蠶略説	下總種畜場事業問答筆記、牧羊説			十三年度農産表、府縣老農名簿、勸農局沿革録、穀物菜種集談會報告、農藝志林
一六	日本農民論、農家速算		改訂增補舶來穀菜目録、麻事改良説	養蠶養記、養蠶法、養蠶心切飼初心傳習記、火力養蠶新編、養蠶方法注意録			山林實務要譯	物産志、十四年度全國農産表、第三次農務統計表、大日本租税志
一七	勸農叢書、普國布利特隣大王農政要略、農學、勸農殖産法、通俗農家必携			養蠶製絲法、養蠶生理論、養蠶沂原、養蠶辯論	牧羊説			薩藩經緯記、印旛沼開鑿沿革誌、五人組異門辨、興業意見、戎氏農業化學

一八	農家得益辯、報德學齊家談		舶來穀菜要覽	養蠶實驗錄				地主安心論、登濟備考、補饑新書、凶荒圖錄
一九	農政教戒六箇條、責難錄、經濟要錄、經濟摘要			養蠶繁殖手引草	日本牧牛家實傳			
二〇	混同秘策、日本農業教育論、獨逸農政要略、日本農場整備論、農理原論、肥培論	日本米麥改良法、日本米作法		養蠶業演說筆記、養蠶術講義、普通養蠶書、養蠶新說、通俗養蠶新書、養蠶圖解、養蠶秘錄、養蠶問答、發氏養蠶論、養蠶論	馬史、馬匹改良說、牧畜全書			肥培論

右表は筆者所藏の原本を主として、これに臺北帝國大學理農學部農業經濟研究室藏本を採り「農書要覽」・「農事參考書解題」・「明治文献目錄」及び「大日本農史」と「鷹洲刊書記」を參照して作製したものであるが、瞥して耕種關係部門の少いことゝ、園藝・養蠶・養畜關係のものが多いことに注目される。耕種部門に屬するものは、本來我國の農業が水田を主體としてゐる關係上飜譯書が殆どないこと、畑作物に關しては通裁部門に擧げられてゐる中に含まれてゐるからである。そして水田耕作關係の分が少ないことは、舊慣踏襲の方法が是なりや否なりやについては未だ充分に解明さるべきものなく、農商務省設立後の政策轉換によつて遙か後になつて日本米麥改良法とか日本米作法（二十年代）とか四、五種のものが現はれて來て居るにすぎないが、いくら科學的な

經營技術の改良と云つても畑作主體の飜譯的なものが我國の實情に適するものでないことを示してゐる當然の結果である。園藝部門の書物の多いのは新輸入の園藝作物と關連して考ふ可きであり、養蠶・養畜・製茶は外國貿易と關係附けて考へられねばならない。

五　農業史三部作

以上述べた如くに政府の農書編纂事業の當初の最大目的は農業科學的智識の普及換言すれば從來の慣行的經營技術に對して科學的基礎を與えんための和漢洋を一にした一大農書の編纂であり、これを全國的に普及せしめんとしたことにあつた。十二年九月の勸農局長松方正義の『農書編纂の義伺』[18]は、亦この事を縷々として述べてゐる。

『農業ノ進歩ハ單ニ實驗ノ力ニ由ルニアラス、必スヤ學術相待チテ然後始メテ其大成ヲ期スヘキナリ……彼ノ歐米各國ヲ觀ルニ二者ノ關係殆相密附スル者ノ如シ……

顧フニ本邦夙ニ農ヲ以テ著ハル、試ミニ今日ノ實際ヲ以テ之ヲ歐米各國ニ比スルモ敢テ多ク讓ラサルナリ、啻ニ多ク讓ラサルノミナラス、或ハ遠ク其右ニ出ルモノアリ、蓋シ實驗ノ久シキヲ以テ其然ルヲ致スノミ、然リト雖トモ本邦上下數千年間學術ノ以テ農業ヲ助クヘキモノ曾テアリヤ、姑ク農書ニ就テ之ヲ論センニ、今ヲ距ル事百八十餘年前既元祿年間ニ於テ筑前ノ人宮崎安貞氏始メテ農業全書十卷ヲ著セリ、本邦國ヲ建ツルニ舊シトイヘトモ、其農書アルハ蓋シ此時ニ始マル、其後佐藤信淵大藏永常ノ徒相繼キテ力ヲ農事ニ盡シ、各著述スル所アリ、農業ノ稍書ヲ成スモノ實ニ此數子ノ賜ナリ、其功豈ニ沒スヘケンヤ、然ルニ其書タル今日ヨリ之ヲ觀レハ大卒陳々相因リ、書々相襲フノミ、而シテ往々固陋偏見ヲ免カレス、其今日ノ實用ニ適スルモノ甚少ナ本邦農業ノ孤立スルヤ此ノ如シ、是ヲ以時ニ老農アリト雖トモ、其所謂實驗タルモノ亦唯自然ノ造詣ノミ、其理由如何ニ至リテハ自ラ得テ知ラサルナリ、ソレ惟自ラ知ラス何ソ之ヲ人ニ及シ以テ世ニ傳フニ遑アランヤ、其法或ハ用フヘキモ利スル所一人ニ止マリ、其説闡施スルニ足ルモ及フ所限リアリ、其既ニ知ル所ヲ闡發シ而シテ精微ヲ盡シ、未其知ラサル所之ヲ講究シテ以テ改良ヲ求ムルコト、歐米各國今日ノ爲ノ若キハ農家ノ曾テ夢ニタモ見サル所ナリ、是ヲ以テ農家タルモノハ自カラ固陋ニ安シ、只舊慣之レ守リ、曾テ一點注意ノ改良進歩ニ及フナク、畢生營々トシテ糲食鶉衣ノ間ニ老死スルモノ天下滔々トシテ皆是ナリ、是レ豈特ニ農者ノ罪ナランヤ、其實亦タ太タ閔ムヘキナリ

是ニ由リ之ヲ觀レハ、歐米ノ農事ノ駸々トシテ進歩スルモノハ全ク學術ニ一致ノ力ニアリ、而シテ我カ農業ノ萎靡振ハサルモ亦職トシテ學術ノ備ハラサルニ由ルヤ明カナリ、然ラハ則今日ノ急務ハ學術以テ農家ノ實際ヲ助クルヨリ急ナルナシ、然ラスシテ歐米諸國ト共ニ馳驅セント欲スルトモ豈ニ獲ヘケンヤ

律ニ成文不文ノ別アリ農業モ亦然リ、歐米ノ如キハ謂ハユル成文法ヲ以テ行ハレ、本邦ハ不文法ヲ以テ行ハル……不文法ハ以テ一人一時ヲ利スヘクシテ未以テ之ヲ公衆ニ及ホシ、之ヲ久遠ニ傳フルニ足ラス……今ヤ宜ク此數千年來ノ不文法ヲ收拾シテ、以テ成文法ニ改良スヘシ、此擧ヤ未遽ニ其完全ヲ期スヘカラストイヘトモ、今ニシテ早ク此ニ着手セサレハ、將何ノ日カ我邦ノ農業ヲシテ學術ニ一致ノ域ニ進マシムルヲ得ンヤ、是本議ノ因テ起ル所以ナリ、而シテ其目的タル獨リ本邦古今ノ農法ヲ網羅スルノミナラス、支那歐米ノ諸法トイヘトモ

苟モ我實際ヲ資クヘキモノハ亦併セテ之ヲ採收ス、其方法ノ如キハ方今一科專門ヲ以テ名アルノ學士卽農學本草博物化學理學等ヲ修メタル者ト、農事ノ實際ニ老練セル者トヲ募リテ、之カ委員ト爲シ、豫メ問題ヲ設ケ月次會同シテ互ニ之ヲ討論セシメ、可否ヲ衆議ニ決シ、然ル後之ヲ編纂ニ付ス、其編纂ニ從事スルモノ亦別ニ文墨ニ長スル者ヲ撰ヒテ之ニ任ス

正義嚮ニ佛國ニ在ルノ日親シク農學諸家ニ接スル毎ニ屢此點ニ論及シ、頗ル感觸スル所アリ、以爲ク、本邦農事之ニ加フルニ學術ノ力ヲ以テシ、其ヲシテ實際ト相伴ハシメハ、其改良進歩ノ速カナル豈今日ノ比ナランヤ、必スヤ十數年ヲ出スシテ農事ノ面目大ニ觀ルヘキモノアラン、是正義カ前途ニ向ヒ尤希望スル所ナリ……』

斯くして十三年以降各省・各府縣に對して維新以後の農政に關する資料呈出方を申請し、粗々その第一歩を踏み出した。[19] これより先七年既に勸業寮に於ては上述した如く「農家月令」及び「農業集成書」編輯のため、明治以前の著書を蒐集して平野榮・鳴門義民を主任として穀類三十冊・養蜂一冊・綿一冊・內外植物驅蟲法一冊・牧畜手引草一冊・農家月令一冊合計三十七冊を編輯してゐたのであるが、[20] 未だ集大成したものではなく、翌八年には大藏省より府縣に令して田租・賦役・貢調に關する古書・舊記の類を申告せしめた。但しこの大藏省の分は農書編纂を目的としたものよりは寧ろ租稅制度確立のための必要である。「大日本農史」によればこの年七月『內務省の寮局火アリ、舊幕府以來地方ニ係ル書類維新ノ際藩政ニ關スルモノ、地誌物產ニ屬スルモノ、凡ソ農政ニ徵スヘキ必用ノ舊書類大抵烏有ニ歸』したので再び命じて再進せしめたとあるから、

一先づ完備されたものが一部消失したものがあつた。斯くして農書編纂の事は遅々として『鞅掌繁劇未だ着手に遑』(21)なくして、十五年五月に至り、再び農務局長田中芳男の建議となり、農商務郷西郷従道はこれを太政官に稟することとなつた。(22)その說く所嚮きの松方正義の所說と同じであるが『其事寧ロ鄭重ニ過クルモ之ヲ輕卒ニ誤ラサルノ戒愼ヲ專要』とし、そのそめに『本議纂修事務ノ總裁ハ之ヲ親王家御壹名ニ歸シ百事其指揮ヲ仰』ぐことゝし、費用は毎年三千圓、七八ケ年を以て完成する豫定としたのである。

云はゞこの時から本格的に農書、主として前記『農書編纂掛事務條項』にある如く日本農書が纂修されたのである。その第一は「勸農志料」八十六冊の製本が成つたことである。但し刋行されたものではなく、云はゞ原稿である。十五年十二月織田完之の『勸農志料回覽の件』(23)によれば、この書名は明治八年勸業寮に於て着手した分を「農業集成書」或は「農業類纂」と假題したものに附加・添增して「勸農志料」と命名したものであつて、穀菜・菓樹　飼畜類二百餘冊の中現在成りしものである。この他着手草稿の分四十冊に、「農事有功傳」十冊・「水產志料」三十餘冊・「田器類聚」・「飢荒年度記」・「田稗除害考」・「農業沿革錄」・「金穀撰要集」等の材料若干冊である。これ等の蒐集資料及びその前後各府縣より集めた書籍約千餘部を、編纂掛員が田中掛長の命を受け、その主なるものに解題を附して發行したものが「農事參考書解題」となつて二十三年に現はれ、(24)上述の「農事有功傳」は木村安行・根岸和五郎等をして淺草文庫及圖書館等の群書を涉獵し、併せて修史館の藏書や楓山文庫等の祕書を摘錄したものであり、後にこれを衣笠豪谷が拮居添加し、事初より監督の任に在つた織田完之は農務局長齋藤修一郎・內務大臣品川彌二郎の慫慂により、溝口傳三と共に編纂・刊行したのであつて、これが二十五年發行の「大日本農功傳」であり、筆者の所謂農業史三部作の一である。(25)

三部作の他の二つ卽ち「大日本農史」及び「大日本農政類編」は如何といふに、前述した如き事情の下に十五年五月着手され、蒐集した各府縣よりの資料一千三十餘を以て一大農書を編輯せんとしたのであるが、二十二年官制變改のために農書編纂事務も停廢され、この事業も中止の止むなきに立ち至つたので織田氏は自らこれを補闕・修訂し、維新前は黑川眞賴、維新後は溝口傳三の擔當することゝなつて、二十三年「大日本農史」が著述された。最初この農書は農史・農政・農理・農業・統計・農曆の六部門に分たれ、主として農史に力を注ぎ「大日本農史」となつたのであるが、農政部門は前述した如き蒐集する所僅少にして修正すべき部分が多かつたのであるが、二十八年に至り農務局農務課長渡邊朔はこの續修を申請し、織田・溝口二氏をして補修・協訂せしめた。(26)斯くして「大日本農政類編」は三十年に陽光に浴したのである。

六　結論

明治政府の勸農政策の一面としての農業智識の啓發運動の一部をなす農書編纂は、右の如き種々な事情によつて當初の計畫とは異つた結果となつて、成功したものとは云ひ得ない。それは科學的な綜合的農業の普及といふことよりも、その編纂當初から現はれてゐた日本古來の農業の再認識及びその一般化を目的とするかのやうな方向に舵がとられた。併し乍ら上に見た如くに、少く共その應用如何は別として、西洋農業の飜譯書が官私を通じてかなり著はされたことは、それ自身決して無駄ではなかつた。特に最も新しい園藝作物とか工藝作物とかの栽培に幾分なりとも寄與する所あつたのは、そうした作物が全然今迄我國に栽培されてゐなかつたのであるから、政府の試植奬勵と共に意義あることであつた。亦煙草とか葡萄とかの幾分從來我國にも存在したものに新しい栽培方法を啓示し、それが改善に役立つたこともあつたであらうが、中にも注意す可きは牧畜との關係である。前の表にみる如く牧畜關係のものがかなり多數に含まれてゐることは、當時の政策の一端として牧畜が奬勵されてゐたことゝ、農牧混用の農業經營樣式に改進せんとする當時の農業界の一の指導精神を示すものと見る可きである。

併し乍ら問題は農書の發行ではなくして、果して農民が農書を讀むかどうかである。否讀んで實行するかどうかである。勿論多くの實例は新しい作物の試植奬勵が如何に盛んであつたか亦農民がその分譲を望んで試植したことを教えてくれるが、それ等が大體に於て成功してゐないのは、特に實地指導者を派遣してゐる場合でも不成功に終つてゐるのは、何を物語つてゐるであらうか。一般的に云へば農民の智識の貧困を別としても、方法と指導とを換言すれば實際と理論とを兩分したことに在るし、早急の間に事を行はんとした點に原因が見出されやう。數多くの輸入作物の中果してその幾何か殘存してゐるであらうか。現在のそれは遙かに後代の賜物である。それは農業教育の普及によつて齎らされた長年月の結果である。

農書の編纂、それは如上の如き結果をもたらしたとは云へ、史家は最も恩惠をうけてゐるであらう。舊著の複刻に、三大農業史の編纂に。（一九三九・一一・五起筆、一二・二〇脫稿）

（1・2・3・5・6・7）筆者藏。
（4）「勸農局沿革錄」
（8）「大日本農史」今世。筆者藏。
（9・12）筆者藏。
（10）『洋籍貸譯並譯書原稿買上手續』（明治九年）
（11）拙稿「明治時代最初の農書」（社會經濟史學、第四巻九號）

(13) 以上筆者藏。拙稿「明治肥料史の一齣」（經濟史研究第一七卷一號）

(14) 「大日本農政類編」附錄。「鷹洲刊書記」。

(15) 同書。「農業雜誌」第一號

(16) 筆者所藏のものは寫本であつて、第五編各樹育養法の中が、漿果類・仁果類・核果類・乾果類に分れ、第六編雜說に終つてゐる。これに西洋野菜甘藍栽培論（東京農林學校御雇教師、米チヤールス・シー・ジヨールジソン口述、農學士大町信筆記）・藥草培養株收法要領・馬鈴薯栽培法がついてゐる。大阪府農學校寄宿舍、明治二十五年十二月一日、今中有筆とある。全部墨筆を以て記され、書體は同一と思はれるから、農學校の講義筆記かと思ふ。

(17) 同雜誌第一號『農學雜誌編輯大意』

(18・20・22・23) 筆者藏。

(19) 明治十年の廻文（筆者藏）。尙松方正義と農書編纂の關係については黑正巖博士「松方正義公と明治初期の農政」（本庄博士編「明治維新經濟史研究」）參照。

(21) 「大日本農史」今世。

(24) 同書、緖言。

(25) 同書、緖言。

(26) 「大日本農政類編」序文。「大日本農史」序文。

附記　この稿と共に拙稿「明治初年の官營農業試驗場」（經濟史研究、第二一卷四號）を併讀せられんことを望む。

取引所の掛繋ぎ機關としての價値

今西庄次郎

目次

一　序　言

掛繋ぎ或は保險繋ぎ取引 Hedging, Gegentransaktion の何たるかは玆には既知の知識とする。註

蓋し夫の取引所との關係の如きは、それの意義、內容を一通り知つたもの以上の問題であるからである。而して掛繋ぎと取引所の關係事態は、取引所が掛繋ぎの機關となつてゐること、殊に所定の取引所取引方法によつてそれを行はんとするに便宜もあるが又弱點も少くないといふやうなことに於て、外見上よく現はれる。斯くてかその學問的論議に於ても、主としてその取引方法による掛繋ぎの樣子を取扱ふのが世間に多い。併し斯の如きは、問題を經營學の一部に嵌めこむ嫌の多分にある點は暫く措くとしても、今、吾人の正當と信ずる取引所論の方法論から見て極めて物足りなく感ずるのである。吾人の取引所方法論からすれば、先づ第一に何故に取引所に於て掛繋ぎが行はれるか、特に取引所が掛繋ぎ機關と云はれるほどなるに於て掛繋ぎが取引所を生む過程を說くべきことゝなる。取引の標準、來る生產消費或は需給の指標たる相場を公定するといふ主たる取引所生成因との關係如何、株式取引所は掛繋ぎ機關たりや等はその第一段として是非取扱はるべき問題である。次にその取引所に於て掛繋ぎの行はれるよさの程度が吟味されなければ

ならぬ。つまり取引所の掛繋ぎ作用の價値である。最後に取引所の掛繋ぎ作用とその取引形式との關係が來る。注意すべきは第二の取引所職能論としての掛繋ぎ作用吟味論では取引所取引形式による作用規定は取上げられない　大體、清算市場といふまゝで果し得る所を見る——といふことである。詳言すれば吾人の見解によれば、取引所取引なるものは取引所が使命とせる職能を果たすべき形式にして、それが先づ先天的に定つて職能を規定すべきものでないのである。尤も取引所の職能は一でないが故に、他の作用の希望のため妥協、調節されることはあり得るが、靜に觀察すればそれら職能を適當に果すやうな形式になりつゝある——社會人間が或る必要のために設けた機關としてそれに都合よきやうこしらへる——ことが會得されるのだ。以上、三段構への考察の中、第一の掛繋ぎ機關としての取引所生成に就ては私としては粗雜ながら觸れた事があり、第三の取引論に就ても部分的に取上げ、就中掛繋ぎ作用と最も密接な關係を有つ格付賣買には觸れたことある故、玆に殘された第二の取引所作用論としての掛繋ぎ作用を少しく要論してみやうと思ひ立つたのである。

註　强ひて擧ぐれば次の如きは、その常識以上の知識の要領を與へる一例たる書であらう。H. O. Hardy, Risk and Risk-bearing, 1936, P. 222—225.

これも別の機會に要言したことがあるが、取引所の機能は凡て相場公定作用と持續的市場作用とに纒められるものにして(尚ほ別に取引高現象といふことも擧げられるが、之は前者らの取引所として意識的となし得る、從て政策的アヂャストの對象となし得るものと異り自然産物的なものにて、作用と云ふより現象と云ふに適はしい)、取引價格の標準、需給關係の標示等所謂取引所諸機能は、前者に綜合せられると云ふか、前者を之等の必要に利用する所それらの所謂諸機能となると云ふか、兎に角そういふ格好にあるのだ(この點に着眼して私が商品及株式取引所統一認識可能となすこと亦その機會に併せ說いた筈だ)。斯くて今、掛繫ぎ作用を取扱ふ場合にもこの方法は當嵌るわけにして、上の綜合的に見た作用を謂はゞ掛繫ぎの立場から吟味することゝなるのである。而して掛繫作用は相場公定作用と持續的市場作用との双方に關はりを有つてをり、從て兩者に就て考察を要することゝなる。

二　相場公定作用の方面に於て

イ　現物相場と先物相場の鞘關係の正當化度

從來、一般に取引所を先物市場と云ひ、否な先物市場と云へば取引所だといふ位に考へられた。後者の考はそれだけとしては先物市場の凡てが取引所でないと云ふことによつて反駁される所となるが、勿論前者の言ひ慣はしを强めるものとしての意である。而してその取引所は先物市場なりといふ事は、今日、簡單に通用せなくなつてゐるのを知らねばならないのだ。從來、取引所に於ては現在直ちに受渡をせない需要、供給を行はすために先物取引を行ふてをり、先物(取引)市場として上の言ひ慣はしは當然でもあつたが、今日では先物取引の形式をとらずともそれら需給を行はす工夫が出來たからである。今日成立せる事物論理の順序は――之が世間一般には遺憾乍ら常に又全面的に行はれてゐないやうであるのだ――先づ先物相場と現物相場の何れが取引所の機能に適せるかを考へ、而して後それを齎す――具現するものとしての――取引形式に及ぶべきである。これに於ては假令先物相場が適當とせられた場合にも、又實は先物相場は先物取引によつてよく具現されるものであるが、取引所といふ社會組織體のボディー(實體)を現はすものとしての意味で從來の如く先物市場といふ語を用ふることは最早論理心上許されないのである。用ふべきは清算市場と云ふ稱呼であり、先物市場の語を用ふるとせばそれは彼の機能を表現してゐる、つまり先物相場を立つるもの(市場)と解すべきであるのだ。而して實際は如何にと云ふに、今日多くの取引所、就中商品取引所は殆ど先物相場を立てんとしてゐる處である。

註 取引所のボディーといふ觀念の詳細に就ては、拙稿「取引所とは何ぞや」政學科研究年報第四輯經濟篇二五三頁以下參照

云ふ迄もなく、それは先物相場が彼等の機能により適してゐるからに外ならない。その如何に適してゐるかは、實際、取引所論として中心的な一問題に屬する。而して私としては此事由的考察をば既に別の機會になした所であり、一應はそれに讓り得るのだが、たゞそこでは主として取引標準、來る需給界指導といふ見地より眺めてゐたのである。註 掛繋ぎとしては需給結合の結果(價格)よりもその需給の行はれること(轉賣、買戻が出來、持續的市場であること)が先づ大切であるとも見られるが、しかし彼も相場變動を敢て避けんとするものとして取引をなす相場の如何がその完全さに響かすのである。今、他の要請から妥當な相場を立てるに先物相場がよいとせば、掛繋ぎの立場もそれに赴くことゝならざるを得ず、そして油斷なくその正しきやう吟味眼を以て臨むことゝなるわけである。たゞその吟味の着眼點は――之も曩になしたのは主として一般

的、就中取引標準などの見地であつた――掛繫ぎとしては、標題の如く先物相場の現物相場との鞘關係といふ箇所となるのである。

註 拙稿「取引所の公定する相場に就て」經濟論叢第三九卷三號、四號

然らば何故標題の如き點が吟味の爼上に上されるのか、この說明の爲に掛繫ぎのやり方を茲に必要なる範圍に展開せなければならなくなる。一體、掛繫ぎは現在、買入、保有をなすと共に將來で渡す約束の賣を行ひ(賣繫ぎ)、或は現在賣約すると共に將來受取る約束の下の買を行ふ(買繫ぎ)ものであるが、それらの將來の賣或は買は之を實行せず、反對賣買卽ち買戾或は轉賣をなし清算決濟してしまふのが普通である。一部にはそのやうに反對賣買をなすもののみが掛繫ぎであると見做す者もあるやうだが、製造業者の繫ぎの如く必ずしもそうしなければならぬといふのでないものもある。たゞ一方には又そういふ清算決濟のやり方を用ひねば確保すべき賃業的な利益がうまく得られない場合もあると共に、製造業者の場合も反對賣買で清算した方が利便なるが故、近代は殆どそうせられることになつてゐるといふので普通といふ言葉が用ひらるゝのである。而して斯の普通にとられるやり方の繫ぎに於ては、先物相場の變動と現物相場の變動とが竝行すれば足ると共に、又竝行することが絕對に大切なのである。既に知れるでもあらうが、先物相場も現物相場も或る時點に於ける當該物件の相場の表現形式に過ぎないのであり、例へば商品なれ

ば倉敷料、品傷み高、金利等の所謂持越費 Carrying Charge を加へた大いさだけ先物相場が高いのをノルマルとするのであるが、之は文字通りノルマルで――常にこうであれば先物相場と現物相場とを分ち表現する要はないわけだ――現在の供給、將來の供給(將來と云つても色々ある)と現在の需要、將來の需要(之も幾時間的階段のものあり)の中、現在の需要、將來の供給の中にはどうしてもその時でないと滿たされず、時間的上に滑り得ないものがありて、玆にノルマル以上の開きを生ずるのである。世間では先物相場が現物相場より單に上位か下位かによりて上鞘、下鞘或は逆鞘と云つてゐるが、掛繫ぎの立場からはノルマル線を境として見るべく、夫を越ゆるか下なるかを以て呼稱するが嚴正なりと云はねばならぬ。又上鞘の事を順鞘とも混稱してゐるのが多いが、私はノルマル鞘 Normal spread のを順鞘と呼び度いと思つてゐる(從て諸他の Abnormal spread を不順鞘と呼ぶ)。イ圖參照 而して不順鞘を生ずる事情、其程度――度合、續く時間、屢々――は物件によりて同じに非ずとして、程度に就て云へば何れも順鞘か順鞘に近い(之も不順鞘に違ひはないがその度合の輕微な)狀態にて、不順鞘の場合は之を算へるのを通則としてよい態にあることが實證もされる所である。

イ 圖

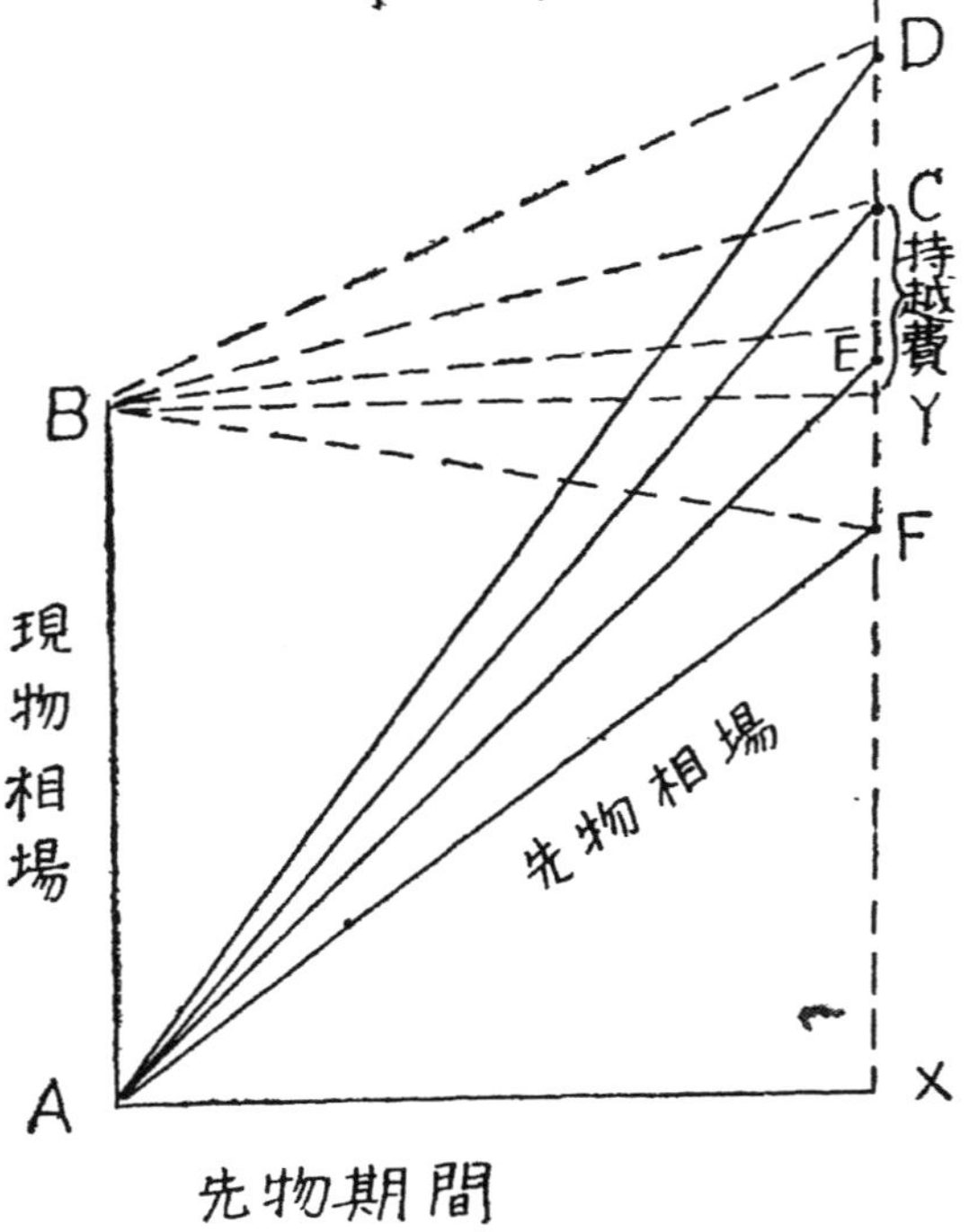

AB＝A時點の現物相場

AX＝先物期間

CY＝AX間の持越費

AC(高さはCX)＝A時點の先物相場……順鞘

AD＝上鞘
AE＝實質下鞘の上鞘 } 不順鞘
AF＝逆鞘

不順鞘に關し最も注目されるのは農產物(農產物やそれを原料とせる半成品界に取引所の多い事實を喚起し置くもよいであらう)の端境期である。玆には各箇の農產物の價格論をなさんとするのでないが故に、食料品たるものと工業原料品たるものとに大別出來ることを述べ、それも大體論をなそうと思ふ。新收穫期に近附くにつれ、それの價格關係即ち生產費を中心とし來る年度の需要、供給量に規定される價格に舊物の價格は支配されんとし、當該年度の殘りの部分は接近せる年度の需給に連絡或は包攝されてしまふ形となるのである。即ちこの狀勢に於ては舊物期と新物期の境は均された面の如く斷層的なものは生じないわけだ。勿論、新物と舊物とでは品質上待遇の異にせられる範圍あり、概して云へば舊物は或程度低く評價せられる筈である。斯くて現物は舊物期で先物が新物の出廻始め期とせば、この品質的な價格差を考慮せば農產物と雖も大體順鞘となるわけである(順鞘となる力はあるわけだ)。注意すべきは此場合の順鞘は持越費だけ先物の方が高いといふのでなく、無鞘がそうであることだ。申す迄もなく持越費を要せないからにして、之は端境期の鞘關係として注目すべき點でなければならぬ。今、農產物にても工業原料品たるものは上來の關係に定められる力强きも、食料品たるもの―小麥や我國の米の如し―にありては可成り趣を異にする場合があるのだ。それは工業原料品にありてはその現在の需要といふものは、どうしてもそうしなければならぬといふ程度一般に微なるに對し、食料品にありてはその現在の需要には、性質上どうしてもやめられぬといふ分子が多いに基く。即ち新物が收穫される以前に於て舊物の供給が不足勝ち或は手一杯といふやうな時には、現在の需要の如上の性質によつて、假令新收穫物が豐饒豫想とするも其價格は高からざるを得ず、玆に逆鞘現象を生ずるのである。實際不順鞘の多

いのは斯る事由による端境期であるといふに於て、何よりそれが注目される次第となるのである。註

註 C. O. Hardy, ibid., p. 231－234. 參照

今、先物相場が不順に上鞘又は下鞘にあるといふことが直ちに掛繋ぎを不完全ならしめるとは限らず、そのやうな鞘關係の續く間では、先物相場の變動と現物相場の變動は竝行せるわけで繋ぎは不都合なく遂行され得る所である。かの舊式な渡しきる若しくは受取る形式の掛繋ぎにありては確に不當な得失のため亂されることゝなるが、近代の反對賣買をやる形式にありては賣繋ぎ、買繋ぎ共に公平に可能となるのだ。けれども不順鞘は、やがて現物相場が先物相場と一致するものなるに於て解消必然であるのみならず、それに至る迄にも順鞘線に歸らんとするのであり、之等は現物相場變動と先物相場變動の不竝行を齎すものにて(素より先物上鞘の時は賣繋ぎは得、下鞘の時は買繋ぎは得となる豫想でよいが)、一般的には矢張り不當な得失のため安全にやれないと稱して至當な事態となるのである。ロ圖參照　然るに順鞘の時は、現物相場が先物期に於て先物相場に一致して毫も不都合がないのみならず、イ圖の如き理想的な鞘關係の持續が豫想されるのである。素より鞘關係の持續の點に就ては、現に順鞘でも、今後に於て何等かの事情が突發しそれが不順となる卽ち先物相場と現物相場とが不竝行となることも考へられないではないが、然も現に不順なのが順にも歸らんとする可能性に比べては少いことが云はれるのだ。

ロ　　圖

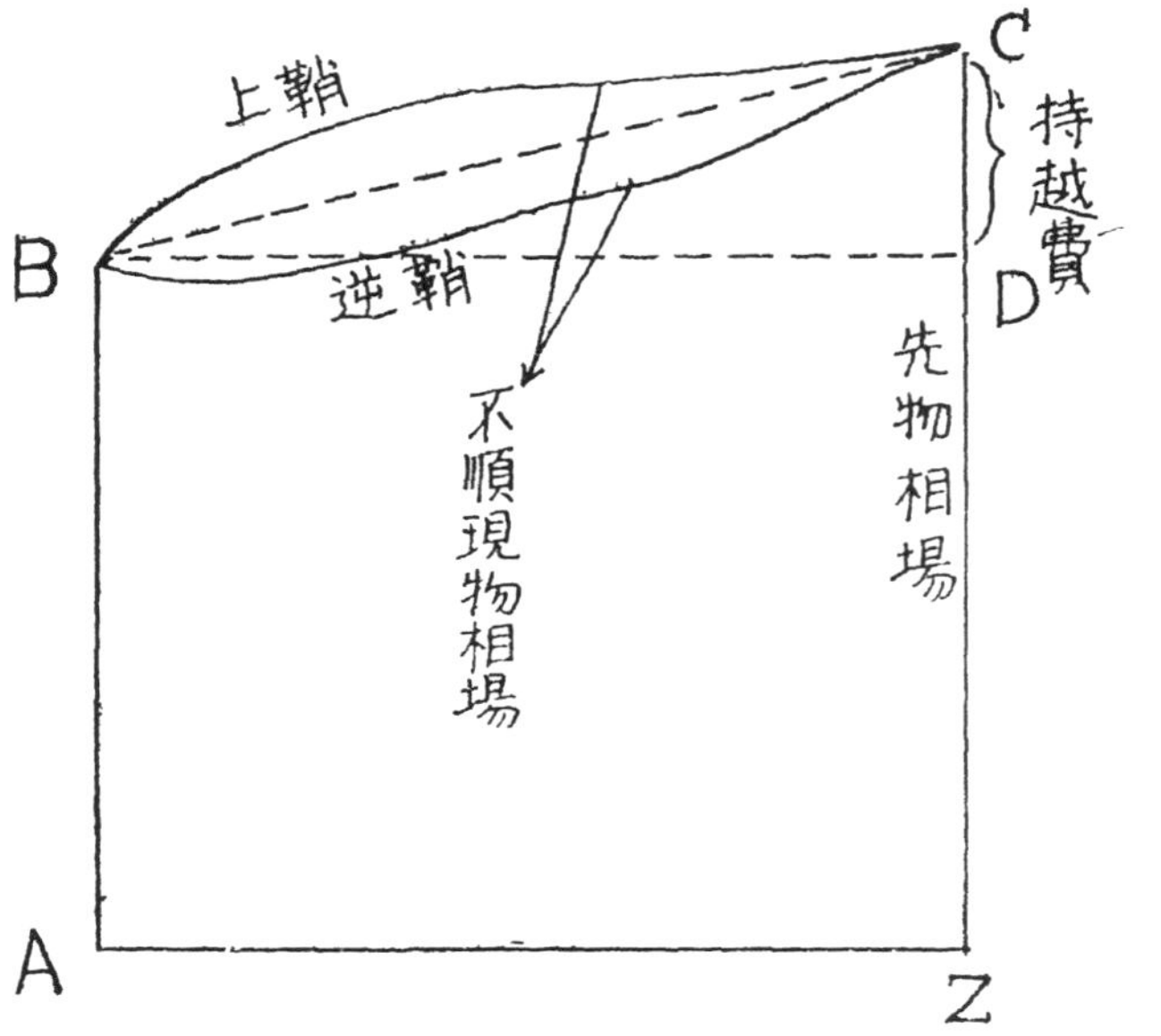

ハ　　圖

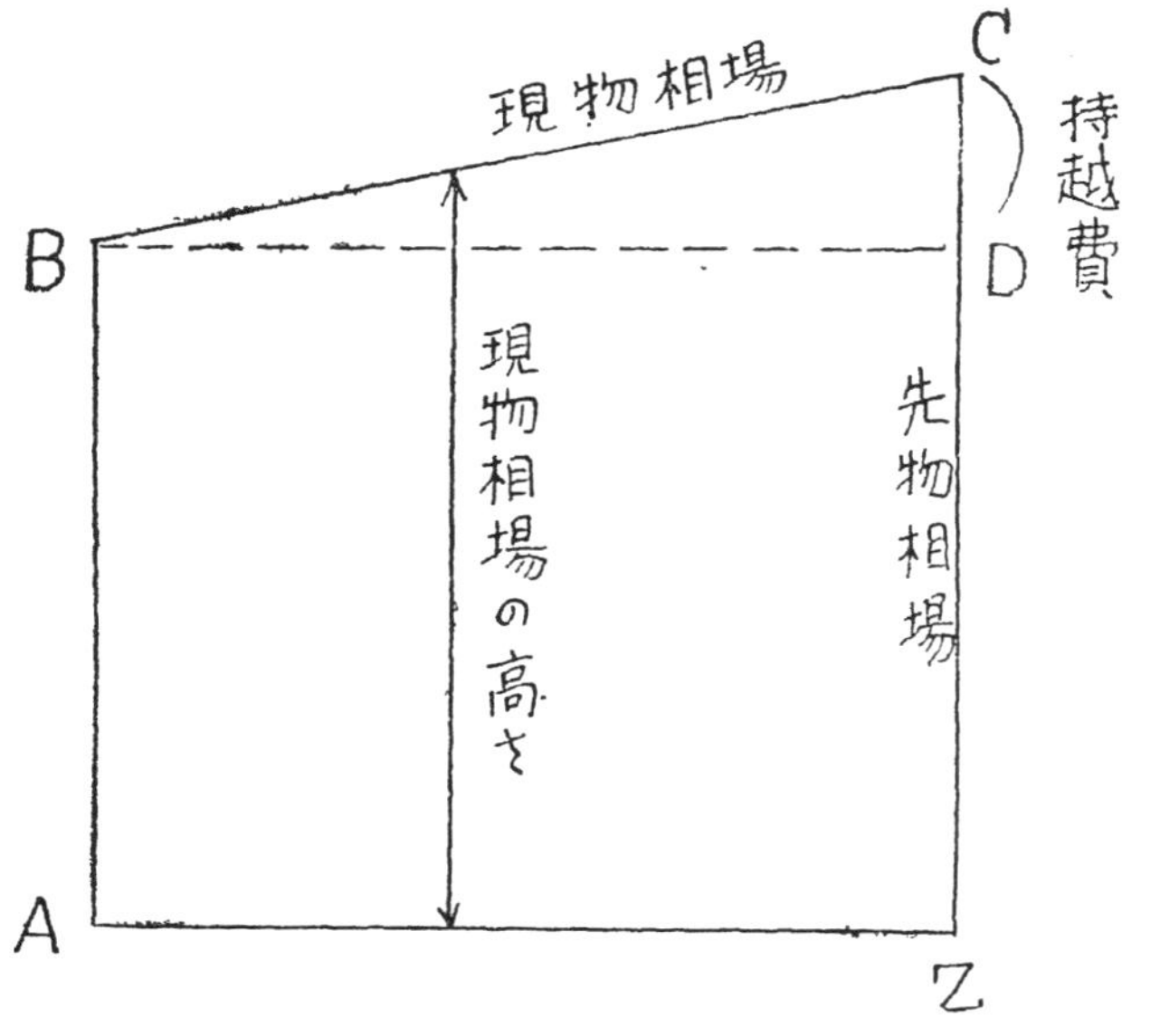

イ、ロ圖とも先物相場を基準とし現物相場を以て鞘關係を示す
AZ＝A×より長い期間と看れば本文の趣旨がはつきりする

掛繋ぎに於ては先物相場と現物相場の鞘關係の大切なること、從て取引所相場に就てもその點の取上げらるべきことゝなることは、右によりて知られたと思ふ。處でそこに、一寸考へる人々は次の如き疑問を起すかも知れないのだ。それは、掛繋ぎの賣又は買が——現在受渡せないことが滿たされねばならぬ——取引所に於て行はれ、その取引價格は取引所の先物相場によるとして、鞘關係なるものは先物相場と現物相場との開きであり、謂はゞ相關的であるに一方の實業的な方が現物取引として取引所外に行はれるに於て、取引所の先物相場のみの吟味は意味をなさないといふことである。併し乍らこの疑念は取引所相場の指導性といふことを考ふれば自然に解消する筈である。つまり取引所外の取引に就ても取引所相場がその價格の標準となり、否な取引所相場に從はざるを得ないに於て、取引所外の現物相場も自ら取引所（先物相場）と一關的に考察されるからである。而してこの事を詮じ詰むれば、更に次の論理が生まれる。取引所相場が指導性を有つことは取引所外の先物取引、先物相場に對しても變りないが故に、掛繋ぎを取引所外で行ふと內で行ふと此相場の點では擇ばないことゝなる。從て取引所を掛繋ぎ機關と云ふも此相場の點では內部に行ふに就て稱せられるものでなく、取引所なき場合に於けると取引所出來後との比較に於て何だかよくなつてゐる點を見て云ふものである。一體、取引所機能の考察は、時間的に見て、當該使用が取引所無き場合に於けると比べ如何によくしてゐるかと、出來てから取引所內では外部で行ふより如何によく行はれるかの二方面の考察が成立つのであるが、今掛繋ぎの、その鞘關係の點に就ては專ら取引所無き場合との比較が取引所(機能)現象として見るべく、それだけ見てよいことゝなる、と。

扨て愈〻眼目たる、取引所の存在によつて當該物件の先物、現物相場の鞘關係は如何になるかといふ方面に於ける取引所相場の吟味であるが、二つの點に於てその功德が認められるのである。一は直接に或は少くとも間接に市域內の總需給が集中し、それらによつて相場が立てられることゝなるがゆえ、はつきりした大いさに定められ、鞘の不當な伸縮がそれだけ少くせられる點である。取引所の無き場合にも、取引所には劣れるが不完全ながら市場的存在とそれに於ける取引が行はれないものでもなく、外部の現物取引も前者の相場を參照せないものでもない。注意すべきは、斯る場合の市場相場の指導力は取引所の出來た場合と決して同じでないが、今假りにコンスタントとすることである(若しその同じからざる點を取上ぐれば之は問題の性質を取引所相場の指導力の應用に向けることゝなる)。斯くその市場的相場が現物相場などに——取引所の出來た場合と——等しき反射力を有つとするも、然もその市場相場のはつきりする程度の低く謂はゞモヤ〳〵としてゐることは、自ら現物相場などが(指導性に)從ふとしても完全にゆかないのであり、つまり吾人は此點に着眼して取引所の存在による相場が鞘關係の不當さを少くすることが認められるとなすものであるのだ。

二は取引所の所謂鞘取り需給 Arbitraging demand and supply を行はれ易くなすことが鞘のノルマル以外の開きを縮少する傾を有つ點である。一を需給の行はれる形態の效果と云へば、之は其内容に關する效果とも云へる。先にも要言せし如く、先物、現物相場の鞘がノルマル以上に開くのには種々なる事情もあれ、將來に於て過剩な供給があるとか、現在どうしても欲しい(先に延ばし得ない)需要が仲々にあるとかの動かすべからざる事情もある。一面寧ろ多くとられ易い見解としては、アブノルマルな鞘はノルマルに向つて安定せんとするが故、何でもノルマルに近附く相場を立てるほど正しいと考へる。他方、ノルマル鞘といふのはそれが常態だと云ふので、今どうしても延ばされぬ需要が多くある場合、現物相場が逆鞘的に高く定まるのはそれとして當然、寧ろその大いさが正しいと云はねばならぬといふ見解も立派に成立つ。後者の見解を支持する限り、取引所が如上の掛繋ぎには味方的な相場を立てるならば、彼の相場は決して正しいとは云へなくなるわけだ。吾人の見る所では(以上二つの立場を衷和したものとも評されやうが)、あるべきアブノルマルな鞘をノルマルに近附けた相場を立てるは無理強ひで正しくないとして、然もそういふアブノルマルなとき相場にいくら現はれたならそれとして正しいかも斷定出來ない可成りの範圍あるを見、そこに可及的にアブノルマルを縮少するのが正しいと信ずるのであるが、又取引所は恰も殆ど斯る意味の相場を立てんとするのである。而して取引所が斯る相場を立てるものは、初めに述べし如く鞘取需給を行はれ易くなすに於てゞある。吳々も注意して欲しいのは行はれ易くなすと云へる點にして、之は鞘取りの機會を增すなどと同義ではないのだ。別の機會に闡明せし所であるが、取引所を鞘取り機關となす俗說には大なる誤解があり、取引所一度び生ぜは各地的、時間的に不當な鞘を存在さすが如き事象を解消さゝんとするものにて、彼こそ鞘を無くする機關にて、鞘取りの活動する餘地を失はしむるものであるのだ。今、取引所が存するも先物、現物相場の間には上記の如くにアブノルマルな鞘が存し得るも、これは決して鞘取引の機會や餘地を增したものでないこと申す迄もなからう。彼が鞘取引を行はれ易くするとは、その轉賣買戾の至つて自由なる仕組、物件擔保の金融、物件の貸借等の事情を極力動員して出來得る限り鞘をとらんと——これは勿論反面に鞘を縮少する作用となる——虎視眈々とせる需給が他の市場機構などの及ばないほど一層集まるを云ふのである。

以上は取引所の先物相場公定の點に關する掛繋ぎ機關としての價値である。知らるゝ如く相當に其價値を發揮するが、然も尙ほ性質上達し得ない限度がある。取引所現象なるものは、取引所の存在によつて生ずる價値、現象の認識を指す。私が茲に斯の如きことを云ふものは、時として右の限度あることのみを擧ぐるに止まる人があるからだ。[註] 取引所によつてもそのアブノルマルな鞘が解消せず、掛繫ぎ者として完全無缺に救はれずといふことは、それとして確に取引所價値、現象であるが、それは取引所價値、現象（を體積的に見て）の一端を擧げるに過ぎない。その限度以下、取引所の存在によつてよくされた價値、現象――但しその量をはつきり云ふことは性質上大低六ヶしく、固定的でなく時により變動的だといふことを云ひ得るのみである――を擧げるによつて、取引所の價値、現象は全的に畫かれたことゝなるのだ。取引所外にあつて掛繫ぎの點から取引所を眺める（例へば經營學、商業學の）立場からは、其限度あることだけを記述せばよいかも知れぬが、取引所論としては取引所現象、價値を畫くべきであるが故、全體の量を畫かねばならないのだ。

註　「福田教授も「取引所職能論」で掛繫ぎ作用を可成り詳細に取扱つてをられるが、（掛繫作用そのものの解説が多く）就中、私の斯の見地からしてどうも平面的で、眞に取引所職能としての掛繫ぎをはつきりさせてをられないのが遺憾に思はれる。

福田敬太郎氏「取引所職能論」昭和四年十二月　一七七―二二二頁

ロ　全體價格公定による影響

商品取引所のみに關し、その代り凡ての商品取引所に見ると云つて殆ど差支ないことは、取引所は全體價格を公定するものだといふことである。全體價格は想像され得やう如く各個價格に對立する觀念であるが、夫は決して抽象的な觀念物でなく日常の社會經濟に現はれてくる存在である。從て經濟原論などに於ても究明されて然る可き對象であり、特に取引所論に於てはその機能論に於て直接自已の問題として取上げねばならないものであるが、吾人の寡聞なる、從來殆ど取上げられてゐないのである。恐らく全體價格なる語の使用も私獨りでないかと思つてゐる。而して今、取引所相場が掛繫ぎに大なる關係あるに於て、その內容性質、如何なる所にその價格が生成するか等を述ぶべきであるが、私としては嘗て格付賣買論に於てその前提として要述したことあるが故、註 茲には其概要を再言するに止め、主としては取引所が夫を公定するために掛繫ぎ作用が如何になりつゝあるかの詳細に突入しやうと思ふ。

註　拙稿「物產取引所格付賣買の理論」政學科研究年報　第四輯　經濟篇二七〇――二八六頁

全體價格は當該物件が或るグループ――銘柄と云はれる――に分たれ夫々としての價格即ち各

個價格を有する所に成立つ。大切なのは、一方に夫々銘柄がそれとしての價格を有つことにして、これはその品質の或る相違に由り用途にも或る異なる點もあるに基くものに外ならず、又一方には斯ういふ需給狀態にありながら各銘柄毎として價格の定まらざることにして、これは夫等銘柄が大なる代替性を有ち全體としての需給關係が確然と成立つ所に基くのである。大低の商品は斯る全體、各個價格の關係狀態にあるものであるが、(餘談乍ら又既知でもあらう事乍ら、全體價格を持つ商品界に凡て取引所が成立つものでなく、大量的でなければ駄目なのである。然も尙ほ大量的であつても各箇銘柄數が餘りに夥多であるやうな物には技術上――格付賣買が圓滑に出來ぬから――又不成立となる)その取引所に於ては全體價格を立てるものとする(或る銘柄として大量性を缺く時は夫は素より非取引所的となつてゐるが、縱令それだけで隨分大量であつても)。其事由は、かの取引標準、來る需給への指針としての相場を求めるといふ取引所機能が要請するからにして、一步詳細な說明は舊稿「格付賣買の理論」に觸れたが故再言しないが、大體の所は上だけでも推知され得やう。處で今當面の掛繫ぎの立場からは如何と云ふに、これは全體價格によつては惠れぬといふよりも寧ろ妨げられるのである。

然らばどういふ工合に妨げられるのであるか。これの吟味に關聯し先づ明瞭ならしめて置き度いことがある。それは商品取引所相場の掛繫ぎ見地よりの吟味と云へば、取引所外に於ての各個銘柄の取引價格の取引所相場との不並行といふ一箇の事態が對象とされるものと考へられ易い(先物相場と現物相場の鞘關係が獨立した吟味對象たるを看過する)點である。これは取引所相場と各個銘柄價格の開きが如何に不當なりとするも或る時點のそれだけでは掛繋ぎ上影響とならず、或る時間を經過した後に於ける開きと一致せなくなるに於て問題となることに、前段に述べた先物相場現物相場の鞘の動きが似てゐるからであらう。更に取引所外取引價格の取引所相場との開きの動きにその外部現物市場の需給關係の變移といふことが原因の一方になれることも、共通してゐるからだと思はれる。併し乍ら取引所が先物相場を立てゝゐるとき同時に全體價格を立てゝゐるから鞘が不當に動くのでもなく、矢張り夫々の影響があり即ち二つの方向の吟味が在るものにして、この事は全體價格各個價格の存せざる株式取引所に於ける掛繋ぎに就ても前段の先物相場現物相場の鞘の吟味が存するによつても窺知される所である(尚ほ兩者の影響は、事實現象として相違が認識されるのみならず、政策に關しても異なる趣があるのだ。例へば全體價格の方の影響は格付賣買によつてアヂャスト出來るが如し)。以上、關聯的な事を明瞭ならしめる途上に、今本體たる、全體價格公定が掛繋ぎを妨げる事由に一寸觸れたが、要するに取引所外で行はれる掛繋ぎの一方たる現物取引は銘柄的になされ、この銘柄價格はそれの特別な需給、就中需要の變化によつて全體價格と歩調を等しくせないことを生じ、從て取引所が全體價格を公定してゐては之に於ける掛繋ぎ賣、買は、鞘を等しくせないだけ不完全になるのである。その特別な需給による從來とそれた銘柄價格の大いさが不當なりやは一概に云はれないわけであつて、それが餘り甚しからんとする時は新規の代替關係が起行してチェックせられるのを常とする點から見てもそう思はれる。勿論また、各個銘柄に於ける夫としての特別な價格變動は全體價格にも同時に反影されないものでもなく、殊に當該銘柄量の大なるときは其度合多いのであるが、それとしてもそこに掛繋ぎを不完全ならしめる不歩調の生ずることを免れ得ないのである。

取引所現象、價値とは取引所の存在によつて齎さるゝものを云ふといふ理論、立前から、前段の先物相場の掛繋ぎ吟味に就ては專ら取引所なき場合に比べ如何なる影響を與へるかと考察したのである。今、全體價格に就ては、夫が掛繋ぎに支障を與へる性質を有ち、然も其價格は取引所なる市場制によつてのみ立てられるに於て、彼が夫を公定するによる掛繋ぎへの影響がよいものか惡いものかは始めから判つてゐると云はれる。たゞ此場合には、先物相場の場合の如く單に取引所なき場合に比べての影響だけを考察するのでは足らず、取引所あるもそれを利用せず其外で繫ぎ賣或は買を行ふ場合とも比較考察することが論理上要請されるのだ。申す迄もなく、取引所外での繋ぎ賣、買は銘柄的に行はれ、取引所に於けるとひつくるめて考察し得ないからである。然らば、取引所が存し其全體價格に依て繋ぎの行はれるのは、取引なき場合に比べ如何に支障を有ち又取引所外に於て行はれるのに比べ如何に支障を有つかと云ふに、先づ前者にありては全體價格を立てることは掛繋ぎをよく行はしめる作用もあるにはあるのだ。それは、取引所の立てる全體價格は、取引所が存せず幼稚な清算市場的な機構で立てられる銘柄別の先物價格よりも妥當性を有つによるものにして——斷はる迄もなく前段の先物相場を妥當ならしめるといふ點は今は抽象しての話である——その今一歩進んだ事情となるのは、狹量な對象物件では專門業者が寄つて以て相場を立てる方が内容の廣い（種々の材料が響く）物件に於けるよりも正確となる傾あるも、專門家以外の大衆的な投機者の參加するに於ては寧ろ材料關係の狹いものより廣い對象物件に對する場合の方が正しい相場が立つといふことである。が、斯の惠み Dienst も全體價値が各個價格と開きをみせるによる掛繋ぎ支障を克服するを得ず、内面に働くのみで、外部には後者の支障が勝りて現はれるといふわけである。次に取引所在るも取引所外に於て銘柄的に繋ぎ賣或は買を行ふ場合にありては、その銘柄先物價格は恐らく取引所全體價格の指導をうけるであらうから、前者の正當な全體價格の利を發揮しつゝ、一方現物的な取引價格との間に　先物相場に關する開きは別なること玆にも斷はる迄もなからう——全體各箇の開きを有たないことゝなる。從て此場合には取引所として前者の如く掛繋ぎを支障する程度より相場を正當にするによる掛繋ぎ援助を差引くことは出來ず、つまり取引所全體價格利用の掛繋ぎのうまくゆかざることがより大きく感ぜられるわけとなる。併し乍らその恰も相手方も所有してをつて差引き出來ないといふ掛繋ぎ味方となる相場正當化は、實は取引所によつて相手方に與へるものであるから、此場合にも取引所の全體價格による掛繋ぎ支障は、前の場合と殆ど擇ばないと云へるのである。

因に上の如く全體價格公定が掛繋ぎに支障を與へるに拘らず尙ほ取引所が夫を公定するものは、他の價格的機能がそれを要請するからであり（之等に掛繋ぎ機能を含め全體として得失判斷をなして其公定の方が得なのである）、又上の終りの方の事情から、全體價格を公定する取引所を存せしむる側ら銘柄清算市場を置くのが掛繋ぎとして理想的なることが提案されると思ふのであるが、之に就ては假令そういふ市場を設けても清算市場構成の主要素材たる投機需給が便宜な全體相場の取引所のあるに夫に赴くや疑問となり、延いて掛繋ぎに極めて必要な他の一面たる持續的市場要請が充たされるや疑問となることを知らねばならないのである。結局、取引所が全體價格を公定しつゝ掛繋ぎ機關としても働くわけである。私が嘗て物產取引所に格付賣買の行はれる根據として全體價格が掛繋ぎに及ぼす作用を述べた所では、上の結論が納得され難いやうにも思はれる叙述であつたが、今玆に眞意は上の如くであつたことを釋明して置き度い。而して右の嘗ての小論でも、格付賣買は全體價格を實現する形式にて全體價格を取引所が立てゝよいことが明にさるれば其取引を行ふてよいとなることは既に知られると思ふが、玆に特に注意して欲しいと思ふのは格付賣買のやり方に種々工夫のあるべしといふ點である。つまり吾々は上來の全體價格論ではそれの影響を謂はゞ平均的に見てゐたのであるが、實はそれを實現する取引のやり方で弊害が比較的に大となり或は比較的に僅少となり、やり方によつては既述の掛繋ぎへの支障も極めて少くなし得るのだ、如何にすれば少くなるかは取引所取引論の問題であり、今全體價格の作用を論ずる取引所機能論では、其作用をアヂャストするハンドル的なものが附着せることを一言して置けば足る所とする。

取引所の全體價格を公定することがその掛繋ぎ作用に及ぼす影響を述べた終りに併せ取上げて置いて然るべきのは、間接繋ぎ Indirect Hedging のことである。間接繋ぎの意義などは之も茲には既知の事とするが、その取扱へる物件の相場變動をそれと似た變動をなす他種の物件の清算市場に繋がんとするに於て兩者の變動に步調を等しくせざる事態を生ぜざるを得ないといふことは、全體價格と各個價格の變動に開きを生ずるに似てをり、其度合をきつくしたものと見られると思ふのだ。之を正面から云へば、或る取引所を間接繋ぎに利用することは利用者の勝手な行爲と見られ、つまり取引所は間接繋ぎ機關としては批判をうくべき筋合でないと云へるのである。即ち問題の主たる研究は經營學の範圍にでも屬し(例へば繫ぎ賣、買の物件の變動が現物實際物件よりも變動幅が大なる時はその取引量を半減するといふやうに加減するが如し)、取引所論としては間接繋ぎも仲々に行はれることあるを述ぶべきに止まり、機能上の吟味や批判の餘地は殆ど無いかのやうに見られる。が、既に取引所に於て間接繋ぎの仲々に行はれるのが事實である以上、價格上から生ずる不完全さは致し方なしとしても、何か爲す餘地のある限り、其勞を盡すのが又彼の使命とならねばならないのだ。例へば間接繋ぎの比較的に多い株式取引所に於て、現在の我國に見る、短期清算取引市場が代表的な事業株式を上場するといふ狀態の續けられる限り、上場銘柄のバラエテイを各種事業會社株式に亘りその代表的なものに就て選ぶといふことが望まれるが如し。云ふ迄もなく、これによつて間接繋ぎの間接性による食ひ違ひを僅少ならしめるに役立つからである。今、株式取引所の掛繋ぎ機關としての價値政策論として一寸附言して置く。

三　持續的市場作用の方面に於て

イ　總　說

結局は取引所の持續的市場作用に訴へる取引所機能には、取引の標準、來るべき需給關係の標示などの價格的なものもある。之等は正確な價格たることを要請するものとして何より取引所の相場公定作用に訴へるのであるが、又經濟社會のそういふ價格的要求が殆ど常にあるといふ方向よりそれを滿たす持續的市場性が望ましいとなるのである。けれども之を取引所の持續的市場作用に卽して見た場合、一面には右の價格的機能の持續的市場性を求むる度がなくてはならぬといふほどでなく滿たされたら望ましいといふほどであること、他面にはより必須的にそれに訴へる機能のあることによつて、上記價格的機能の取引所持續的市場作用との依存關係は影薄く映ずるのである。而して他面に在る必須的に取引所の持續的市場作用に訴へる機能とは、掛繫ぎと證券動化機能(之は株式取引所のみに見る)であることは既に知れる所でもあらう。

ヒュブナーは其著「株式取引所論」の第二章持續的市場の本質と其價値の中で、持續的市場の齎す主なる效果として八つほど擧げてゐる。併し私はそれに全面的には同感出來ない。彼は株式取引所のみを對象としてゐるので商品取引所に關する方は眺めてゐないが(吾人は商品、株式取引所一般を眺めてゐる)、商品界株式界の外裝といふものを別にして見、彼の擧げる所に漏れがあるとは覺えず、寧ろその逆である。つまり彼の擧げる所に不滿を感ずるのは、持續的市場作用以外の取引所作用に屬すると思はれるものをも混じへてゐるからである。一々指摘反駁する暇はないが、(一)として擧げてゐる鞘取り to arbitrage の如きは明かに取引所相場公定作用を芯とせる問題である。更に證券が大量に賣却資金化し資金が株式證券化し得るといふことも、取引所の實物移轉作用に關することである。ヒュブナーの擧ぐる所に不滿を感ずる今一つの事情は、取引所の機能と云ふも(私としては何時も述べてゐる所だが)取引所生成の因力となるほどのものと、そういふ力なく唯出來た取引所としてそういふ機能も營むといふものとの二種あるに、ヒ氏は平面的、無差別に擧げてゐる點である。**註**

註 S. S. Huebner, The Stock market (Revised Edition); 1934, P. 25—38.

吾人の取引所論體系では所定の機能が取引所を生成する事情、過程は取引所が果す機能。作用の吟味に先だちて論ぜられてゐる筈なのであり、從て持續的市場作用の何たるか位の事は一應既知となつてゐる筈である。併し今取引所の持續的市場作用の狀態を吟味するに當り、尙ほ持續的市場作用とは何ぞやを明かにして置き度いと思ふのである。蓋しそれは概念を呼び覺ますといふ爲にそうするのではなく、上記吟味には一層明確な內容規定が要件となるからである。

持續的市場作用或は市場の持續性といふ事の內容を積極的に構成するものに二つある。一は取引が行はれ續く時點にも行はれるといふ取引の流れである。二は需要、供給の集まり湊合である。中す迄もない事ながら、取引といふのは需要供給の結合してしまつてゐる結果であり從て二に需要、供給の綜まりと云ふのは、それ以前の、取引たらんとして待機の姿勢にあるを指すのである。持續的市場概念を、一のみを以て構成するもの、二のみを以て構成するもの、又特に二の如き待機の狀態から現實の取引と化する突進的事態を指すとなすものもないではないが、私は一と二とを含めるものである。蓋し現實化せる取引とそのポテンシャルな狀態とは現象として同じでないといふ外に、現實の取引の流れの大いさはポテシャルな需給の大いさに比例する點もあれ、又一定の取引の流れに對しそれを生ぜしめると見られる潛勢需給の大いさは場合により必ずしも同じでないからである。但し現實取引の流れと潛勢的な需給の集まりより持續的市場の構成を認めつゝ、兩者の比例することある點より一貫的に考察するのは、便宜的な取扱として非難は免れる所であらう。上に市場持續性の內容を積極的に構成すると積極的といふ言葉を使つたが、之は消極的(ネガティヴ)な事項として特に附言してよいものがあるからに外ならぬ。卽ち持續的市場といふ內容には實物の移轉が滿たされるとか、逆に實物移轉を强行されては都合が惡いといふやうな事柄は入らないのである。之等の要請の發する所、それは市場の移轉受渡性とか、淸算性となるもので、今市場の持續性には無關係であるのだ。更に進めて云へば、市場の持續性といふ時は何でも取引が行はれてゐる、待機の需給が集まつてゐるといふ點それだけを見たことであり、移轉が可能とか其他の事を加へるに於て却てその市場性に關する諸問題の考察がメチャメチャとなるに至るのである。

ヒュブナーは前掲の章の冒頭でコンティニュアス・マーケットを、當該市場に上場されてゐる凡ゆる證券が、營業時間中なれば何時でも、最近の出來値と微な相違で賣買出來るやうなつてゐる市場と定義し、その唯一の對象點は價格の點にありとしてゐる。併し――彼が證券市場のみを對象としてゐることは既に判り切つたことゝし――吾人の見る所では、持續的市場でも或る時點に於ける價格がその直前より大いなる騰落をなすことは有り得るのである。蓋し次の瞬間に大いなる強弱材料が出現することがあるからである。或はヒュブナーの言へるのは、こういふ材料關係を別にし、買需、賣給の量的關係の如何によりて忽ち値の動かざるほどの市場を指せるものと見るべきでもあらう。併し上に指摘したのは謂はゞ彼の見解に對する內在的な批判にて、私としては價格の點を捉へて持續的市場の本質を說明することに異見があるかどで、根本的に彼の說に與みし得ないのである。成る程、少し纏つた買物、賣物位で値が動かぬといふことは持續的市場の特徵でもあるが、それは持續的市場の反應を云つてゐるに止まる。或る事態に對する試驗の反應結果とその事態の本質とは別なるこゝである。要言すれば、持續的市場の本體を明かにするにはそういふ反應性質を擧げるに止めず、堂々實質にぶつかゝる要ありと思ふのである。ヒュブナーも上の彼の定義に續いて持續的市場を生成するファクターを述べてゐるが、斯の說き振りからも、何故吾人の如き實體的定義をなさゞるやと訝しくも思ふ位である。

註 S. S. Huebner, ibid, P. 24—25.

市場の持續性といふのは取引所のみが有するとは限らず、諸他の市場も有つ所である。勿論、それらが滿足するほどでないが故に、特別な持續的市場機關として取引所を生成さしたのであり、是のその要請をよく滿たすことは當然であるが、如何なるほどであるかゞ、その機能論として又取上げらるべきものとなるのだ、而して其吟味の對象となる點は、上記持續的市場概念の確定を經たる上は自ら明かなるものがあらうと思ふ。即ち取引の流れ、需給の集まりの繼續のノルマル度とそれらの太いさが主要點でなければならぬ。先づ取引所の持續的市場は他の市場に比べ繼續度が一層ノルマルである。つまり市場活動が切斷すること少く或は殆どなく繼續してゐる。この決定的な言ひ方に對し或は取上げられると思ふのは、市場によつては或る時期例へば早朝だけ活動し間もなく終了するのだが、その開始活動中は極めて活潑に取引が進行するといふものがあることだ。即ち問題は吾々近代人が經濟活動をするとせられてゐる時期に於てといふ限定をつけてゐるわけであり、一日に就て云へば朝から夕方まで、一月(或は一年)に就て云へば日曜祭日等を除いた時期を通じてみてゐるのである。從て、取引所活動の開始されざる早朝に(一定の事由で)活動する市場があつても、必ずしも取引所に勝る市場繼續性(持續性といふ言葉は流れの大いさ等をも含める、より廣き概念として本論を通じ使ふことゝしてゐる)を有てりとは云ひ難いのである。一體、取引所の持續市場性等を他の市場に比較するといふ場合、その比較の相手としては、同種物件にて現物本位の市場或はより現物的な市場を選べば足り、(異物件でも少くとも取引所を有つ物件のそういふ市場ならばまだしも、そうでない)、異物件の市場と比較することは、それに及ばざるのみならず、寧ろ意味のない事であるが、斯の如き比較にても取引の流れ、需給の集まりの繼續性は一般的に取引所の方が勝つてゐるのである。然らば何故取引所に於ては斯く市場繼續度が甚だノルマルとなるのかと云へば、之は清算市場として投機需給、就中資力なき投機需給が集められてゐるからであることは容易に想知せられる所と思ふ。實際、投機需給は價格變動を利せんとするものにて、生產、消費、配給といふやうな確とした目的內容がなく、謂はゞ實際の入用なくて取引せんとするものなるが故、始終に現はれ結合せんとするのである。尤も如何に結合し易いものと雖も、其量が大でないと或は滾々たる集まり、流れをなし難いわけで、右の投機需給の性質と別に投機需給を誘發さすやうな市場仕組とによりて多量に需給が齎されるといふことが側因となりて働ける次第である。次に持續的市場性の他の內容を成す取引の流れ、需給の集まりの量的大いさの點に就て云ふに、此點も取引所のそれは他の市場より一般に大であ る。尤もこの場合、常に取引所が大なりとは限られず、例へば或時には他の市場――この市場を上記繼續性の場合の如く異物性のそれまで包含して比較せず同種物件の現物的な市場との比較に限つても——の方が大であるといふことがあり得る。併し斯の如き事例は概して少きのみならず、縱令んばあつても、それは何等かの需給上の都合でさうなつたもの、取引所に至るまでもないがゆえにそうされたものとしか評價されず、取引所の能力の一般により大なることは搖がないのである。而して取引所にこの性質能力を與へるファクターは前記の繼續性に述べたると等しいのであり、たゞその專ら量の多大に向つて働く作用が是にありては前者と異り主因的地位を占めるといふのが特に附言すべきことたるに過ぎない。

右の取引の流れ、需給の集まりの吟味では他の市場より大なることを說くのを專らとし、それ自體の時間經過的な考察をなさなかつたやうである。處でそれは時の流れに沿ふて見れば時々に變動せるものであつて、つまり一の市場の繼續性と二のその太さとを右の如く別々に考察せずしてコンバイン的に見る時は次圖の如くなる所である。

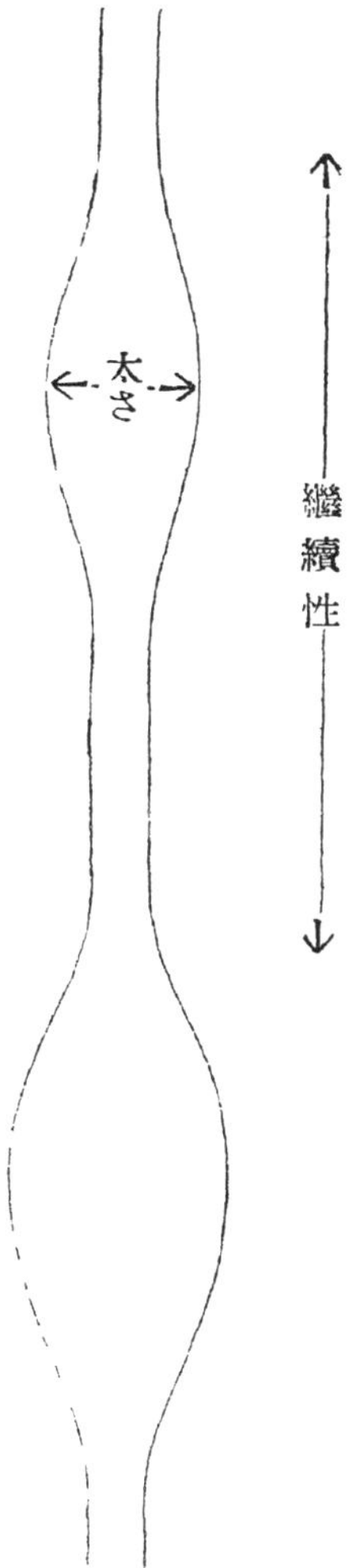

此圖を見ては、取引所の持續的市場性はノルマル度高しと前に云つたことは、或は不當のやうにも考へられやうが、前に云つたのは市場性の繼續工合が斷續的でないかを見て稱したのである。而してこの繼續性の點のよいことと、取引の流れ、需給の集まり、所謂市場の太さが既記の如く右圖の細くなれる所でも他の市場より概して太いことが滿たさるれば、取引所の持續的市場作用に訴へる諸機能たる掛繋ぎ其他は充分となるのである。否、そういふ點の滿たされてゐる限り、右圖の如く取引の流れが或は太く或は細くなりつゝ進行することは却て好望なのである。蓋しそれは有力なる景氣指標として役立つからである。その何故に景氣指標となるかは別の機會に述べる所であるが、兎に角、玆には取引所の持續的市場作用とその景氣指標作用とは兩立しないものでないことを知り得れば、甚だ結構だと思ふのである。

ロ　需給の集まりに恣意性あることの影響

前段は取引所持續的市場作用の吟味を一般的になしたのである。今、掛繋ぎのみを問題とせる場合には、その立場からのみの吟味で足りるとも云へるのだ。然も以上の如く總說的な考察をなしたのは、從來、取引所持續的市場の考察が取引所研究者によりて充分に取上げられてゐないのみならず、私としても餘り觸れることがなかつたので、今その機會となさんとした次第に外ならぬ。尤も、また、取引所の持續的市場作用に訴へる諸機能が夫々質的に、將た量的に特別な要請を有つものでないならば、如上の一般的な考察で事足るとも云へる所だ。併し實際は必ずしもそうでないのである。證券動化機能としては、資本證券所有者に自分逹の證券も現實に賣らんとする時は可能であるといふ安心を與へるのが主眼なるが故、一定の取引の流れが現實にあることがポテンシャルな需給の集まりといふことよりも大切だとなすに對し、掛繋ぎにありては、現實の取引の流れの如きは過去の事の如く映じ、ポテンシャルな需給の集まりの方を大切となす、といふやうなことは玆には既知の知識といふ所であらう。か、斯の如きを暫く措き、今前段になした取引所持續市場性の吟味に關して云へば、例へは證券動化機能は市場の太さよりもその繼續性のノルマルをより重視せんとし、掛繋ぎ機能は繼續性のノルマル度と等しく市場の太さを要請するものである。掛繋ぎにありては尙ほ他の機能よりも、（量的に）强度に右の市場の繼續性と太さを要請するものにして、結局、諸機能が夫々特別な要請を有つといふことは、掛繋ぎ機能を指して云つてゐるのだといふほどとなるのである。

前段に述べた所によれば、取引所の持續的市場作用は、取引所なき場合は勿論、取引所が存してその外部、就中非取引所的市場に於けると比べ仲々に進んでゐることを知る。然らばそれは何處までも充分であるのか、斯ういふ限度的な考が自ら起らざるを得ないが、之に對しては又常に充分でないことが云はれるのだ。而してこの充分でないと云ふことに、前記機能が夫々特別な要請を有つといふことが關係する所にして、特に掛繋ぎの前記の如き强き要請は最も響く所であるのだ。

既に知れる如く取引所の持續的市場を與へるものは投機需給であるが、之等の投機需給は相場の變動に利得せんとするものにて、相當以上と見做す變動のあることが其出動の絕對要件であるのだ。如何に實際の入用がなくて行はるゝ需給だとは云へ、無目的なものではなく、目的の有ち難き所にその活動を期待するは無理となるのだ。而して投機需給の出動と關係ある價格變動と云へば、現に生產消費、其他變動事情が起れる場合のみでなく、將來起ると豫見されるものにても差支なく、否な後者にして强弱の見解の分れを深刻となすものほど投機需給はわきたゝんとするのである。反對に將來價格變動の起りそうにもない時には市場平靜となり、投機需給は甚だ起らないのである。處で一方それらを利用する側の掛繋ぎ需給は如何にと云ふに、勿論之等も價格變動に關するものにて、その徵候のある所大いに起り、夫のなき所、就中將來變動すべき材料もない無風狀態の時には行ふ要は少くならんとする。斯の如く見來る時、投機需給の增減とそれを利用する必要とは恰も相應じ、うまく運ぶがやうであるが、然も掛繋ぎにありては縱令現に將來價格變動の起ることが殆ど豫見されない場合にも、敢て行はんとするもののあることを知らねばならないのだ。現在豫見されざるも次の時點にそういふことの豫見される材料が現はれるやも知れず、眞面目な、堅實な掛繋ぎ者は斯の如き萬一の變動を虞れ、それに對處せんとするからである。玆に兩者のギヤップを生ずるのだ。尤も平靜時にても投機需給を可成りに行はすものにて、取引所として瘠せても枯れても、この掛繋ぎ需給を常に投合さし得ないほどに貧少となるとは限らないが、時として不充分となることも保し難いのだ。機能の要求と結付け、取引所の投機需給がそれを構はず振舞ふを見て私は市場の恣意性と呼んでゐるが、その爲に取引所持續的市場作用も掛繋ぎに對し萬全ならざる限度もあるといふわけとなるのだ。素より、値段を構はずばそれを相手とする需要、供給も現はれるものにて、殊に取引所を圍む人々の間よりの投機需給の如きは容易に誘發せられるのである。併し斯の如き割高、割安の價格にての取引は、掛繋ぎとして目的の一半が喪はれるのであり、取引所に於ては――その相場公定作用により――比較的ましどする商人も尙ほ不利なるを免れないのだ。私は嘗て我國の或る商品取引所を掛繋ぎの目的で利用せる商人より尙ほその利用に支障を感ずる場合もあることを聞いたことがあるが、事情は殆ど上記の如くであつた。株式取引所のみの話となるが、財界の沈靜時に雜株と謂はれる事業株の多數の商内が淋れ、主力花形株の商内が相對的に盛えるといふ現象は、主としては强弱材料の比較的に豐富な夫等に投機需給が集まるといふによるとして、又掛繋ぎ需給も一層間接的となるを我慢しつゝそれに赴くが故なりと云ふことも申添へられると思ふのである。

右は取引所の持續的市場作物が掛繋ぎの立場より見て不充分な場合もあるといふ說明であるが、それの市場として絕對的なるに對せば相對的とも云はれる不充分さ(從て需給の集まりの恣意性による持續的市場作用の不完全とは云へない)の別に在ることを附言して置かねばならぬ。詳言せば取引所が持續的市場作用のみを充たすものとせば右記の程度となるが、他の作用をも遂せんとするため、取引の流れ、需給の集まりの全體量には影響ないとしても、右の作用に凹凸を來し、市場繼續性がゆがめられるを指すのである。其他の作用とは相場公定作用であることは容易に推知出來る所であらう。相場公定作用は、既知の如く、需給を集中するほどよくなるものにして、玆に一日の商内を或る太い碗に纒めんともするのである。斯くて、市場の繁盛さが與へられたものとし、取引所の二大機能作用を可及的によく充たさんとするに——尚ほ別に取引技術そのものの事由、例へば需給量が過大にして何回も取引を開くことが困難といふ場合の如きもある——市場内の取引回數を適當に工夫するを要することゝなるわけであるが、之等の詳細は勿論取引所取引論の問題として後章に說かるべく、私としては別の機會に讓る所である。

第一部　法律政治篇

有價證券の觀念に就て

鳥賀陽然良

目次

一　緒　言

有價證券(Wertpapier)てふ名稱は廣く取引界に於てのみならず、殆んど一般的に慣用せられるものなるに拘らず、其の觀念に至つては甚だしく明瞭を缺き、各人の用方に付ては實に區々たること夥しいものの一である。元來此の名稱は獨國に於て第十九世紀殊に其の後半に至りて立法上の名稱として使用せられたるに始まり[註一]、現今獨法系の諸國に於て盛に使用せらるる所である。吾國に於ても亦商法典を始として各種の產業法規、民事訴訟法、破產法、刑法典等に使用せられ、證券の名稱として存する商業證券(effets de commerce)又は流通證券(negotiable instruments)の名稱は漸次後退の運命を辿つて居る現狀である。[註二]

註一　平田博士　有價證券法史論　二頁以下に詳述せらる。

註二　商業證券てふ語は商法第五百一條第四號及第五百三十條に於て之を見出し得るのみ、餘り多數の法規には使用せらるるを見ない。流通證券なる語は多數の經濟、商業に關する著書に於て之を見るも、法規上の用語としては之多くを見受けない。前者は佛國に於て多く使用せられる語であり。後者は英米國に於て多く使用せられる所である。而も各々特有の範圍を有し、或る證券に付ては一致する所あれども、必しも其の範圍同一ではない。是等の概說に付ては平田博士、前掲二八頁以下參照。

吾國に於ては斯の如く有價證券てふ名稱が法律上の慣用語となり、又取引上常套語と爲るに至るまでに進展したるに拘らず、其の觀念に付ては法律上特に一定したるものを發見しない。是れ啻に吾國のみではない、先進國たる獨國に於ても亦同樣である。單に觀念に付て規定を設けざるのみならず、其の動的狀態を律すべき概則的規定なるもの存しない。僅かに有價證券中典型的證券たる爲替手形、約束手形を定むる手形法及小切手法に於て詳細なる規定を設け、其の流通作用を確保し、是等以外の有價證券の特種なるもの、例之金錢其の他の物又は有價證券の給付を目的とする有價證券には手形法竝に小切手法の規定を準用するの形式を採り(商、五一九)、株券の裏書流通に付ては亦手形法の規定を準用し(商、二〇九第二項)、交付流通に付ては小切手法の規定を準用す(商、二二九第一項)るが如き方式を採つて居るのみである。玆に特に注意すべきは瑞西の立法例である。同國に於ては最近一九三七年七月より實施せらるゝ有價證券に關する一般規定(總則)を設け、債務法第五編「有價證券」と題する規定中第三十三章第一節第九百六十五條乃至第九百七十三條の九箇條に收めたる法條は有價證券法に關する立法例の參考として特筆するに値するものと信ずる。今同法の內容たる項目を觀んに、先づ有價證券の觀念を定め、此の證券より生ずる義務竝に免責を明かにし、更に讓渡の形式より其の效果を規定し、證券の形式(記名式指圖式)に付て其の轉換の手續を定め、更に失效宣言の請求竝に其の手續、效果に及び、終りに手形、小切手及質入證券に關する特別規定は之を留保する旨を定めて、本節の諸規定が一般法規たる旨を宣言するの效果を認めたものである。吾國に於ても有價證券に關する一般法規の制定を希望するの聲は諸所に於て聞かるる所なるが故に、瑞西に於けるこの立法例などは好箇の參考資料たること亦疑を容れないものと思ふ。註

註 同國に於ける著書としてはG. Beeler, Die Wertpapier in schweizerischen Recht, 1937. を揭ぐることを得。

有價證券の說明として最も其の困難を感ずるものは、其の觀念を捕捉すること、竝に類似の諸證券との異同に在るものと思ふ。是故に本論は是等の點に付て其の梗概を闡明せんと欲する。

二 意義

今有價證券として通常理解せらるゝ觀念に從へば、「ハ、ブルンナー」に其の源を發する所のものにして、私權が紙片に書面化され、其の權利の行使にはこの紙片の所持を必要とする證券を指すものと解せらる。諸學者の多くは之を祖述し又少くとも通說として之を受容れるやうである。敍上の瑞西債務法第九百六十五條に於て、或る權利が證券なくしては其の權利を主張し又は他人に之を讓渡し得ざる程度に結合せる證券を謂ふと定義するを見ても、「ブルンナー」の見解が其の表現方法に於てこそ異なれ、其の根底に流るゝ主潮であることを知るに足るのである。然しながら

ら斯種の定義が果して普遍的のものとして如何なる場合にも適應し得るものなりや、絶對的のものとして採用し得るやに付ては大なる疑團に逢着することは株券なる一例を採上げて見れば明かである。(註) 株主權を表彰する株券は前記の如く密接に結合せるものではない。斯の如く行詰を生ずれば茲に學者は株券を目して跛行的有價證券(Hinkendes Wertpapier)と命名して特種扱を爲すを例とする。是れ唯一例に過ぎないが、右の如き定義を以て有價證券を解すべき唯一無二の信條とするときは、往々法規の作られたる目的(精神)を無視するに至りて觀念上に矛盾を來たし、茲に怪疑の念端を惹起し、遂には不可解の迷路に立つに至るものである。私見に依れば敍上の定義的規定乃至諸學者の見解は一應受容れるべきものであるが、之を唯一無二の觀念として受容らるべきものでないことを强調したい。固より敍上の觀念は有價證券の大多數に適應すべきものであり、謂はば大體論として說述の根幹となるものとして是認せねばなるまい。が、其の觀念にして未だ盡さゞる所あるに至りては、更に幾多の檢討を加へて之が是正に努めなければならないものと信ずる。

註 株券の有價證券なることに付ては廣く認めらるる所であるが、其の證券中に表彰せられたる株主權の行使には無記名式に非ざる限は、必しも其の株券の所持を要しない、換言せば證券を離れて株主權の行使を爲し得るものである。

「茲に一應注意すべきことは有價證券は原語たる獨國語に照らして紙片 Papier を意味する。吾國に於ては證、證書、證券（時に切手）と稱せらるるが、總て紙片より成ることを通例とする。然し之を以て紙片に非ざれば有價證券たること能はずとの意味でない。又しか解すべきではないことである。大體に於て紙片より成るが故に、有價證券には紙片なる文字を以て說述せられるもので、其の材料の布地たると、皮革より成ると、金屬、木片なるとは固より問ふ所ではない。然し紙片以外の材料を以て有價證券たらしむる場合は實に稀有の例に屬するもので、之に拘泥すべきものでない。斯種の場合とても法理上何等異なる所を見ないのであるから、以下說述する所に於てはこの意味を以て紙片なる文字を使用することに注意する。

三　商法典上に於ける有價證券の地位

有價證券なる名稱が比較的に多く使用せられる重要なる法規としては恐くは先づ商法典に指を屈するであらう。而も其の用方は物なる觀念以外に於て特に使用せられることに注目すべきである。民法典に於ては「物トハ有體物ヲ謂フ」（民、八五）と定義するが故に、紙片より成る有價證券も亦民法典に所謂物と解して誤はないが、商法典に於ては其の觀念上の用方を異にする。或は動產、不動產に區別されたる以外に獨立の商取引の物體としての有價證券を認め（商、五〇一第一號）、或は動産より切離して商取引の物體としての有價證券を認め（同上第二號）、或は留置權の物體として物と區別せられて有價證券なる名稱が使用せらる（商、五一、五二一）。是故に商法典に於ては少くとも有價證券なる觀念は民法典上の物以外の觀念として理解せらるべきこと論を待たない。されども之を以て直ちに民法上の物、殊に動産に關する物權法上の規定の適用を排除すべきものなることを意味するものではない。有價證券の各種夫れ夫れの本質と撞着せざる以上は、有價證券も亦民法典上の物殊に動産なるが故に、一定の限度に於て動産に關する規定の適用せらるべきや疑を容れない。たゞ私見は商法上に於ける有價證券の觀念としては物とは獨立して理解さるべき物體たることを强調するに過ぎない。（註）この點に於ては商法上の船舶亦民法上の動産に對しては、海法法規の取扱より特種の地位を有するものと謂ふと殆んど同樣である。是よりして有價證券なる觀念が如何なる證券・證書を指すものなりや、其の範圍が商法典上重要なる役割を有し、商取引界に於ける立役者として物權法上の理論を遥かに超越し、特種の理論構成を有することとあるは亦之を推知するに難からざる所である。

註　物と謂へば民法上物權法の規定に從て其の物の上に單に物權の成立するのみにして他種の權利がこの物の上に結合するが如きことなきを本體とする。然るに有價證券と謂へば民法上物なる以外に其の證券に他種の權利（株主權、債權、物權的效力）の結合するの點に大なる特徵を有する。之あるが爲に有價證券が物と區別され、獨立せる異種の觀念として認められる所以である。

四　用語例

夫れ斯の如く有價證券として特種の理論を構成するものであるが、有價證券てふ名稱が法文上各所に使用せられるも、其の觀念に至りては規定の立法精神に徴して必しも同一でないことを發見する。例之供託法（同法一、四、五一）又は信託法（同法一三・第二項、二三・第二項及之に附屬せる勅令五一九號）に使用する有價證券の意義は非常に限局せられたる範圍に止まり、手形、小切手、倉庫證券、貨物引換證、船荷證券、商品切手の如き單一的に發行せられる、而も前二者の如きは金錢を取得するには特に煩はしき手續と細心の注意とを要するものなるが故に、供託又は信託を爲すには適應性之れなきものと謂ふべく、後の數者に至りては多く商品に關するものにして、之れ亦全然金錢と同視又は類似視し得ざるものなるが故に、法規の性質よりして是等の證券を排除したるものと謂はねばならぬ。この意味に於て假令大量的に發行せられることとあるも、供託又は信託に適應せざる入場券、食券、乘車券の如きは當然包含せざるものと謂はねばならぬ。又民事訴訟法第百十二條及第百十三條に於ては法規自體を以て有價證券の範圍を制限し、裁判所が相當と認むると謂ひ、單に量的に制限するのみに止まらず、質的に擔保として適する、金錢に容易に換價し得べきものと爲したることを理解し得べく、同法第四百三十條に定むる有價證券の如きは大量的に發行せられたる株券、社債券、公債等の如きものを指すものと解し得べく、同法第五百五十九條第三號、第六百六十四條、第六百六十七條第三項、第六百六十八條、第七百五十條第四項等に所謂有價證券も亦同樣に制限を受くるものと解するに非ざれば全く立法の精神を失ふに至るのである。是故に既に前掲せる一般的意義を以てしては到底理解し難き或ものを見出すものである。從て敍上の法規に於ける有價證券の觀念は狹く制限して始て解釋の適正を期するものと論じ得べきものである。

之に反して商法第五百七十八條及第五百九十四條に使用する有價證券の如きは、貨幣其の他の高價品（貴重品）と相併んで規定せらるるの點より觀察して、有價證券の高價即ち貴重なる點を重要視すべきものであるから、勢ひ其の觀念として、嚴正なる意味に於ける有價證券と解すべきではなく、寧ろ寬容なる意味に於て或る種類の財產權存在の證明の爲にも貴重なる各種の證書をも包含するものと解して始て立法の趣旨に適合するものと思惟する。換言せば財產法上相當に價値多き證書類を包含し、賣買に關すると、賃貸借に關すると、其の他の債權證書に關するとは之を問はないものと謂はねばならぬ。果して然らば是等の場合に於ては有價證券は最も廣義に於て其の文字通りに有價値なる證券（證書）と解せらるべきである[註]。次に商取引界に於て流通せらるべき使命を有する有價證券として解すべきものに商法第五百一條第一號及第二號に於て其の適例を見る、蓋し同條は投機賣買取引の物體を明示したることとの點より之を推知し得るからである。終りに有價證券の代替性に重點を置きたるものとしては商法典上に之が適例を發見せざるも、敍上民事訴訟法第四百三十條及第五百五十九條第三號、其の他取引所法第四條の二、貯蓄銀行法第五條、第九條以下第十條等に使用せる有價證券の如きは顯著なる適例に屬する。商法典中第五百十八條及第五百十九條の如きは債權的有價證券にして、其の給付の物體が金錢其の他の物又は有價證券（通常の意義に使用せらる）なることを明定する。是故に株券の如き有價證券を包含せざること何等疑を容れるの餘地はない。然し株券に關して同條を準用すべきや否やは異論の存する所なれども、有價證券の觀念を決定する問題としては全然別論に屬する。

註 K. Lehmann, Handelsrecht. 1912, § 118 參照。

斯の如く法規の各所に使用せられる有價證券には各法規の立てられたる目的(ratio legis)に從ひ、種々なる制限を附し、其の內容の區々に渉れるものなるが故に、之を統一的に理解すべき唯一無二の觀念上の決定を與へんとするは蓋し至難の業と謂ふべきである。然し近時に於ける有價證券てふ文字の用方は漸次最廣義に於ける觀念を離れて、敍上の一應の目標たる觀念なるか若は狹義の觀念に從て理解せらるるやうである。卽ち證券自體の貴重性或は高價性に着眼することなく、證券自體の有價性乃至流通性に重點を置いて、經濟的に少くとも一定の價格を保持するものとして取扱はれるを見る。是れあるが爲に商取引界に於て該證券を取引の物體として、何人も容易に授受の目的と爲し得るものである。何をか證券たる紙片に有價性乃至流通性ありと謂ふや、是れ紙片其のものに一定の權利を體化し、其の證券の占有者を以て該一定の權利者なりと考察せられる場合、換言せば該紙片によりて權利の主體を決定するか或は該權利行使の資格を認證し、該紙片なくしては其の上に表彰される權利の行使を爲し得ざる程度に、權利と紙片とが緊密に結合せる場合を指すものにして、流通の容易性は之に因りて生ずる。商法上斯かる觀念の下に有價證券として理解せられる實例は、株券、社債、貨物引換證、倉庫證券(倉荷證券を包含す)、船荷證券、手形、小切手である。紙片に體化せられ或は表彰せられる權利は固より私權に限られ、一定の權利範圍を有することを要する。從て國籍を證明する旅行免狀、身分を表彰する身分證明書、船舶の國籍を證明する船舶國籍證書、一定の技術證明を爲す所の海技免狀の如きは決して有價證券とは謂へない。斯の如く有價證券は實に私權に關するものであるが、私權を表彰する紙片悉く有價證券なりとは謂へない。かの贈與、賣買、賃貸借、雇傭、請負、消費貸借、寄託等の諸契約より生ずる各種の權利の存在を單に證明する所謂債務證書(Schuldschein)[註]例之運送契約證書、傭船契約證書、船舶賃貸借契約證書、保險契約證書、賣買仕切書、代理店契約證書、金子借用證書、保管預證書、信用狀の如きは決して有價證券でない。又株式或は社債の引受申込證の如き單獨的表示に關する證書亦然りとする所である。

註　債務證書てふ文字は廣義を有し、一定の義務を創設し若は證明する一切の證券を概括的に總稱するものにして、手形の如きものを包含する。是故に玆に所述の有價證券の或種のもの及證明證券の或種ものを包含する。證明證券中單純なる受取證書の如きは債務證書ではなく、有價證券に屬する株劵の如き亦債務證書ではない。(F. Goldshmidt, Handelsgesetzbuch § 344,7) 然し乍ら更に狹義に解し、有價證券に屬せざる債務證書をのみ指稱することがある。斯種の證券は證明の用に役立つものなるが故に、證明證券 (Beweisurkunde) と稱せらる (Beeler, Die Wertpapiere im Schweizerischen Recht, S. 1 ff.) 玆に所謂債務證書は狹義に解し有價證券を除外するものとして說明するものである。

五　債務證書

今敍上の所謂債務證書と有價證券との限界を明確ならしめんが爲に、左にこの債務證書の本體を把握して見やう。

財產性を有する私權が一證書中に表彰される事實のみを以てしては、未だ其の證書を指して有價證券なりと目するに足りない、蓋し通常所謂債務證書も亦財產的權利が或る程度に於て證券化せるものと謂へるからである。例を金子借用證書に採つて說明せんか、借主たる債務者は貸主たる債權者より一定の金額を受領したることを明かにし、一定の期日に返濟すべきことを明約する、卽ち債權者が債務者に對して貸金債權を有する旨を證書上に表彰する。從て債權者は此の證書を所持することに依りて債權の存在を證明し、右金額の返濟を請求し得べく、債務者は假令反證を擧げて之を覆かへし得るとするも、而も有力ならざる限は此の證書は最も確實なる證據資料となり、有無を謂はさず債務者は返濟の全責任を負擔する。この程度に於て該證書はこの證書上に表彰せる權利の實行を容易ならしむるものと謂へやう。然しながらこの返濟請求權なる權利の成立は該證書の作成以前に於て既に存し、假令該證書が作成されざるも成立する、蓋し金錢の消費貸借契約は借用金額に相當する金錢の授受に因りて其の效力を生ずる(民、五八七)ものであるから證書は單に其の事實を明確にしたるものであり、右契約成立の構成的要素を爲すものではない。從て證書の作成自體は決して法律行爲(契約)其のものでない。該證書は有力なる證據材料の一として役立ち得るが、唯一の證據材料ではなく、是れ以外の文書にして當該貸借に關する通信、利拂、崩濟等に關する書狀又は其の他の事實に依りて之を證明し得るものである。之を略言せば該債權の成立も、存續も共に該證書に依存して居る譯ではない。債權先づ存し、證書は之に追隨する附加物たるに過ぎない。該債權讓渡の場合に於ても決して該證書の引渡は決して必要ではない。債權其のものゝ讓渡であり、之を表彰化せる證書其のものゝ讓渡ではないから、該證書を離れての債權の讓渡は因より之を認め得る。この場合に於ける證書の單純なる所持人は何等の權利を有しない。證書の所持に依りて債權者とならざることは勿論である。然し該證書は該債權に附隨する證書であるから、若し變體的な用語例を許すとせば債權の從物である、從て債權讓渡の當事者間に於て特約なき限は玆に債權の讓渡あれば、讓渡人(舊債權者)は該證書を引渡すべき義務を有することに歸着する。是故に該證書存せざる場合又喪失せる場合に於ても債權の讓渡は其の可能性を有する。其の孰れなるを問はず債務者に對抗するの手續としては民法所定(同、四六七)の方法に從はねばならぬ。然り而して債務者が債權者の債權行使に對し、其の債權の存在に付き爭ふ場合に於て該證書は債權者より債務者に對し何時にても呈示し得る所の簡易なる證據材料であり又之に過ぎない。然し之を以て呈示の義務ありと謂ふのではない。法學上斯かる債務證書は單に證據の目的の爲に役立つと謂ひ、之を單純なる證明證券と名付くるのである。債權者の有する債權の行使に付ては斯種の證券の所持を必要とするの意味を有しない。換言せば債權者は斯種の證券を有せざる場合を生じても(燒失、紛失、盜難等)、自己の有する債權の行使に付ては何等の支障を來たすものでない。然し斯種の證券を作成し債權者に交付したる債務者は債務完濟の上は該證券の返還を請求し得るものであるから(民、四八七)、債權者が斯かる請求を受けたる場合に於て之が返還を爲す能はざるの結果、他に適當なる方法手段を以て新に受取證書を認めしめ(同、四八六)先きに交付したる證書の存在が何等の意義なきものなることを明確にすれば足ものと謂はねばならぬ。獨國にては斯かる場合に於ては債務者の請求に應じて債務消滅の公認證書(öffentlich beglaubigte Anerkemtnis）を交付すべき旨を命ずるも（同國民、三七一條二項）吾民法上斯種の規定なきが故に、必しも公認證書たることを要求し得ないのである。瑞西債務法では更に債務證書の失效及債務の消滅せる旨を、公の若は認證ある證書（öffentliche oder beglaubigte Urkunde）を以て宣言すべき請求を爲し得る旨を定む（同國民、九〇條一項）。斯かる立法問題の當否は之を別論とし、貸主たる債權者の貸金返還の請求權は毫も債務證書の占有には依存しない。又斯種の權利が證書に體化されたものとは謂へない。從て斯かる債務證書は有價證券なる觀念中には包有されることなく、單に證明證券なる範疇を形成するに過ぎない。

斯種の證明證券の存する場合に於ても、該證券に表彰される債權の讓渡は單に債權者（讓渡人）と讓受人たる新債權者間の契約を以て有效に成立する。然し新債權者が債權者として債務者に對し其の履行を有效に强制せんが爲には、少くとも讓渡ありたる旨の通知ありたることを要する。若し然らざるときは債務者が讓渡人たる舊債權者へ爲したる辨濟が完全に有效である結果を生ずる、從て斯かる場合の通知は新債權者に對する辨濟のみが有效たるの效果を有するものと謂へやう（民、四六七條一項）。此の點より該債務證書を觀察すれば、債務者も亦該證書と無交涉に有效に債務を辨濟し得べく、債權者も亦有效に債務の履行を主張し得るのであるが、法律（民、四八七條同四八六條）に於て債務者に其の證書の返還竝に受取證書の交付の請求權を認むるは單に債務消滅に對する單なる推定を與へんが爲に外ならないので、固より反證に依りて覆がへし得る性質のものである。して見れば債權の消滅も亦債務證書の存否とは不羈であると謂へるのである。然し債務者が證書上の債務に付て確認し、其の讓渡を認めたる場合に於ては、該證書の存在は法的には稍々强力なるものとなり、善意に債權を取得したる者は之に依りて保護せられ、債務者は證書の內容が虛僞であると謂ふが如き抗辨は毫も成立し得ないことは謂ふまでもない[註]。而も之を以てすら該證書は未だ完全に一般に認められる有價證券性を有しない。果して然らば或る證書（證券）をして有價證券性を帶有せしむるには如何なる要素を加へて權利を書面化せしむべきやの問題に答ふる所なればならぬ。

註　銀行預金、貯蓄預金に關する通帳の如きは債務證書であり、證明證券であるものと理解せらる（Beeler, 前揭 S. 3）

六　債務證書と有價證券

敍上の所謂債務證書も、有價證券も同樣に一の紙片（證書）であることに付ては何等の疑ない。而もこの兩證券の間に著しき峻別を設くる所以は書面化されたる權利と紙片との關係の密度に歸着するものと思惟する。紙片上に物權殊に占有權、所有權の成立するの點に於て兩證券の間に何等の差異を認め得ない所であるが、紙片中に書面化（表彰）せられる權利の點に於て著しく其の密度を異にする所であり、證書(紙片)と權利(若は其の效力)との分離性の難易に甚大なる徑庭の存することを認めねばならぬ。換言せば紙片上の權利(Recht am Papier)は兩證券同樣なるも、紙片より生ずる權利(Recht aus dem Papier)の問題に付て其の異同の著しきものを觀るものである。註即ち債務證書として考ふれば債權が證券に結合せられる程度は僅かに證明なる一點に繫るのみなるが、有價證券としては更に或は債權の生滅轉變の全部に涉り、或は債權の成立及其の效果には、證券と相離るべからざる關係に立たしめ、或は少くとも權利の利用に付證書に重大なる役目を負はしむる等の密度を加ふるの點に於て異なるを知るのである。

註　この用語例としては典型的なる手形法一四條一項、三二條三項、八五條等及小切手法一七條一項、二七條三項、七九條等に於て之を見る。

斯の如く紙片上に前記二種の權利が連繫する所に有價證券性の特徵を發見する。今この兩樣の權利が同一人に歸屬することは明かに普通であり、又合目的とせねばならぬ、即ち紙片中に書面化せる權利を有する者が、同時に紙片上の占有者であり、所有者であることが一般的に欲求せられ、實現するのである。之を反言するも亦同樣である、蓋し紙片上の所有者が該紙片より生ずる權利を有せざるものとせば、經濟的に考察して何等價値なき法律事象となり終るからである。再言すれば兩權利が同一人に歸屬して始て權利者は該紙片を效果的に利用し、處分し得べき價値を有するものと謂はねばならぬ。少くとも爭ある場合に於ても、該紙片に依りて權利の主張を容易に爲し得るからである。紙片上に權利者の何人なりやを明白ならしむる場合に於ては、特に法律規定を待たずして當然其の人を以て紙片上の權利者であり、又紙片中に書面化せる權利の持主であることは容易に理解し得る所である。若し夫れ所謂無記名式の證券なる場合に於ては、何人が權利者なるべきやを明白たらしめなければならぬ。是れ民法第八十六條第三項に於て無記名債權は之を動產と看做す旨を定め、是に依りて證券の占有者が善意なる限り（同法一九二條）其の紙片中に書面化せる權利の持主であることを宣言したる所以である。

玆に於てか問題は紙片より生ずる權利と紙片上の物權（殊に所有權）との關係如何である。紙片上の所有權を取得する者はこれが取得に因りて紙片より生ずる權利を取得するものとせば、紙片上の所有權が前提され、通常この權利の移轉は先づ紙片の授受に依存するが故に、先づ物權法上の規定に準據せねばならぬ。之に反して紙片より生ずる權利の取得者が之に因りて紙片上の所有權を取得するものなりと解するときは、紙片より生ずる權利が先行し、この權利が先づ移轉せらるるが故に、書面化せる權利が債權なりとせば、この債權の讓渡を意味し、從て先づ債權法の規定が標準たるべきものである。固より斯種の債權の取扱としては普通の債權とは異にして、其の特異性に顧みてこの債權の讓渡に關しては特種の規定に從はしめ得ることは可能であり、又合目的である。さて其の何れに解すべきやは見解の分岐する所であるが、從來有價證券の說明に關して多くは紙片より生ずる權利は紙片上の權利に追隨する(Recht aus dem Papier folgt dem Recht am Papier) なる用語存する。是れ紙片上の所有權が先行することを表明したるものである。有價證券としての特徵が果してこの點に集中するものとせば、前記の無記名債權には最も能く適合し、商法上認められたる當然の指圖證券、手形、小切手の如きは、紙片とこの紙片に書面化せる權利とか密接に結合し、善意の取得者保護の問題も、(註) 畢竟紙片授受の際を以て之を決せんとし、之に依りて紙片中の債權の讓渡性も容易となり、所謂有價證券の流通能力を增進し、之と共に證券の內容上の信賴も亦一層强大となり、經濟界殊に證券界の進展に伴ひ有價證券的證券の簇生となり、一定の債權の取引能力の增進は之を社債、公債、國債の類例に徵して明白なる所である。敍上の證券は實に有價證券の典型として何人も疑はざるものならんも、果して是等の證券のみが有價證券なりやは大なる疑問とする所である。換言せば證券の有價證券性を前記の標準のみに依存すべきやは疑の餘地存するものと謂はねばならぬ。

註　本文所述の如く所有權取得の問題に關聯して民法第百九十二條の善意取得の保護あるは勿論なるも、有價證券の特種のものに關して、特別なる規定の下に立ち、一層保護の厚きを知らねばならぬ。即ち手形には同法第十六條第二項、小切手には同法第二十一條なし、金錢其の他の物又は有價證券の給付を目的とする有價證券には小切手法第二十一條の準用あるを以て、有價證券の取得が惡意又は重大なる過失に因らざる限り善意取得の保護を受け得るものにして此の範圍內に於ては民法第百九十二條の適用を排除するものなることを知らねばならぬ。株式に付て同條の適用ありやに付ては學說上異論の存する所なれども、吾判例は大正五年以來屢々同條の適用なき旨を明かにしたる所である。

何を以てか敍上の標準のみに依存し得ざるやと謂ふ。前記の諸例は無記名式又は當然の指圖式に求めて其の適例なることを謂ふに止まり、有價證券として理解すべきものに記名式の存することを取上げない點に存する。上記の社債でも記名式たるものあり（商、三〇七條）、貨物引換證、船荷證券、倉庫證券にも記名式存し（商、五七四條七七六條、六〇三條）、手形（同法一一條）、小切手（同法一四條二項）の如き流通能力に制限の附せらるるものあるを見て明かなる所である。この場合に於て是等の證券が有價證券性を缺如すと論ずるならば兎に角、同樣に有價證券性を有するものと說明するならば、其處に他の標準を採り來りて以て之を說明せざるべからざるに至らう。是等の證券亦該紙片を離れては證券上書面化せる權利の主張を爲し得ざるものであるから、固より單純なる證明證券ではない。さればとて決して紙片上の所有權取得者が必ずしも紙片より生ずる權利者とはならないものである。寧ろ反對に紙片より生ずる權利の取得者が常に紙片上の所有者たるものと謂ひ得るのである。この點に關しては吾國法上明文を缺くも、獨逸民法第九百五十二條第一項の明定せるが如く、債權に關し發行したる債務證書上の所有權は債權者に歸屬するものと謂ひ得るものと信ずる。而も是等の證券に有價證券性を認めんか、否之を認むるを以て妥當なりとするならば第一に述べたる標準のみを以てしては不完全なるものと謂ひ得べく、同時に第二に述べたる標準を加味して之を考察しなければならないものと思惟する。註 第一義に從へる有價證券を指して狹義の有價證券或は公信的有價證券（Wertpapier des öffentlichen Glaubens）と稱せらるれば、後者は寧ろ變態的有價證券と稱し得べきものである。此の兩證券を包含する有價證券の觀念として、殊に其の他の權利を書面化せる證券とを識別せんとする標識は結局權利の主張が證券の所持に依存するや否やの點に之を求むべきであらう。斯の觀念を以てするならば比較的に廣く多種の有價證券を包有せしめ得べく概括的意義としては最も適切なるものと謂ひ得べきものと信ずる。然しこの觀念を以て說明し得るもの多しと雖も、而も株券の如きはこの觀念と一致しない或物が存する。是故に未だ以て完全なる觀念決定としては承服出來ないことを憾とする。

註　是れ前述の如く畢竟見解の分岐せし所以であると思惟するのである。

七　有價證券の重要性

上來說述したる有價證券に對する標識は法律上紙片より生ずる權利と紙片上の物權とを緊密に

而も相關的に結合せしめ、權利の主張と證券の所持とを緊着せしむることの單なる外觀に存し、之を以て又有價證券の經濟上の目的を達成せしむるものである。何故に斯かる外觀が經濟上必然的欲求として存するやの理由に至りては左の諸點に考慮せらねばならぬ。前敍述に於て單に權利として說明するも、其の實、債權、物權及團體權の別を認め得べきものなるが、便宜上、多數の有價證券が債權に關するの故を以て、玆に債權を取上げて詳述しやう。

本來債權は特定せる二人格者間の法律關係を意味する。債務者は原則として一定の債權者に對して其の目的たる給付を爲すことに依りてのみ免責的效果を受け得るものである。該債權に關する限に於ては常に其の債權者との間に於てのみ履行場所の變更、延期、利下等の約束を爲し得る。讓渡問題に付ては該債權者のみ第三者との讓渡約束に依りて爲し得るを原則とする（民、四六六條一項本文）。今この二點を重要視するならば債權の讓渡卽ち移轉の生じたる場合に於ては、該債權者及讓受人は大なる危險に遭遇するものと謂はざるを得ない、蓋し債務者は該債權の讓渡が債權者と第三者との間にのみ行はれるが故に、何人に移轉せられたりやを知り得ない關係上、何人に履行すべきやを確實に知り得ざるの不便あるべく、債權の讓受人も亦債權が現實に讓渡人に歸屬したるや、或は債務者より何等かの有力なる免責的抗辨に逢着するやを知り得ざるの不安を生ずるからである。斯種の危險は通常の債權、所謂書面化せられざる債權の讓渡ある場合に於て常に生ずる所である。固より法律は讓渡人たる舊債權者より債務者に對して執りたる一定の手續に依りて讓受人と債務者との兩面に對して一應の保護手段を講ずる（民、四六七條四六八條）。然し之を以て債權の讓受人に對する不安は全然拭去られたる譯ではない。從て債權の讓渡が容易に行はれざる所以を知るに足るのである。

敍上の債權理論は通常の債權に付ては其の適應性を肯定し得るも、本來讓渡の容易性即ち流通の使命を有する債權（手形の如し）又は大量的に發行せられたる債權（社債、利札、商品切手の如し）に付て全然適應性を有しないことは通常債務者の側面に於ては本來の債權者の何人なりや不明なる場合多く、眞の債權者と該權利の行使者との同一性を確認し得ざること普通にして、到底如何なる注意も其の完璧を期待し得ないからである。斯種の債券に關する場合に於ては其の債權を具體化せる證券と爲し、以て該證券を取扱ふ所の關係當事者の地位を確保し、且該權利の行使を容易ならしむるの必要存するものと謂ひ得るのである。之が爲には如何なる場合に於ても先づ證券自體の存在が權利實在の有力なる材料として、之が所持に依りて債權者の地位を確保し、之と同時に債務者に對しても又讓受人に對しても亦同時に債權の確立竝に歸屬に關して疑義なき判斷を得しむるの所なからしめなければならぬ、茲に於てか欲求されたる法秩序は紙片の所持人に對して從來の一般の觀念よりば多少擴張されたる法外觀を定めざるを得ない結果となるのである。即ち通常證券（紙片）の所持人が現實なる權利者なりとの全然外面的表現に其の效力を賦與し、如何に現實性があらうとも、其の實情に適應することを要せざるものと定め、證券の所持人が盜者にしても、拾得者にしても或程度に於て法的保護を受くる結果を見ることは寔に倫理觀と一致しない何物かを發見する。是れ實に必然的害物(necessary evil)として觀察せねばならない。實に法秩序はこの外觀の力により一定の範圍内に於て殊に債務者に對する關係に於ても、所持人を以て權利者なりとして取扱ひ、特に善意の第三取得者の爲には正當なる權利として保護せられ、該證券が盜難品に係ると拾得品に係るとを問はず、又證券の該所持人が眞實なる債權者なりや、或は單純なる外觀的權利者(擬似)なりやは全然之を問はないのである。斯かる權利外觀に因る效力の賦與は取引の安全性保護の爲に役立ち、之を以て書面化せる權利の流通能力性を昂揚し、權利者の爲には權利の利用と主張とを容易にし債務の爲には債權者の何人たるやを容易に判斷し得て安んじて其の債務の履行を果たし得るのである。註

註 斯かる有價證券は其の權利者を表彰する形式に於ては、叙上の無記名式又は指圖式或は無記名式と同一の效力を有する所謂選擇無記名式の三者に限らる。有價證券の經濟的重要性は此の點より發足したるものであり、特にこの三形式に屬する證券を主眼として有價證券の論議を見る所以である。法的叙述としては之に滿足し得ないことは勿論である。

八　債權的有價證券の作用

權利殊に債權が證券中に書面化せらるゝ權利外觀は通常の債權に伴ふ作用と異なる方向に於て種々に其の作用を發揮するを見るのである。註

註　Hueck, Recht der Wertpapier, 1936, S. 6 fg. 參照。

一　かの各種の乘車券、入場券、喫茶券、に付て見るが如く、債務者が單に自己の利益の爲に證券を發行し、この證券の所持人に對して給付し以て免責を受けんとする目的を有するものがある發行者は所持人の無資格者（無權利）なることを證明し得ざる限は、證券の所持人に給付すべき義務を負擔する。而も此の者に履行することに因りて債務を免れ、證券の所持人は現實なる權利者としての權利外觀を有し、眞の權利者に非ざる場合に於ても、恰も眞實なる權利者として取扱はる。發行者としては權利者の資格調査が極度に簡易化されるものである。實に斯かる外觀は債務者の利益の爲に作用するものと謂へやう。然しながら之を以て債務者が眞實の權利者に對して履行し得ざるものと謂ふのではない。證券の所持人が無資格者であることの證明が爲され、眞の權利者は他の別人なることの證據を提示し、債務者に於て未だ證券に依る債務の履行を爲さゞる

間は、發行者は眞實なる權利者に對して給付し得るは勿論である。固より敍上の證據提示の困難なるは多言を要しない。

二　かの兌換券、商品券の如く、債務者(發行者)は證券の所持人にのみ給付すべき旨を定め、權利者の利益の爲に作用する權利外觀を有せしめ得るのである。この場合に於ては證券の所持人は權利者として自己の有する權利の證明を爲すことを要しない、自己の資格の證明は單に證券を所持することのみに依りて足る、この證券を所持する限に於て權利者として特に有利なる地位に立ち得るのである。固より其の所持人が債務者より特に無資格者なることの證明を受けたる場合に於ては、債務者は給付義務を免がれ、該所持人が何等の權利を有しないことは(一)の場合と異ならない。(一)は發行者の免責に重點を置き、(二)は發行者の義務負擔の表示に伴れて所持人の利益に重點の存することを思ふべきである。

三　商法第五百十七條に定むるが如き所謂呈示證券に屬する多數の有價證券に在りては、發行者は證券の呈示者の何人たるを問はずこの者にのみ給付の請求權を與へ、この者に對してのみ給付義務を負擔する旨を定むるものである。斯種の場合に在りては一方には通常書面化せる權利の讓受人卽ち第三取得者の利益の爲に作用し、他方には發行者たる債務者の利益の爲に作用する。この場合に於ても債務者は假令眞實なる債權者がこの證券を所持せざる場合と雖も、この債權者に給付し得るが、何等給付すべき義務は全然之を負擔しない。債權者の眞實性如何が重點である。眞實性を缺如する權利者に給付することは許容せられざるものと謂はねばならぬ。何を以てか讓受人の利益の爲に作用すと謂ふや、民法上債權の讓渡に關する規定に從へば、讓渡人が單に讓渡の通知を爲したるに止まる場合に於ては、債務者は其の通知を受くるまでに讓渡人に對して生じたる事由を以て讓受人に對抗し得るが故に（同法四六八條二項）、讓受人は讓渡後に於ても、其の通知前に債務者が讓渡人たる舊債權者に支拂を爲さゞりしや否やに付て、或は反對債權を有する相殺適状の可能性に付て掛念せねばならない、蓋し同法は讓渡を知らずして舊債權者に支拂又は之と同視すべき債務消滅の方法を講じたる債務者を保護せんが爲に設けられたる規定であるからである。然るに斯種の保護は債權が證劵中に書面化さるゝ場合に於ては其の必要を見出さない、蓋し債務者は證劵の呈示者たる所持人に對して給付することを要するのみにして、毫も最初の債權者を重要視することを要しないからである。若し債務者が該證劵の呈示を受くることなくして最初の舊債權者に支拂ひたりとせば、それは少くとも何等の法的强制なきに拘らず支拂を爲したるものにして、債務者としては輕率の譏を免れない、再び證劵の所持人に對して適法なる支拂を爲さゞるべからざる一大危險を履むものと謂はねばならない。債務者は斯種の證劵を作成することに依りて債權者の何人たるやを念頭に置くの要はない、却て何等の保護なき注意と化するものである。是故に債務者は斯種の證券に依りて民法（前掲）の規定の適用は全然排除せられ、該債權の讓受人は該證券の交付を受けて自己の權利を完全に保護し得べく、債務者が舊債權者に支拂ひたるや否やに付て秋毫も掛念することを要しない效果を生ずる。斯の如く證券の所持なる事實が權利外觀の效果（眞實性）を與ふるが故に、讓渡人たる舊債權者とても證券を所持する間は權利者としての保護を受くるも、一旦讓受人に證券の交付ありたるときは、債權讓渡契約の效力如何に關せず、該讓受人が權利者としての權利外觀の效力を受くるものである。是れ之を指して讓受人の爲に眞實性を發揮すると謂ふ。次に債務者の利益の爲に作用すと謂ふは、債務者は債權者の眞實性を調査するの要なく、權利者の調査を頗る簡易化するの點を指すのである。唯この場合に於て債務者は該證券其のものゝ眞實性と其の證券の所持に付て注意を拂はねばならぬ。債務者の立場としては該證券を所持せざる者に對しては絶對的に支拂を拒絶し得るのであり、如何に權利者なりとの他の證據を立つるものありとするも之を認容することを要しない。本來の債權者の何人なりやを精密に知り得ざる場合に於ては殊に其の重要性を思ふのである。該證券の呈示のみが權利者の同一性に役立ち、呈示の請求權は債務者の負擔する履行の先行條件である。要するに斯かる權利外觀を有せしむる必要ある證券としては、證券が大量的に發行せられる場合若は發行者が大規模の企業を經營し、同時に多數の履行を爲すべき責任を負擔する場合に於て之を見る。

尙ほ敍上の外に全然讓受人たる第三取得者の利益の爲にのみ作用する證券を想像し得る。然しながら發行者たる債務者の給付上の地位を別視して其の存在を認むるが如きは寧ろ空理に涉るものとして排斥せねばならぬ。從て債務者の免責的效果と結合して始めて其の目的を完成せしむるものである。讓受人たる第三取得者が證券の所持人として、善意なる以上は無資格者(無權利者)の手よりも完全に有效なる權利を取得するの點より觀れば、斯種の證券(手形、小切手の如き)は獨立して存在するが如きも、債務者の免責的效果を度外視し得ないことは謂ふまでもないからである。

證券が有價證券としての權利外觀を有するが爲には、敍上の諸作用何れか其の一を具備せねばならぬ。固より各作用相排斥するものに非ず、重疊して其の效用を完ふする。證券化せる權利の流通能力の最高の程度に在るものは自ら敍上の諸作用を帶有し、同時に之を表現するを常とする。適例としては無記名式の證券を擧げ得るも、啻に之のみに限らない、證券の所持と共に裏書の連續に依りて形式的認證作用(Legitimationsfunktion)を有する以上は指圖式の證券も亦之に屬する。無記名式の社債に設例せんか、社債の發行會社は該社債の所持人に對し免責的效力を有する元、利金の支拂を爲し得る所であり、又證券の呈示者に對してのみ支拂ふことを要する。會社が證券呈示者の無權利なることを證明し得ざる限は其の呈示者に對する支拂を拒絕し得ない、又證券の所持人より善意にて取得したる者は該證券が眞に同人に歸屬せざる場合とても適法に權利者として保護せられるものである。かの銀行券の如きは通常流通の使命を有して發行する無記名式證券なるが故に敍上の諸作用を完全に具備するものと謂へやう。然し斯の如き最高程度の流通性保護は又他面に於て該證券の占有を失ふことによりて現實なる權利を失ふの危險に曝さるゝことを知らなければならぬ。從て無記名式の證券は決して一切の財産的權利に適應する形式ではない。是故に實際には權利を證券化すると共に敍上何れか一若は夫れ以上の作用を有せしめて各取引界の滿足を求むるものである。註 此の意味に於て無記名式の證券と共に記名式證券も亦有價證券として取扱はるゝを妨げない。殊に債權者の何人たるやを指示するも之と共に各所持人に給付すべき旨を記載せる所の所謂選擇的所持人拂證券亦有價證券として之を理解することを得る。

註 線引小切手の如き特例的なる制限も存する（小切手法三七條、三八條）。

敍上する所に依りて有價證券として理解せんが爲には、證券發行者（主として債務者）及該證券の取得者に對して、通常民法（殊に債權法）上與ふる所の地位に比して「ヨリ有利」なる地位を與ふるものでなければならないことを知るに足るべく、從て有價證券は書面化せる權利の主張を爲すには常に證券の所持に依存するものと謂ひ得るのである。是れ亦民法上の債權法竝に物權法の適用を排除し、竝に特有の理論を構成し、物以外の觀念を獨立せしめたる理由も容易に理解し得るものと信ずるのである。

然しながら敍上の觀念は之を記名株式に當篏めて稍々不充分なる或ものを見出すであらう。株主が株式に表彰せられる株主權を主張するに當りて毫も株式の呈示を爲すの要なく、之を質權の目的として他人の占有に委するの事實あるも(商、二〇七條一項)、株主權行使の妨となることはない。又株式の讓渡を以て會社其の他の第三者に對抗するには、或は取得者の氏名及住所を株主名簿に記載するか(商、二〇六條一項)、或は更に其氏名を株劵に記載するか(同條三項)の方法に出づることを要し、單に裏書とか、株劵の所持其のものゝ一事を以てしては自己の株主權を主張する能はざるものである。然るに拘らず株式は大量的に發行せられ、有價證劵市場に於ては實に重要なる役割を演じ、株劵を以て有價證劵の一面に於ける典型的のものなりと理解する限に於て、書面化せる權利の主張は常に證劵の所持に依存するものとの見解は必しも肯綮を得たるものと謂へないであらう。通常學者は株式を以て前述の如く跛行的有價證劵(Hinkendes Wertpapieer)と稱し、一般の有價證劵に對する特例的取扱を以て滿足せんとするものゝやうである。然しながら斯かる取扱は有價證劵の觀念を定むるに當りて更に一段の工夫を爲すべきものにあらざるか、換言せば株劵などを考慮中に置いて其の觀念を定むべきではなからうか。さすれば株式を以て必しも特殊の取扱を爲すべき必要はなかつたものと思惟せらるゝのである。是故にこの點に於て敍上の觀念に「權利の利用」なる觀念を加へたらんには右所述の如き缺陷は除去せらるべきことを信ずるものである。卽ち有價證券は權利の利用又は其の主張には證券の所持を要する證券であると謂ふを得べく、又之を以て足るものと信ずる。

九　免責證券と有價證券

曩に有價證券の作用として免責的の效果あることを述べたのであるが、所謂免責證券(Legitimationspapier)の觀念と混同せざることを要する。今無記名式の證券を採り上げて吟味するならば、此の證券中に書面化したる債權はこの證券の呈示に依りてのみ給付の請求を爲し得べきが故に、明かに有價證券である。又この證券上の債務者は其の所持人たる呈示者に對し、支拂を爲すことに依りて其の責任を免れ得べきが故に、明かにこの意味に於ては免責證券である。さればこの場合に於ける證券は有價證券性と免責證券性との二性質を有する。然れども有價證券は必しも常に免責證券ではない、又免責證券必しも有價證券たるものではない。有價證券には必しも免責的作用を結付くることを要しない。特に讓渡を禁じたる手形其の他の有價證券に付て觀察せんか其の然る所以を發見する。斯種の證券は債務者に對して證券の呈示を爲して其の給付を請求しべく、之が呈示なければ、債務者は其の給付の履行を拒絶し得るが故に、明かに有價證券であるが、債務者は其の呈示者に對し支拂ふことに依りて常に免責的效果を受くるものでない、却て其の呈示者が其の給付を受け得べき權限(資格)を有するやを調査しなければならぬ、是れ免責證券と稱し得ざる所以である。又更に手荷物預り證を採り上げて觀やう。此の證券は謂ふまでもなく免責證券である、この證券の呈示者に對し保管せる手荷物を引渡すことに依りて自己の責任を免れ得る。然しながらこの證券を呈示せざるも、或はこの證券を紛失したる者と雖も、呈示以外の方法に依りて自己の手荷物なることを證明し得たる場合に於ては、該手荷物の交付を受け得るのである。是に由りて觀れば該證券は有價證券性を有しない。若し手荷物所有者が其の手荷物を受取る以前に於て、他人が該預り證を以て手荷物の引渡を受けたりとせんか、手荷物所有者は其の危險を負擔せねばならない。有價證券と相似する所多しと雖も、決して眞の有價證券を以て律することを得ない點に注意しなければならない。斯の如く手荷物預り證が免責證券であり、有價證券たらざる理由は頻繁なる交通上の迅速なる法律關係を終了せしめんが爲、鐵道運送業者を保護するの目的を以て、出來得るだけ受領資格の調査を簡易ならしめんが爲に、鐵道業者は其の呈示者に手荷物を引渡し得るものと爲した。然し特に其の讓受人を保護するの必要を生じないことは手荷物其のものは讓渡の目的の爲に保管せしむるものでないからである。若し之を以て有價證券なりとせばこの預り證を喪失したる者は迂遠なる失權手續（商、五一八條）を採らねばならない結果を招來する。斯かる考慮は實際に適應しない。是れ免責證券たるべくして有價證券性を缺如するに至らしめたる所以である。之に反して入場券、乘車券の如きは本來流通作用を有せしめんが爲に發行したる證券でないから、嚴密なる狹義の有價證券として理解し得ざるものであるが、債務者が各所持人へ給付することに依つて自己の免責を受け得るのみならず、債務者は何時にても檢札を實行し得るものであり、權利者は給付の繼續中該證券の所持を必要とするものであるから、この廣き意味に於ては有價證券性を具有する。其の權利者も亦該證券の所持に依りてのみ權利の主張を爲し得べく、其の他の方法に依る權利者たるの證明は之を要しないことは他の無記名證券と同一である。是故に證券なる名稱は通常使用せられる紙片の形態の小且簡なるに顧みて之を使用することなく、無記名證(Inhaberzeichen)なる語を使用する所以である。

又郵便貯金通帳其の他貯蓄通帳等に付て見るに、預金額中より一定の金額の拂戻を爲さんとするには該通帳の呈示を要するものであり、之と同時に豫て同通帳に付使用する印鑑を持參することを要するものと爲すが故に、該通帳と印鑑とを持參する者は自由に該郵便局又は該銀行より希望の金額を引出し得べく、郵便局又は該銀行はこの者に給付することに依りて其の拂渡金額の範圍内に於て免責を受けるものである。是故に上記の通帳は證明證券たると同時に免責證券であると謂ひ得やう。然し該通帳は賣買又は質入の爲には利用し得ざることは勿論、該通帳喪失の場合に於ても、一定の手續に依りて再度の交付を要求し得るのであつて、公示催告(前記)の手續を要しない。是れ亦免責證劵にして而も有價證劵に非ざる一例として觀察することを得やう。

十　結　語

敍上說述したる如く一紙片が證劵として利用せられる場合に於て、其の利用の經濟上の目的よりして法律規定の適用に付て種々なる性質を賦與し得るものである。法規の强行性を破らざる限は證劵作成者の意思を以て決定的標準たらしむべきものであつた。作成者の意思が先づ經濟上如何なる目的を有せしめんとするに在るやを確認し、次で證劵の法律上の形式も之に從て定まるものである。然し證劵上斯かる意思は必しも日常慣用せらるゝ證劵上には表現されない、否表現されることを要しない。是れ總て取引見解の一定する所に委するものであるからである。されば疑義の生ずる場合に於ては一應取引見解に從ふべきや當然である。

取引界に於て現はれる證劵に付て敍上の如き種々なる法律上の作用の存することを觀察し得る、而も之を正當に認識することは其の證劵の取扱に付て决定的の意味を有する。有價證劵なる觀念に之を抱擁せしむべきや、將又如何に分類に屬するやの問題は全く便宜問題である。學者各自に自由に決定し得べき所であある。立法者としても亦有價證券の觀念を全く狹義に使用し、之を無記名式證劵のみに限定することを得べく、稍々寛大に指圖證劵を包含せしむることを得やう、蓋し是等の證劵には又是等の證劵に限り、證劵より生ずる權利は證劵上の所有權に追隨し、更に善意取得者として完全なる保護を受け得るからである。更に其の範圍を擴大して固有の意義に於ける免責證劵も亦有價證劵の範疇に收むること必しも不可ではない、蓋し是等の證劵も亦權利の行使に付ては一應證劵の占有を必要とするからである。然し斯の如く廣義に解せんとするには特に其の趣旨が明白に現示されねばならないものと思惟する。是れ特例的なる取扱に係るものなるからである。然し「ブルンナー」以來の用方は頗る普遍化され、一方に於ては記名式證劵も何等の制限だも附加することなく有價證劵の一に數へられ、他方に於ては單純なる免責證劵を除外し、唯限られたる證劵の一團に對し共通なる標準を設けて之を重要視し、總て一樣に有價證劵化せんとする傾向を増長するに至つたことは疑なき所である。されど攻學上有價證劵なる文字には多岐多樣の意義の存することに留意し、適所に且適時に精確なる解釋を加へ、精確なる用方に從はんことを一に希望するものである。

（完）

株式會社共同體論

——ナチス株式法の基礎理論——

中川　正

目次

はしがき

千九百三十四年十二月四日獨逸大審院は株主權の行使に關してまことに注目に値する内容を有つ判例を作つた。この判例の立場は翌千九百三十五年一月二十二日の判例に於ても直ちに蹈襲されてゐる。この二つの判例は、株式會社たる共同體に對して株主が特殊の誠實義務を負ふ旨を認め、この誠實義務より株主の株主權行使について一般的制限を認めたものである。この判例の是非はその後著しい論議の對象となつたところではあるが、いづれにせよ、この判例を契機として、株式會社の本質に對する再檢討がなされ、次に述べる株式會社共同體理論が明確な形で現はれるに至つたのである。クラウシングの述べるやうに、この判例が、國民社會主義革命の勝利によつて株式制度及その法秩序に對する規準となり又確に將來その規準となるべき新たなる經濟=法律觀に對する獨逸大審院の告白を意味するものと解し得るならば、株式會社共同體論は、まさにナチス獨逸株式會社法の基礎理論たるものと云つて差支ないであらう。

第一　株式會社共同體論の內容

一　均しく株式會社共同體論の範疇に屬すべき立場を採る論者に在つても、巨細の點については所論必ずしもその軌を一にするものと云ひ得ないが、最も直截な形でこの理論を說いてゐるドルバーレンの所說を中心として、先づその輪廓を辿つて見度い。

他の株式會社共同體論者に於けると同樣に、ドルバーレンも亦その理論の根據をギールケの團體理論に求め、共同體的構造を以て獨逸法上の凡ゆる團體の本質と認め、この點に自說の出發點を置いてゐる。

『斯くの如き共同體的もしくは少くとも共同體類似の關係を基礎とすることによつてのみ、獨逸法上の團體を正當に理解することが出來る。何故ならば、羅馬法學說は團體人中に集合せしめられてゐる各個人の間に何等の結合をも認めず、各個人は完全に結付きなきものとして取扱つたのであるが、獨逸法理論は全體人に對する各個人の結付及全體人に對する各個人の拘束を團體人の本質と解したからである。卽ち獨逸法理論は、團體構成者たる地位に基く斯かる身分法上の關係を、恰も、團體構成者の權利の範圍が一方その共同生活への參與によつて伸長せられると同時に、他方その共同體への加入によつて制限せられる點に認めたのである。增大した權利の享受は、團體の必然的要求によつて制限せられた。團體員の法律上の地位を斯く解することにより 各個人に與へられる團體員たるの權利は特殊な表現を採つた。卽ちこれ等の權利は、團體生活の範圍に限つて團體員に賦與せられ、その權利の行使は、全體利益に合すると考へられる範圍に於てのみ許された。このことは最も重要な共同管理權卽ち各個人に對してその者自身のためにのみ與へられたのでなく、統一的全體意思の荷擔者として共同の利益のためにも亦與へられたものである議決權について然るのみでなく、各個人の利益に奉仕することを直接の目的とするのでなく、會社を害する虞のある多數者の行爲に對して會社の繼續的全體利益を擁護することを第一義的目的として各個人に與へられたものである他の謬つて「個人權」と呼ばれる權利についても同樣であつた。取消權、總會招集權、檢査役選任權等、凡てこれ等の權利は、その權利行使の動機が純粹に個人的目的に出づると否とを問はず、各株主が會社のため會社の利益にこれを利用すべき權能であつたのである。[1]』

然るに斯くの如き獨逸法固有の團體觀念從つて又株式會社理論は、『社團と組合との分離が、この二つの法型態を以て全く異つた相互に何等の聯關なきものと思惟せしめる程に嚴密に行はれ、各團體員より完全に獨立した社團は、團體員個人と團體との間にも團體員相互間にも人的關係の存在を容るし得ない』[2] とする見解が一般化すると共に、[3] 株式會社の共同體的本質を漸次消滅せしめ、株主の會社に對する人的拘束を喪失せしめるに至つたのである。換言すれば『株主は會社に對して資本據出の義務を負ふのみであつて、その他の點に於ては法令・定款の範圍内に於て全く自由であり、その權利について制限を受けることはない』とする説が唯一の正當にして爭ひ難いものとなつて來たのである。

斯かる「悲しむべき發展」に批判の眼を向け、これに反撃の矢を放つたものが、こゝに所謂株式會社共同體論の立場である。從つてそれは獨逸法的團體理論の再生であり、それへの復歸である。ドルバーレンが先に過去の形で述べてゐるところのものが即ち現在の株式會社共同體論の内容である。このことをクラウシングは次のやうに論じてゐる。『彼の政治的變革が再び經濟に於ける「人的なもの」に對して我々一般の眼を開いて呉れたことは、法律學及法律事實の探求にとつて意想外の幸福と云はねばならぬ。尤も、今日尚これに反する謬見に陷り、かくの如き身分法上の關係はこの範圍に於ては存在せず、從つてこれを法的判斷の指針とすべからず、或は僅に第二義的にこれを顧慮し得るに過ぎずとする者も稀ではないけれども。併しながら資本主義的原理が打克ち難く優勢であつたに拘らず、身分法上の共同體思想は、株式制度の實際に於て從來嘗て喪はれたことなく、且又決して喪はれ得べきものでもないと云ふのが實狀である。……謬れる理論のみが、株式會社その他の資本會社について、それの人的・共同體的存在原理を看過し、又はこれを法的に過少評價し得る。自ら共同體に結合せるものとの自覺を有せず更に法上——こゝに關係のない從給付義務の認められる會社の場合を除き——眞實の共同體の形成・維持に何等か積極的に協力すべき義務を負擔せざる株主が現實に存在し、而も經濟政策的見地よりすれば、恐らく斯の如き株主の存在を許さゞるを得ないであらうと云ふことは、株式會社が、常に、他の凡ての人的團體に於けると同樣に、既に自らその近似せる經濟的理由に基き、程度の差こそあれ強く共同體的に結合せしめられてゐる一團の人々によつて支配されてゐると云ふ事實を變更するものではない。勿論この共同體は、少くとも一時的には個々の卓越せる指導者又は一團の小數株主が、外觀上もしくは事實上會社の指導權を掌握することによつて、支配的性格を有することがあり得る。併しこの場合に於ても、今日まで行はれて來た傳統的形式に於ける株式會社の法律的構成は、假令その指導者又は企業支配團が、自己の株式もしくは他人の受託株式によつて、又は他の株主が總會に參與せざるがために、總會に於て相對多數を獲得し得るが如き場合であつても、共同體是認の見地を承認し、顧慮すべきことを必要ならしめる。何故ならば、一定の事項については强行規定に基き小數株主を顧慮しなければならぬからである。……比較的多數の株主を有する多くの株式會社については、或は支配的に構成せられ或は共同的に構成せられた大なり小なりの株主の共同體の存在を、容易に否定し去ることは出來ない——而も單に「法的」に構想された共同體でなく、「具體的」な共同體の存在を。……株式制度に關する通俗的判斷に於て常に要求せられ、而して我大審院が健全なる法感情より重要なる法原則にまで高め、明かに新しき法律觀たる印象を與へてゐるものは、私の考へるところでは、法理論も亦これを現在既に行はれてゐる法と認めることを得、且然か認めざるを得ないところのものであると信ずる。[5]』

二　右に述べたところが株式會社共同體論の輪廓であり、その內容は獨逸法固有の團體理論と稱せられるものである。而して既に見て來たやうに、株式會社共同體論者の說くところは、一つの理論の展開と云ふよりむしろ自己の採る立場の主張の形を採つてゐる。このことは、この理論が、論者自から强調する如く、ナチス的獨逸新經濟＝法律秩序に適合する理論であり、從つてその主張が遠くナチスの文化鬪爭の一翼に列らなるものなることを想起すれば、むしろ當然のことであるかも知れない。理解を援けるため、今一度その主張の要點を振返るならば、

一、株式會社は共同體である。

二、故に株主は會社に對すると同時に、他の株主に對しても誠實關係（Treuverhältnis）に在る。換言すれば株主は會社及他の株主に對して誠實義務（Treupflicht）を負ふてゐる。[6]

三、株主の權利は同時に義務を負ひ、株主權[7]の行使は全體利益に背馳せざる限度に於てのみ許される。株主は受託者としての地位（Treuhänderschaft）に在るとするのである。

三　株式會社を以て共同體とする認識は、同時に株主の誠實義務を容認するものであることは先に述べた。而して後節に於ても觸れるやうに、纒つた姿に於ける株式會社共同體論そのものが株主誠實義務の問題を直接の動機として發展して來たものであること〻照應して、共同體論者も、主としてこの課題を中心としてその所論を進めてゐるのである。

然らばそこで構想せられる株主の誠實義務とは果して如何なるものであらうか。

(一)　株主誠實義務の内容に關しては論者の見解に多少の相異が見られる。即ち或者はこの義務の内容を極めて消極的に解し、專ら個々の株主が自ら共同管理權を行使して全體利益に關與する場合に、會社又は他の株主の利益を害するが如き方法に於てこれを行ふべからずとする不作爲義務であるとし、從つてこの義務の性質についても、それに對應する權利を豫定する眞實の義務と云はんよりむしろ「株主權行使の要件もしくはその制限」と解してゐるが、[8] 他の論者はこの義務の内容に今少しく積極的要素を認め、株主はこの義務に基きひとり全體利益を害するが如き行動を採ることを禁示せられるばかりでなく、自ら共同管理權を行使する場合には、積極的に全體利益を促進すべき行動に出づることを必要とするとなし、從つてこの義務の性質をも、第一の論者の如く單なる權利行使の要件もしくは制限とせず、相手方によつてこの義務に相應する行爲を強制し得るものと解してゐる。[9] いづれにしても株主の誠實義務は、平常繼續的に個々の株主に共同體目的實現のための行爲を强要するものではなく、株主が自ら共同體目的と關聯を有する行爲をなさんとするとき、はじめてこの義務に拘束せられるのである。この點人的會社の社員について認められる誠實義務と異る。[10] 株式會社共同體論は、相互に未識の多數の株主が株式會社に結合することによりそこに必然的に株主相互間及株主と會社との間に一つの身分法上の結合關係[11]——誠實關係——を生ずるものと認め、株主の誠實義務はこの身分法上の關係に由來するものと解するのであるが、[12] この義務が單なる倫理的規範たる限度を超えて法上の義務にまで高められてゐる範圍に於ては、右の如く消極的內容に於て存立するものと解せられてゐるのである。即ち株式會社共同體論は、會社業務に參與することを欲せず又これを不可能とする多數の株主の存在を是認し、この意味に於ける株式會社の資本會社たる實質を否定しないのである。『株主に會社生活に能動的に參與すべき義務を課することによつて、この思想（有限責任の株式により公衆より大規模企業に必要なる資本を調達すべき經濟政策的必要）を變改し、又は事實上これを無に歸せしめてはならぬ。』[13]と考へられるから。

（二）　次に右の如き內容を有する株主の誠實義務は、個々の株主が何人に對して負擔する義務であらうか。即ち株主はこの義務に基き何人の利益を阻害すべき行動に出づることを禁止されてゐるのであらうか。ドルバーレンはこの義務を以て會社及他の共同株主に對するものであると解し、株主が他の株主に對してこの義務を負擔すべき所以を、個々の株主が他の共同株主の誠實なる行動(loyale Verhalten)を信賴して會社生活に參加したものなる點に求めてゐる。[14] 然るにジーベルトは抽象的法人格者たる會社に對する社員の義務の成立を否定し、社員は會社の實體たる企業(Unternehmen)自體に對して義務(社員義務)を負ひ、[15] 社員が企業自體に對してかゝる義務を負ふことによつて、國民經濟に寄與すべきことをその存立の基礎とする企業は、最も良くその任務を遂げ得るものであるとし、更に株式會社の如き企業者(Unternehmer)の共同型態に於ては、[16] この共同企業者相互間に一定の身分法上の結合關係——共同體——を生ずるものと解してゐるから、共同企業者たる株主が相互に誠實なる行動を採るべき義務を負ふことはいふまでもない。[17] クラウシングは、株主の誠實義務は、共同株主、企業自體及全體經濟卽ち國民共同體、それ等凡てのものゝ利益の歸趨點としての會社＝「權利能力ある」組織體＝に對する義務であると解してゐる。[18] 說明の方途をいづれに擇ぶにせよ、この義務が單に會社自身に對する義務でなく、會社企業に關與する凡ての者に對するものであり、更に遠くは會社企業がその中に存在の基礎を置いてゐる國民共同體に對するものと構想せられるところに、株式會社共同體論の特異性が認められるのである。卽ち株主による個人的利益の追求は、かゝる意味に於ける全體利益に牴觸せざる限度に於てのみ許されるものである。ドルバーレンが會社及共同株主に對する義務となし、ジーベルトが企業自體に對する義務といひ、クラウシングが全體利益の歸趨點としての會社に對する義務と説明してゐるところは、相互に矛盾せる主張を示すものでなく同一の志向を別の言葉を以て表現せるものといはねばならぬ。むしろナチス的法理觀に從へば、クラウシングのいふやうに、株主の誠實義務が何人に對する義務であるかは重要な問題でなく、この義務に違反せる行爲の存するとき何人がその責任を追求すべきかを問題とすればよいともいへるのである。

（三）株式會社共同體論の特異性は株主誠實義務違反の效果についても認められる。ジーベルトは、一般に身分法秩序（personenrechtliche Ordnung）の妥當する領域——ジーベルトによれば親族（Familie）、農地（Hof）及經營（Betrioh）もしくは企業（Unternehmen）がそれであるが——に於ける當事者の誠實義務違反の效果の特殊性について、次のやうに述べてゐる。『債務契約と身分法秩序の重要なる差異は、義務違反の效果の中にも現はれてゐる。從つて違法も亦法取引の範圍に於ては、親族・農地・經營（企業）の範圍に於けると異つて認められなければならぬ。契約違反と誠實義務違反との間に存するこの相違は、久しく看過されて來てゐるのであるが、その理由は、全體秩序の妥當する凡ゆる範圍に於て當然損害賠償請求權が成立し得ること、從來違法の效果について餘りに損害賠償の問題に片寄り過ぎたゝめである。併し損害賠償の他に、その本質上これよりも更に本源的にして且自然的な義務違反の效果、例へば庇護の停止、小作地の取上、經營指導者たる資格の剝奪、勞働場所よりの追放等の存すること忘れてはならない。かくして個々の特殊なる生活秩序には、その各々に固有なる制裁方法が形成されてをり、この場合に、法取引の範圍に於ては損害賠償請求權がその最も本質的な制裁たるに反して、こゝではそれは單に第二次的效果たるに過ぎないのである。[19]』と。

株主誠實義務違反の效果として當該株主に損害賠償義務[20]の容認せらるべきことは勿論であるが、併しクラウシングの說くやうに[21]、この義務の違反の效果が單に財產的損害の賠償に限られるならば、特に株式會社を以て共同體となし、個々の株主に誠實義務拘束を想定する解釋學的理由乃至は實益は存しないわけである。何故ならば、この義務の違反たるべき行爲によつて會社もしくは他の株主について生じた損害を賠償せしむるためには、特に株式會社を以て共同體とする認識を俟つまでもなく、從來の獨逸大審院がその多くの判例に於て示してゐる如く、獨逸民法第八百二十六條の擴張的解釋によつてその目的を達し得べきところであるからである。株式會社に於て眞實の共同體の成立を認め、そこに特殊な身分法上の結合關係を認めるならば、ジーベルトの所謂特殊な生活秩序に固有な制裁として、株式會社については又それに固有な株式法上の效果が認められなければならない。はしがきの冒頭に掲げた獨逸大審院の二つの判例は、誠實義務違反の制裁として個々の場合に於ける株主の共同管理權行使の失效を認めてゐる。卽ち第一の判例[22]に於ては、自己の無限責任社員が同時に株式會社の監査役員たる合名會社について、監査役員の責任に關する該株式會社の株主總會に於ける議決權の行使を不當とし、從つてこの合名會社の株式を含む過半數による總會決議を無效としたのであるが、その理由を獨逸商法第二百六十六條第一項第二文の擴張的適用に求め、更にこの規定による決議禁止を事案の場合に擴張すべき根據を、この規定の成立の基礎たる「既ニシテ今日ノ國家制度ヲ貫徹セル共同體思想」に置き、事案の如き場合に於ける合名會社の議決權の行使を以て「重大ナル義務違反」としてゐるのである。第二の判例に[23]於ては、第一の判例の立場を更に發展せしめ、自己の取締役員が同時に株式會社の取締役員なる有限責任會社につき、第一の判例に於けると同樣な決議禁止を認めると同時に、專ら利己的目的に基く原告の總會決議取消權の行使を、株主の誠實義務に違反し從つて許容し得ざる權利の濫用であると認定して、被告會社の總會決議に取消の原因たるべき瑕疵の存することを肯定しながら、原告の決議取消權の行使を不當としてゐるのである。尤もこれ以前の獨逸大審院の判例に於ても、會社の利益を無視し會社外に存する利己的目的のためにする議決權の行使を、或は善良なる風俗に反するものとして[24]、或は又同時に株主平等の原則に反するものとしてこれを不當となし[25]、從つてかゝる目的を以つて參加した株主による株主總會の決議無效を確認した事例が多々存するのであるが、次節に於ても觸れるやうに、これ等の判例に含まれた事實を以つて嚴格な意味に於ける良俗違反と目し得べきものであるか否かは頗る疑問なきを得ざるところであり[26]、少くとも判例がかゝる事實に對して良俗規定を適用してゐるとき、株主の地位從つて株式會社の本質に關する理解に於て、判例は既に從來の傳統的見解より前述の株主の誠實義務を容認した二つの判例に見られるが如き新しき見解へ接似した一つの轉向を示してゐるものといはねばならぬ。畢竟ずるに獨逸大審院屢次の解釋學的努力は、株式會社に於ける共同體的本質を容認することによつて、はじめて株式會社に固有なる制裁方法を見出すことを得、會社外の利益のためにする會社に於ける勢力の濫用（Missbrauch gesellschaftlicher Machtstellungen）に有效に對處することが出來たのである。[27]クラウシングはこれ等の判例に包含せられた思想を更に發展せしめて、誠實義務違反の程度の輕重に從ひ、株主の共同管理權の一部又は全部の一時的又は繼續的剝奪を認むべきものとし、別にこの義務に違反したる株主の株式について强制消却（Zwangsamortisation）を認むべき旨を强調してゐる。[28]

（四）最後に個々の株主に誠實義務違反の存するとき、その行爲を咎め、それの法律的結果を追求すべき權限は何人に屬するであらうか。この問題は、この義務が何人に對する義務であるかの問題とは別個のものであることはいふまでもない。既述の如く株式會社共同體論に從へば、株主の誠實義務は、他の共同株主を含めての株式會社共同體、及更に株式會社共同體をその組成分子とする國民共同體に對するものと考へられてゐるのであるが、然らばかくの如き全體利益の受任者として、全體利益に背馳する株主の行動を抑壓し、侵害せられたる利益を回復すべき任務を有すべき者は何人であるかゞ、即ちこゝでの問題である。この點についても亦株式會社共同體論の有力なる主張者たるクラウシングの所見を參照すれば充分であらう。クラウシングに據れば[29]、この權限は、第一次的には專ら全體利益の體現者たる會社について認めらるべく、この場合に小數株主權を構成する株主によるイニシアティーブは認められるが、個々の株主については唯第二次的に、即ちその侵害が全體利益に及ばずして當該株主の特別損害なる場合に限り、而も會社自身その權利を行使して回復すべき全體利益の侵害なきことが確定せられた場合にのみ是認せらるべきものとする。元來株式會社共同體論に於ては、個々の株主は凡て全體利益のための受任者たる地位を有するものと解されてゐるのであるから、この場合にも各株主について全體利益の侵害を排除すべき權限が容認せられて然るべきが如くであるが、クラウシングの言に從へば、かくの如き解釋は、株式會社の持つ外部的共同體秩序(äussere Gemeinschafsordnung)に背反するところであり、更に實際的には會社生活に不斷の動搖を齎らすべき危險を含むものであるから、これを認め難いとするのである。

(四) はじめにも一言した通り、株式會社共同體論は論者に於て一つの主張の形を以て說かれてをり從つて論者の說くところ各々自己の主題とする面を强調す　急なるがために、それ等の全體を綜合して、それの統一した內容を把握することは著しく困　であつたが、以上に於て所論の輪廓とその主要なる內容の一般を描寫し得たと信ずる。勿論こゝで所論の基礎及それの個々の內容についての批判はこれを避け、能ふ限り忠實に論者の主張するところを傳へることに意を用ひたことはいふまでもない。

註1　Dorpalen, Die Treupflicht des Aktionärs, ZHR. Bd. 102, SS. 6—8.

註2　Dorpalen, a. a. O. S. 8.　Töhl, Das Handelsrecht, I, 1862, S. 274, N. 4 も株式會社は純粹の societas にあらずして獨逸法の Genossenschaft であると說明してゐる。

註3　Vgl. auch Heymann, Die Haftung der Aktionär und Dritter für gesellschaftsschädliche Handlungen, in der Festgabe für Wieland, SS. 230—231.

註4　Dorpalen, a. a. O. SS. 1—2.

註5　Klausing, Treupflicht des Aktionärs ?, in der Festschrift für Schlegelberger. SS. 420—422.

註6　株主が會社自身に對して誠實義務を負ふものとする見解は可成り以前から認められてゐるところである。　Ritter, Gleichmässige Behandlung der Aktionäre, JW. 1934, S. 3029. の引用するところに從へば Klausing, ZBHR. 1926, 183; Horrwitz, GenVers. 25; Goldschmidt, Festg. 24. DAZ. 213; Friedländer, AR. § 271 Anm. 3; Jacobi, BA. 10, 81; Homburger, Neugest. 1931, 37; Netter, Probleme 41 u. JW. 1931, 3033 u. ZBHR. 1929, 169 u. Festg. Pinner 538; Wilmersdoerfer, LZ. 1931, 1425 等がこの見解に據るといふ。Düringer=Hachenburg, HGB. Einl. vor § 178 Anm. 79 にこの見解の示されてゐることは周知の如くであり、Wieland, HR. II. § 113. に於ける株主の第二種の Kollektivpflicht

の思想もこの見解と軌を一にするものといはねばならぬ。これ等の多くの主張者の說くところは實質的には株式會社共同體論に聯らなるものではあるが、この點のみに就ては、こゝに所謂株式會社共同體論者の主張するところと未だ相當の距離の存することを認めざるを得ない。(株式會社共同體論のこの點に關する主張の詳細は本文次段の說明を參照せられたい。) 尚 Lifschütz, Die Generalklausel im Aktienrecht, SS. 37—38. は、株主は他の共同株主に對しては誠實義務を負ふが、會社自身に對してかゝる義務を負ふものではないと論じてゐる。)

翻つて考へるに、株主の共同管理權の主體としての地位を會社の機關たる地位であると解するならば、株主がこの權利を行使するについて會社の利益を尊重し、そのためにこの權利を行使すべきことは當然としなければならないが、この範圍に於ける株主の地位を機關たる地位として觀念する見解は、株式會社の本質に關する理念の發達の歷史に鑑みるとき、既にして株式會社の全體主義的構造を是認するものであるから、こゝに所謂株式會社共同體論に著しく近似するものであり、範疇的にはこの論の先驅をなすものといはるべきものと信ずる。このことは、『社員は彼自身の利益、金錢的問題に關しては自己の利己的利益に基いてすらその行動を律して差支ない。決議は、それが飽くことなき多數權の利用なるがために、或は恣意的且不合理なる理由に基くものなるがために、或は又社團の利益に反するものなるがために無效ではない。このことは社員の支配的地位に基いて然るところであり、社員の多數意思は定款及究極的には當初確定せられた社團の目的によつて制限されるに過ぎない』(v. Tuhr, zitiert von Dorpalen, a. a. O. N. 23)とするが如き株式會社の本質に關する純粹に個人主義的な見解と、前述の見解とを比照するならば、自づから理解されるであらう。共同管理權の主體としての株主の地位を會社の機關として概念する思考は、取締役や監査役を會社機關と解する立場と法形式的には何等異るところはないけれども、會社の本質に關する認識の過程に於て、それと段階的相違を有することを否定することは出來ない。株主の地位を機關と概念し得るところに、既に全體的なものゝ認識が豫想され得るのである。更に株主が他の共同株主もしくは全體經濟のためにその權利を行使すべきものとの要請は、株主の地位を會社の機關と解することのみからは未だ導き得ざるところのものである。

註7　Dorpalen は、株主の眞實の社員權（Mitgliedschaftsrecht）は所謂共同管理權（......itverwaltungsrecht）に限られ、株主の所謂財産的權利（Vermögensrecht）は單なる期待權に過ぎずして、社員權の......ないものとする考方を採つてゐる（Vgl. a. a. O. S. 19 N. 46)。株主の社員權に關する一種の見解たるを失はない。

註8　Dorpalen, a. a. O. SS. 22 ff.; Düringer＝Hachenburg, a. a. O.

註9　Klausing, Treupflicht des Aktionärs ?, S. 425. Wieland, a. a. O. S. 249 は、Wieland の所謂第二種の Kollektivpflicht に違反する總會決議は取消し得べきものとし、總會決議が有效に取消されたに拘らず、總會が尙從前の決議を固執し又は新總會を招集すべき日時の餘裕なきときは、當該違法決議に代るべき判決を求め得べきものとしてゐる。

註10　Vgl. Hueck, Der Treugedanke im Recht der offene Handelsgesellschaft, 1935, SS. 14 ff.

註11　Siebert, BGB.＝System und völkische Ordnung, Deutsche Rechtswissenschaft, 1936, SS. 204 ff. はこれを personenrechtliche Ordnung といふ。

註12　Hier vgl. Stoll, Die Lehre von den Leistungsstörungen, 1936, S. 10.

註13　Klausing, a.a. O. S 424. こゝにもこの...論の經濟的現實に對する妥協が見られ、それの政治的性格が看取され得る。

註14　Dorpalen, a. a. O. SS. 27—28.

註15　Siebert はこの社員義務（Mitgliedschaftspflicht）は誠實義務と異るとし、眞實の誠實義務は、株主が會社企業に對して要求されてゐるよりも一層強い Gefolgschafts＝und Gemeinschaftspflicht であるとするが、こゝではその問題にまで立入る必要はない。

註16　Siebert の企業者といふのは株式會社に於ては株主を指すのである。

註17　Vgl. Siebert, a. a. O. S. 259.

註18　Klausing, a. a. O. S. 429. 尙 Bergmann, Über den Missbrauch gesellschaftlicher Machtstellungen, ZHR. 105, S. 10 は株主の誠實義務を國民共同體に對する義務としてゐる。

註19 Siebert, a. a. O. SS. 251—252.

註20 株主の誠實義務違反たるべき行爲によつて、會社に損害を與へ從つて間接に他の共同株主に損害を與へるといふ場合の外、他の共同株主に直接の損害を與へるやうな場合は實際上極めて稀であらうが (Vgl. Klausing, a. a. O. S. 432) Dorpalen はかくの如き事例として、獨逸大審院判例にも屢々現はれてゐる (z. B. RGE. 105, 375) 多數株主が小數株主を會社より驅逐する目的を以て減資決議を行ふ場合を擧げてゐる。(Dorpalen, a. a. O. SS. 28—29)。

註21 Vgl. Klausing, a. a. O. S. 433.

註22 RGE. 146, 72 ff.

註23 RGE. 146,385 ff.

註24 Vgl. z. B. RGE. 107, 202; 112, 16; 119, 257.

註25 Vgl. z. B. RG. JW. 1926, 545; RGE. 108, 41; 112, 119.

註26 Vgl. Ritter, a. a. O. S. 3026.

註27 これ等の事項については、次節に述べる獨逸大審院の判例發展の説明の個所を參照せられ度い。

註28 Klausing, a. a. O. SS. 435 ff.

註29 Derselbe, a. a. O. SS. 430—432.

第二　株式會社共同體論發生の地盤

一　株式會社共同體論の主張者自づからそのことを屢々強調してゐるやうに、發展せる姿に於ける株式會社共同體論は、獨逸近來の、殊に國民社會主義政權の成立以後に於ける新たなる經濟＝

法律觀に基けるものであり、共同體論はこの新たなる經濟＝法律觀の株式法の領域に於ける發現に外ならないから、[1] 株式會社共同體論發生の一般的地磐もしくはそれの實質的基礎を問題とするならば、この所謂新たなる經濟＝法律觀を產み出した世界大戰以後に於ける獨逸の特殊な經濟事情從つて又それに伴ふ特殊な政治的＝社會的事情を精細に究明して、そこにこの理論の發生・發展の實質的基礎を求めなければならないのであるけれども、問題を主として株式法學上の側面に限定して採上げることを意圖したこの論文の目的に相應して、私は今こゝで右の點に深く立入ることを避け、この理論を發生せしめた株式法の範圍に於ける今少しく直接的且具體的な動機について考察して行き度いと思ふ。

二　世界大戰後の獨逸の株式會社が、敗戰の結果たる獨逸經濟の脆弱化に伴ひ、外部的には外資の壓迫ために、內部的には各種企業の自衞のための企業合同傾向の進行によつて、所謂會社外の勢力の濫用に著しく苦しまされたことは周知の如くである。この時代の「利己的な勢力及利益追求の飽くことなき遂行」に對する株式法の鬪爭は、二つの手段によつて行はれた。司法的方法と立法的方法がそれである。前者は株主權の濫用に對する判例の鬪爭であり、後者は株式法に所謂一般條款(Generalklausel)を插入せんとする立法運動である。今この二つの鬪爭の跡を辿るならば、これ等の鬪爭の對象たる外部的勢力の濫用の抑壓が株式會社共同體論を發生せしめるに至つた直接的動機であることを如實に知り得るのである。

三　戰後獨逸に於ける株式法上の中心的課題たる「放埓なる經濟的權力の志向」(hemmungslose wirtschaftliche Machtstreben) に對する司法的鬪爭の第一の手段として、判例は、株主の會社に於ける行動につき良俗原則 (Grundsatz der Gutensitte) による一般的制約を確認し、獨逸民法第百三十八條、第八百二十六條及第二百二十六條等の適用によつて、株主權の惡用 (Ausbeutung) を抑壓し、所謂會社外の勢力の濫用に對處せんと努力した。この方向への判例の發展に於て劃期的意義を有するものとして千九百二十三年十月二十日の獨逸大審院判例[2]を擧げなければならない[3]。『本院の幾多の判例は、……少數者が多數者の意思に服すべきものとする見解を表明してゐるけれども、このことは同時に多數者は無制限に自己の權利を惡用し、故意に會社の不利益に行動し得べき旨を示してゐるものではない。むしろ少數者に對する多數決權の惡用及意識的に會社の福祉を無視してなされる利己的利益の追求が良俗違反を包含し得べきものなることは、二三の判例[4]の認めるところである。社員の權利は定款に由來し、それは社員の社員たる資格に於てこれに賦與せられたものである。從つて社員は自己の權利を行使するに當り、原則として會社の利益を主としてこれを行ふべく、會社外に存する自己の私的な特別利益を主としてこれを行つてはならぬ。……社員……が明瞭にあらはれたる會社の利益を無視し、專ら會社外に存する自己の私的利益を主として行動するとき、かゝる行動は事情の如何により良俗違反をすら包含し得べきものである。』と。この判決理由の中に見られる見解は、株主の地位從つて又株式會社の本質の理解に於て劃期的なものを示してゐるといはなければならない。何故ならば、成程この判例自身引用してゐるやうに、株主權の惡用を以つて良俗違反とする認定はこの判例を以て嚆矢とするのではないけれども、[5] 獨逸大審院はこの判例を得た直前の年度に於てすら、株主權の行使についてこの判例に示された見解と全く反對の見解に立つ判例[6]を持つてゐるのであるからである。千九百二十三年の判例は、その後の獨逸大審院の判例に重大なる影響を與へ、この判例によつて定立せられた原則は獨逸大審院の確定的見解とされるに至つた。[7] 尚こゝで私的目的のためにする株主權の惡用を以つて良俗に違反するものと判斷せられたのは、これによつて直接に會社自身の利益が害せられる場合のみでなく、會社自身は直接に損害を被ることなく他の少數株主の利益が阻害せられるに過ぎないと考へられる場合に於ても亦これを認められてゐる[8]ことを注意する必要がある。それは、後にも述べるやうに、獨逸大審院は、千九百三十四年の判例以後株式會社の共同體的本質を明認し、株主の會社自身に對する誠實義務の存在を認めるに及んでも、共同株主相互間については飽くまで誠實義務の存立を否定するのであるけれども[8/2]、これ等の判例は、共同株主相互間には、純然たる第三者の間に於けると異つた一種の法律的結合關係（これを私が株式會社共同體論者と稱ぶ者の如く誠實關係といふか否かは別として）の存在することを暗示してゐるといはなければならないからである。

經濟的勢力の濫用に對する司法的手段として良俗原則の適用に終始してゐたこの時期に於ての判例の鬪爭は、事態に對して未だ充分に强力ではあり得なかつた。その理由は、先づこの原則の內容そのものが甚だ消極的なものであり[10]、そのために判例が具體的事實について良俗違反の認定を得ることが著しく困難であつた點[11]に存する。尤も獨逸大審院が良俗違反の判定を與へてゐる多數の判例についてその事實を檢討するならば、これ等の事實を嚴密な意味の良俗違反と解することは解釋學上可成り困難である場合が多く[12]、少くとも判例は良俗原則を表明する獨逸民法の規定を著しく擴張的に解釋・適用してゐるのであつて、從つてこの範圍に於て判例の態度は相當自由であつたことを否定し得ないのであるけれども、それにしても良俗原則の適用のみを以つてしては當時の經濟的事態に對應するに不充分であり[12/2]　この原則に依存するのみでは株主は事實上保護され得ないとする聲は當時屢々聞かれたところである[13]。この聲は一方に於て次段に述べる立法的方策の樹立を促進する原因であつたと同時に、司法的側面に於ても亦判例の次の段階への發展を促がしてゐるのである。

判例の次の段階に於ける方策とは卽ち事態に對する信義誠實原則(Grundsatz von Treu u. Glauben)

の導入である。信義誠實原則が單に民法上の債權關係を規律すべき法則たるに止まらずして廣く法生活の全般を規律すべき法則であることは、獨逸大審院の早くより認めてゐるところである。[14] 株式法の範圍に於てこの原則の適用せられた事例は、例へば事後設立の瑕疵の治癒に關する千九百三十二年の判例などにもこれを見るが、[15] 株主權の行使に關する規準として明示的文言を用ひてこの原則を表明したのは、はしがきの冒頭に掲げた二つの判例（千九百三十四年及千九百三十五年）に至つてからである。尤もそれ以前の判例に於ても株主權の惡用を以つて株主平等の原則に違反するものと判示した事例が存することは既に述べたところであり、[16] 從つて株主平等原則そのものが信義則の株式法に於ける發現に外ならぬとの見解を正當とするならば、[17] これ等の判例は、こゝで第二の段階に於ける判例と呼んでゐるものゝ前哨をなすものであり、直接にこの範疇に聯らなるものといはなければならないし、更に又ヴィーラントの解するが如く、從來獨逸大審院が株主權の惡用を以つて良俗違反と解してゐるものは、實質的には信義則の違反たるべきものを、從來の傳統的・個人主義的な株式法の理解に拘はれて形式的にこれを良俗違反としてゐるに過ぎないとするならば、これまでの判例の發展過程をこゝで行つたやうに二つの段階に分つことはむしろ無意味であり、判例が株主權の行使について良俗原則による制約を認める立場を確立した時から以後を一體として、それ以前の「前世紀の自由主義的見解」に導かれてゐた判例と對立せしめ、そこに「我註釋家が誠實の本質を再現した」[18]といはれるやうな深刻な轉向を見出さねばならぬであらうが、それにしても判例が假令形式的にでも從來拘らはれてゐた良俗原則を離れ、明瞭な言葉を用ひて株主の行動の規準を信義誠實の要請するところに從はしめたことは、從來の立場に比して一段の飛躍であることを否定し得ない。即ち『各共同體構成者の該共同體に對する誠實關係は、從來より以上にこれを強調し、且各員の行動に對する規準たらしめなければならぬ』[19]とし、『株主は自己のあらゆる行動を律するに當り、自己の所屬する共同體の一員たるの自覺を有し、且この共同體に對する誠實義務を自己の行動に對する最高の規準としなければならぬ』[20]とする見解は、まさにジーベルトのいへる如く『共同體思想、及この思想に基く誠實義務によつて支へられてゐる新たなる法律觀を端的に表現する』[21]ものといふべく、實際的にもこゝに至つてはじめて不當なる經濟的事態に對處すべき司法的手段は完備せられ、『法の現狀はあらゆる現實的要求を滿足するであらう』[22]といひ得るに近くなつたといへるのである。これ等の判例以後現今に至るまで——殊にその中間に於ては獨逸新株式法の施行を見たに拘らず——の獨逸大審院の見解が、同一方向を辿つてゐることは[23]、これ等の判例の示すところが國民社會主義的經濟＝法律觀に合致するものとされる限りむしろ當然のことゝしなければならぬ。[24]

判例が良俗原則の適用により株主權の濫用に對應せんとする立場より出發して、遂に株主の會社に對する誠實義務を容認し、信義誠實原則の導入によつて事態に對應せんとする立場にまで發展して行つた過程を全般的に顧みるとき、株式會社の基礎理論としてこゝに所謂株式會社共同體論の生るべき必然性を諒解し得るのであり、先にこの理論の發生・發展すべき一般的地磐もしくはそれの實質的基礎と呼んだものも亦、この判例發展の過程を通して推認することが出來る。卽ちこの理論を現代獨逸の株式法の基礎理論たらしむべき地磐は、同時に獨逸大審院の判例を前述の如き形に於て進展せしめてゐるのである。この意味に於ては、株式會社共同體論者が、株式會社の共同體的本質は程度の差こそあれ獨逸株式法に於て喪はれたことはないといひ、株式會社共同體論は獨逸固有法への復歸であるとしてゐることは、獨逸株式法自體を支へて來てゐる地磐の特殊性に鑑みるとき、或は歷史的に正當とせらるべきところであるかも知れない。

四、一、世界大戰後に於ける獨逸の株式會社が著しく困惑せしめられた會社外の利益のためにする經濟的勢力濫用に對する第二の抑制手段として立法的方法が擇ばれたことは、先にも一言した。この問題の解決は、いふまでもなく當初專ら判例及株式法學の任務に委ねられてゐたのであるが、この問題の完全なる解決が結局立法者の任務に歸せらるべきことは、當時旣に獨逸大審院もその判例[35]の中に於てこれを示唆してゐるところである。

(一) 第三十四回獨逸法曹會議によつて設置せられた同會の株式法改正審議委員會(Die zur Prüfung einer Reform des Aktienrechts eingesetzten Kommission des Juristentags) は、千九百二十八年の報告書に於て株式法に次の如き一般條款 (Generalklausel)[26] を採擇すべきことを慫慂した。

『株主ガ議決權ノ行使ニ依リ明白ナル會社ノ利益ヲ害シ自己又ハ第三者ノ爲ニ會社ニ關係ナキ特別利益ヲ求ムルトキハ、該議決權ノ行使ハ之ヲ許サズ。

投票者故意ノ責アルトキハ、其ノ投票ニ由リテ生ジタル損害ニ付會社ニ對シ責ヲ負フベキモノトス。第二百六十八條第一項ハ會社ノ請求ニ付之ヲ適用ス。』

この獨逸法曹會の一般條款成立經過[27]について概觀するならば、右の株式法委員會の會議(一九二六年――一九二八年)に於て、ハイマンは大株主の責任に關する次の如き改正案を提案したが、大株主たる地位に於てかゝる責任を負擔せしめるは不可なりとして否決された。

「株式會社の多數者又は決議の成立を妨ぐるに足る少數者の一員として、故意又は重大なる過失に由りて、自己に有利にして且明らかに株主又は債權者に對し重大なる不正たるべき處置を爲さしめ又は之を妨げたる大株主は、會社及各株主に對し責に任ずべきものとす。」

尙同氏はこれ以前に次の如き一般的提案をなしてゐる。

「自己に有利にして且明らかに株主又は會社債權者に對し重大なる不正たるべき處置を(故意にでも重過失に由つてゞも)爲さしめたる株式多數者の一員に對する責任を明規することを要す。」

この提案も亦否決されてゐるが、この問題については種々審議の結果、フレヒトハイムの提案に基き次の如き一般條款が採決されるに至つた。

「株主が議決權の行使に依り明白なる會社の利益を害し自己又は第三者の爲に會社に關係なき特別利益を求むるときは該議決權の行使は之を許さず。」

この決議に對して更にハイマンの次の如き追加提案が採決された。

「原則として前項の決議の場合に於ける株主の責任を認むることを要す。」

この責任は會社に對する責任であつて、各株主に對するものでない旨が確認され、尚原案では重過失に基く責任が認められてゐたが、採決案では故意の場合に限られた。

委員會報告書はこの規定の立法理由として、一方に於て法上多數者の勢力確立の努力が許される限り、他方に於ては少數者及會社の保護のために、多數者が自己の勢力の濫用により會社を害することなきやう、一定の限界を附する必要があると說明し、更にこの規定により取消權の制限によつては抑壓し得ざる如き少數權の濫用に對しても保護が與へられるとしてゐる。

獨逸法曹會の株式法委員會によるこの一般條款採擇の可否については、千九百二十九年の獨逸司法省の周知の質問表[28]に於て廣く實際界の意向を徵せられ、これに對して獨逸辯護士協會(Deutsche Anwaltverein)その他多數の經濟團體が公にその見解を開示してゐるが、[29] 贊否の點については歸一する所なく、例へば獨逸商工會議所の如きは著しき反對の意向を示し、獨逸辯護士協會の如きは有力にこれを支持してゐる。學說も亦當時擧つてこの問題について論議し、[30] 或る者はその採擇について種々の論點より異議をさしはさみ、[31] 他の者はこれに好意を寄せてゐる。[32]

(二) 法曹會株式法委員會の一般條款の採用については、上述の如く、學界及實際界に於て幾多の反對意見があつたが、それにも拘らず千九百三十年の獨逸司法省草案（第一草案）第八十四條には次の如き規定がなされてゐる。この規定の內容は法曹會案の內容と著しく異つてはゐるけれども、この規定が法曹會案の一般條款の精神を繼承するものであることはいふまでもない。[33]

『自己又ハ第三者ノ爲ニ會社ニ關係ナキ特別利益ヲ取得スル目的ニテ自己ノ株主タル勢力ヲ利用シ取締役員又ハ監査役員ヲシテ會社ノ損害ニ於テ故意ニ行爲ヲ爲サシメタル者ハ、該取締役員又ハ監督役員ト聯帶シテ、會社ニ對シ、之ニ由リテ生ジタル損害ニ付責ヲ負フモノトス。

前項ニ從ヒ株主ガ取締役員又ハ監査役員ヲシテ第七十二條第三項ニ掲グル行爲ヲ爲サシメタルトキハ、賠償請求權ノ行使ニ付第七十二條第四項ヲ準用ス。

本條ニ基ク請求權ハ五年ノ時效ニ由リテ消滅ス。』

右の草案規定は、株主權の行使に基く株主の損害賠償義務を拒否する點に於て前掲の法曹會案と著しく異つてゐるが、その理由は、かゝる規定をなすときは議決權の行使につき不安を與へ從來にも增して株主を株主總會の出席より遠ざける虞があると考へられたゝめである。唯從來の實際上の經驗より株主が自己の會社役員に對する勢力を濫用して私的利益を追求する事例が多いに拘らず、獨逸民法第八百二十六條の適用によつてはこれを抑止するに不充分であるから、右の如き「株式法の特性に相應した從つて株主の特別責任を豫想する特別規定」を定むべきものとしたのである。[34] 尙この草案規定は、法曹會案を補足する目的を以て——

「一般條款の擴張」――なされた獨逸辯護士協會の次の如き提案に基いてゐる。[3] 辯護士協會案は法曹會案に於ける責任とこの提案に基く責任との兩者を認めんとしたのであるが、司法省草案は前述の如き理由によりその後半の部分のみを採用したものである。

「株主が株式に由る勢力を利用し會社に關係なき特別利益を取得する目的にて取締役員又は監査役員をして會社の損害に於て故意に行爲を爲さしめたるときは、株主は連帶債務者として會社に生じたる損害に付責を負ふものとす。」

第一草案第八十四條の規定を前示法曹會株式法委員會案の一般條款規定と比照するならば、後者が會社外の特別利益の獲得を目的とする議決權の行使につき、その第一項に於てかゝる議決權行使の失效を定めると同時に、その第二項に於てかゝる議決權に基く會社の損害に對する株主の賠償責任を定めてゐるに對し、草案第八十四條ではこの第一項に相應する規定は存せず、且この第二項に相應すべきものがその內容を全く變更して規定されてゐることを、容易に看取し得るのである。本草案が議決權の行使による株主の損害賠償義務を認めることを不當とし、從つてこの理由より第八十四條の內容が獨逸辯護士協會の追加案に相應して變更され、法曹會委員會案の第二項と異る內容に於てあらはれてゐることは先にも觸れたが、法曹會案第一項の規定が本草案に於て全く捨てられたのではない。右の如く本草案は議決權の行使による株主の損害賠償義務を認めることを不適當としてこれを規定しないこととしたから、この立場を受けて、會社外に存する特別利益を企圖する議決權行使の效果に關する事柄はこれを總會決議の效力の問題となし、これに關する規定を一般條款規定より分離し、總會決議無效の個所に移して、會社に關係なき特別利益の取得を目的とする議決權の行使に基いて成立した總會決議はこれを取消し得べきものと定めたのである（第百三十六條）。かくして所謂一般條款は、この草案以後、全く分離した二つの獨立規定として規定されることゝなり、この立場は現行獨逸株式法にまで及んでゐるのである。

（三）　千九百三十一年九月の緊急命令による株式法一部改正には一般條款に關する規定は加へられてゐない。株式法上の特別責任を規定することは特に緊急に必要でなく、實際上極端に不都合な事情については尙獨逸民法第八百二十六條によつて對處し得ると考へられたからである。[36]

（四）　千九百三十年草案第八十四條の原則は、續いて千九百三十一年の獨逸司法省草案（第二草案）第八十六條がこれを受繼いでゐるが、その內容は次の如く第一草案のそれと少しく變更されてゐる。

『自己又ハ第三者ノ爲ニ會社ヲ害スベキ特別利益ヲ取得スル目的ニテ自己ノ株主タル勢力ヲ利用シ取締役員又ハ監査役員ヲシテ會社ノ損害ニ於テ行爲ヲ爲サシメタル者ハ、該取締役員又ハ監査役員ト連帶シテ之ニ由リテ生ジタル損害ニ付責ヲ負フモノトス。

前項ニ從ヒ株主ガ取締役員又ハ監査役員ヲシテ第七十三條第三項ニ揭グル行爲ヲ爲サシメタルトキハ、賠償請求權ノ行使及賠償義務ノ消滅ニ付第七十三條第四項ヲ準用ス。』

第二草案の規定と第一草案の規定の內容の差異は、特に後者が會社に關係なき（gesellschaftsfremde）特別利益としてゐたのに對して前者はこれを會社を害すべき（gesellschaftsschädliche）特別利益とした點にある。而して前者は後者よりもその範圍が狹められたものと解されてゐる。[36)ノ2] 第二草案規定と法曹會委員會の一般條款の內容の差異は、主として、後者が株主の責任を株主權行使による場合に限つてゐたが、前者は株主權行使の方法による場合以外の場合——而もそれは實際上非常に重要なことであるが——に及ぼしてゐることである。尤も前述の如く第一草案が株主權行使の場合を除外したのは、株主權の行使による株主の賠償責任を認めることを不適當としたからであるが、ハイマンは第二草案の規定を說明して株主權の行使による勢力の利用であつてもこの規定の要件を充足するものなる限り株主は賠償責任を負はねばならぬと解してゐる。[37)]

會社外に存する私的利益の獲得を目的とする議決權行使に基いて成立した總會決議を無效とする第一草案第百三十六條の規定は、本草案に於ても亦そのまゝ採用されてゐる（第百三十七條）。

（五） 千九百三十三年獨逸法學院（Die Akademie für Deutsches Recht）が設立され、翌三十四年國立學院としての資格を獲得するや、株式法改正の問題はこの學院の任務に應じて同學院株式法委員會に於て全面的に採上げられ、前記の司法省第二草案はこの委員會の千九百三十四、五兩年に互る精細な審議の對象とせられ、特に一般條款に關する草案第八十六條の規定は、同委員會のコンツェルン問題分科會に於てもコンツェルン問題の面より取扱はれてゐる。

この委員會に於ける草案第六十八條に關する審議內容の詳細は今これを窺ひ得べき資料を缺くが、例へば、責任負擔を故意による場合に限らず過失に基く場合にも推及すべきものに非ざるやの問題の如きが主要な論議の對象とされたことを知り得るのである。[38] この問題は、責任負擔を過失に基く場合にまで及ぼすときは外國に於ける獨逸株式の取引性を害する虞を生ずること、及不當な投票、投票禁止又は總會缺席の場合の責任について明確な限界を認めるに困難であることを理由として、消極的に決定されてゐる。[39] 尚又草案の「自己ノ勢力ヲ利用シ」なる語は「自己ノ勢力ヲ濫用シ」なる語を以つて代へるに意見の一致を見、[40] 更にハイマンの動議に基き、本條による責任負擔を株主のみならず他の第三者についても認むべきことゝされた。[41]

(六)　千九百三十七年一月三十日の獨逸新株式法第百一條は、『會社ニ關係ナキ利益ノ取得ヲ目的トシ會社ニ損害ヲ生ゼシメタル行爲』(„Handeln zum Schaden der Gesellschaft zwecks Erlangung gesellschaftsfremder Vorteile")なる表題の下に、次の如き規定をなした。

『(一)自己又ハ他人ノ爲ニ會社ニ關係ナキ特別利益ヲ取得スル目的ヲ以テ、故意ニ會社ニ對スル自己ノ勢力ヲ利用シ取締役員又ハ監査役員ヲシテ會社又ハ株主ノ損害ニ於テ行爲ヲ爲サシメタル者ハ、之ニ基キ生ジタル損害ヲ賠償スル義務ヲ負フ。

(二)右ノ者ノ外、自己ノ義務(八四條、九九條)ヲ怠リテ行爲ヲ爲シタル取締役員及監査役員ハ、連帶債務者トシテ其ノ責ニ任ズ。會社ニ關係ナキ特別利益ガ他人ノ爲ニ生ズベキ場合ニ於テ、其ノ他人ガ故意ニ勢力ノ行使ヲ爲サシメタルトキハ、此ノ者亦連帶債務者トシテ其ノ責ニ任ズ。

(三)保護スベキ重大ナル事態ニ有益ナル利益取得ノ爲ニ勢力ヲ利用シタルトキハ、右ノ賠償義務ハ生ズルコトナシ。

(四)會社ニ對スル賠償義務ノ消滅ニ付テハ、第八十四條第四項第三文及第四文ヲ準用ス。

(五)賠償義務ハ、會社債權者ガ辯濟ヲ受クルコト能ハザル限リ、會社債權者ニ對シテモ成立ス。債權者ニ對シテハ、賠償義務ハ、會社ノ抛棄又ハ和解ニ因リテ消滅スルコトナシ。會社財産ニ關シテ破産手續開始シタルトキハ、其ノ期間中破産管財人債權者ノ權利ヲ行使ス。

(六)本條ニ基ク請求權ハ五年ヲ以テ時效ニ罹ル。

(七)本條ハ、會社ニ關係ナキ特別利益ヲ議決權行使ニ依リテ追求シタルトキハ、之ヲ適用セズ』

この規定が第一草案第八十四條及第二草案第八十六條と同趣旨に出づるものであることは呶々するまでもないが、その内容がこれ等の規定の内容と可成りの隔りを有することは一見明らかである。

ベックマンはこの規定の内容と前二者のそれとの主要なる相異點を次の如く要約してゐる。(45)

1. 損害賠償義務が株主に限られず、自己の勢力を濫用する第三者も亦責任を負はしめられること。

2. 會社に對して生じた損害のみならず、株主の損害も亦賠償せらるべきこと、從つて株主は獨立の訴權を有すること。

3. 損害賠償義務が會社理事者の故意による行爲を前提とせず、會社理事者が全然責に任ずべからざる場合でもこれが認められること。

4. 會社理事者が自己の行爲について責に任ずべき場合には、理事者は獨立の責任を負ふこと、從つて株主の理事者に對する直接の請求權が成立すること。

5. 債務者が會社より滿足を得ないときは、債權者に獨立の訴權が認められること、及理事者の責任を生ずべき「カタログ的な場合」が存する必要のないこと。

6. 保護に値する重要事を目的とする場合には賠償義務が認められないこと(この規定は千九百三十年の草案も千九百三十一年の草案も容認しながら而もそれを判例に委かせやうとした思想をあらはすものである)。

7. 特別利益の追求が議決權の行使によつて行はれるときは、その決議を取消し得るが、而も特別な損害賠償責任は認められないこと(この點も亦その範圍で千九百三十年及千九百三十一年の草案の追求してゐた傾向を明示したものに過ぎない)。

この規定の立法理由は株式法草案理由書に簡單に記されてゐるが[43][44]、これまでの一般條款立法の沿革を顧みるならば、この規定の全體の趣旨が「會社の損害に於て會社理事者に勢力を加へることに對し會社を保護」せんとするものであり、從つて所謂經濟的勢力の濫用に對する立法的闘爭の現段階に於ける姿の一面であることを自づから諒解するであらう。

新株式法第百九十七條第二項は、會社外の特別利益を目的とする議決權行使を、これによつて成立した總會決議の取消原因として、次の如く規定してゐる。

『取消ハ、株主ガ議決權行使ニ依リ、故意ニ自己又ハ第三者ノ為ニ會社又ハ株主ノ損害ニ於テ會社ニ關係ナキ特別利益ノ取得ヲ企圖シ、且決議ガ右ノ目的ヲ達成スルニ適スルモノナルコトヲ理由トシテ亦之ヲ為スコトヲ得。第百一條第三項ハ之ヲ準用ス。』

この規定が前述の第百一條の規定と密接な關係に立ち、[45] この「議決權濫用」(Stimmrechtsmissbrauch) 規定と第百一條の「勢力濫用」(Einflussmissbrauch) 規定の兩者は相俟つて株式法の所謂一般條款をなし、その全體によつて會社に於ける勢力の濫用に防衛の役割を果さんとするものであることは、法曹會株式法委員會の提案以後の一般條款立法の沿革が判然と指示してゐるところである。

二、以上その成立の沿革を跡づけて來た株式法の一般條款は、株式法中にかくの如き特殊規定を挿入すべきことを不可避的ならしめてゐる株式制度そのものゝ由つて立つ一般的地磐の、換言すればそれの「基礎の交替」を如實に物語るものなる點に於て、同樣にこの「基礎の交替」の株式法理論の面に於ける反映たる株式會社本質論としての株式會社共同體論と緊密な結付きを有してゐる。卽ち一方に於て、一般條款採擇の根據について、屢々それが株主の會社に對する誠實義務に由來するものとして説明されてゐるのである。[46] 勿論この根據を株主誠實義務に求めんとする立場には反對論もあるけれども、[47] この反對論の趣旨が、ハイマンや千九百三十七年の株式法理由書に於けるが如く、一般條款に基く責任負擔が株主たらざる第三者についても認められる點に存するのであれば、[48]ベルクマンの如く、更に進んで假令株主たらずとも會社に對して決定的影響力を有する第三者は、かゝる影響力を有する點に於て會社企業卽ち會社共同體に參加するものであるから、かゝる株式法規定は、均しく株式會社共同體の一員たる第三者の會社に對する誠實義務に由來する特殊責任を是認したものであるとする[49]構想も不可能ではないし、いづれにしても、一般條款が全體者の認識の上に立ち從つてその限りに於て株式會社共同體論のイデオロギーに聯らなるものであることは疑を容れない。更に逆に株式會社共同體論の立場からは、その理論の正當性を實證する素材として、屢々株式法の一般條款が援用されてゐるのである。この援用は或は論理の循環を意味するものゝなるかに見えるけれども、一般條款成立の基礎と株式會社共同體論成立の基礎とが同一のものであり、一方は株式制度の基礎の交替を株式法規の面で示すものであり、他はそれを株式法理論に於て示すものであることを想起するならば、かくの如き形式論理的矛盾は、この援用を否定せしめるものではない。

千九百三十七年の株式法に至つて最後の居所を見出した一般條款は、「新たなる株式法觀」をあらけすものとされるが、[50]この新たなる株式法觀が、株式會社共同體論の示すものとして語られてゐる「新たなる經濟＝法律觀」と同一のものであることは、こゝに贅言を弄するまでもない。

註1 Vgl. Siebert, JW. 1935, 1554; derselbe, Verwirkung und Unzulässigkeit der Rechtsausübung, S. 59, N. 121; auch derselbe, Vom Wesen des Rechtsmissbrauchs (in Grundfragen der neuen Rechtswissenschaft, 1935), SS. 199 ff.

註2 RGE. 107, 202. この判例は、被告鑛山會社の多數持分權者にして同時に訴外鑛山會社の多數持分權者たる訴外L市が、被告會社の株主總會に於て被告會社の財產を法外の廉價にて訴外會社に讓渡し、被告會社を解散すべき決議をしたのに對して被告會社の少數持分權者たる原告が異議をさしはさみ、この決議を良俗違反にして無效なものと主張し、大審院がこの主張を是認したものである。

註3 尤もこの判例の直前の判例（1923 6 22, RGE. 107, 72）に於ても、大審院は、被告會社の多數株主たる訴外銀行の被告會社に對する支配强化の目的をも包含すると見られる被告會社の增資決議につき、被告會社自身のためにする正當なる目的の外に「少くともその他に利己的な利益を求め、意識して會社の福祉を無視して」多數株主が行動したかも知れぬといふ事情より、この決議の良俗違反を推認してゐるから、本文引用の判例は、この判例の立場を更に發展させ、著しく明確な言葉を以つて株主權行使の前提を說明してゐる點に於て劃期的意義を有するといふに過ぎない。

註4 この趣旨を示す判例として RGZ. 68, 314, 317 の判例及前註所揭の判例を引用す。

註5 前註參照。

註6 RGE. 105, 375. この判例は舊株主の新株引受權を排除した增資決議を良俗違反とする原告の主張に對し、新株引受權の排除は獨逸商法第二八二條第一項に於て與へられた株主總會の自由に行使し得べき權利の行使に基くものであるから、事案の決議は良俗に反するものにあらずとして原告を敗訴せしめたものである。

註7 Vgl. RGE. 112, 14; 113, 6, 188; 118, 67; 119, 248.

註8 RGE. 107, 72; 108, 41; 112, 14.

註8,2 後註24參照

註9 RGE. 118, 67 は「株主總會は民法第一三八條、第八二六條、第二二六條の一般規定によつて拘束されるのみであつ

て、その他の點に於ては全く自由である」旨を特に明言してゐる。

註10　次段に述べる信義誠實原則が積極的に信義誠實に合致すると考へられる行動をなすべきことを要求するものであるのに對して、良俗原則は、良俗に反すると考へられる行動を禁止するといふ消極的内容のものである。

註11　この困難さについては、Bericht der vom 34. Juristentag zur Prüfung einer Reform des Aktienrechts eingesetzten Kommission, S. 27 にも公にこれを認めてゐる。Vgl. ferner Barz, Die Verantwortlichkeit der Aktionäre für Fehler in der Geschäftsführung, die auf ihre Veranlassung vom Vorstand begangen werden (im Deutsehe Landesreferate zum II. Internationalen Kongress für Rechtsvergleichung im Haag 1937, 1937), S. 374,; ferner Wieland, HR. II. S. 203.

註12　Vgl. Ritter, a. a. O. S. 3027; Dorpalen, a. a. O. S. 13, N. 33

註12ノ2　Vgl. Amtliche Begründung zum § 101 des Aktiengesetzes 1937.

註13　Vgl. z. B. Isay, Rechtsreform und Entscheidung.

註14　Vgl. RGE. 113, 24.

註15　RG. JW. 1932, 1648.

註16　前節註25參照。

註17　株主平等原則が如何なる實定法上の根據に基くものであるか、更にそれは社團特有なる法則であるか等の問題に關する多數の學說については Ritter, JW. 1934, S. 379 參照。尙 Ritter はこの論文で株主平等原則は信義誠實原則に由來するものと解してゐる。

註18　Wieland, HR. II. S 207.

註19　RGE. 146, 76.

註20　RGE. 146, 395.

註21　Siebert が恰もこの後の判例の價値を評した言葉である (JW. 1935, 1554.)。

註22 Barz, a. a. O. S. 381.

註23 Vgl. RGE. 158, 254; auch 157, 58.

註24 尙こゝで注意すべきことは、本文所引の如く判例は明瞭な言葉を用ひて株式會社の共同體的本質を認め、從つて株主の會社自身に對する誠實義務の存在を强調するのであるが、それにも拘らず共同株主相互間に於ける誠實義務の存立を否定してゐることである。一九三四年及一九三五年の判例ではこの點は特に明らかでなく單に會社に對する誠實義務ありといつてゐるに過ぎないが、一九三八年の判例は明白に株主の他の共同株主に對する誠實義務は存しないといつてゐる。この點前節に述べた共同體論者の主張するところと異なるのであるが、先にも述べたやうに、過去の判例の實質的內容は、共同株主間にある程度に於ける誠實的關係の存在を豫想せしめる場合が多いのである。要は誠實義務の內容の理解如何にかゝることではあるが、株式會社の共同體的本質の是認が全體の認識に基くものである以上、株式會社に於ける全體利益の中には共同株主の利益も亦包攝さるべきものであるから、理念的には共同株主相互間にも、相互に誠實なるべき行動を採り、相手方の正當なる利益を害すべからずとの要請が認めらるべきものであらう。

註25 RG. JW. 1928, 625.

註26 Schmölder (JW. 1929, 2093) に據れば、一般條款はこの法曹會株式法委員會の獨創に出づるものではなく、既に世界大戰前に Hachenburg が同樣なテーゼを同會議に提案してゐるが、而も當時それは擧つて反對されたところであるといふ。

註27 以下この委員會の審議經過については、同委員會の一員にして有力なる發言者たる Heymann 教授の Die Haftung der Aktionär und Dritter für gesellschaftsschädliche Handlungen. (in Beiträge zum Handelsrecht, Festgabe für Carl Wieland, 1934) による。

註28 Fragbogen IV, 2. Kapital (59—90).

註29 Vgl, Lifschütz, a. a. O. SS. 4—5.

註30 Vgl. Literature zitiert bei Lifschütz, a. a. O. S. 4, N. 6.

註31 Z. B. Pinner, JW. 1928, 2595; Nussbaum, MdW. 1929, Nr. 50; Ludewig, Hauptprobleme ber Reform des Aktienrechts, SS. 79—80; Schmölder, JW. 1929, 2093; Haff, JW. 1929, 613; Nord, Grundlinien der Machtverteilung zwischen Verwaltung und Aktionären, 1930 ,SS. 40 ff,

註32 Z. B. Hueck, RG Festscrift, 1929, IV. SS. 167 ff.

註33 Lifschütz, a. a. O. S. 45.

註34 Vgl. Barz, a. a. O. S. 377; Lifschütz, a. a. O. S. 49.

註35 Deutscher Anwaltverein, Zur Reform des Aktienrecht, 1929, II., S. 111.

註36 Barz, a. a. O.

註36ノ2 Lehmann, Die Generalklausel des neuen Aktiengesetzes (in Festschrift für Hedemann, 1938) S. 402.

註37 尤もこの見解は Prof. Heymann の個人的見解であつて、草案規定の一般的解釋はむしろこれと反對に第一草案に於けると同樣議決權濫用の場合を含まずと解したものと思はれる節がある（後述株式法一〇一條はこの趣旨を明示してゐる)。かく解すればこの點に於て本草案と第一草案との間には相違はないわけである。尙右の點その他本規定の立法理由、第一草案規定及法曹習案との異同點、本規定の巨細な解釋問題等については、Heymann, a. a. O. SS. 226 ff. を參照。

註38 Vgl. Bericht der Aktienkommission, ZAkDR. 1935, 256.

註39 Vgl. Barz, a. a. O. S. 378.

註40 Vgl. Bericht, a. a. O. 然るに後述の新株式法では依然「勢力ヲ利用シ」なる用語が用ひられてゐるが、その理由は明瞭でない。

註41 Vgl. Bergmann, Über den Missbrauch gesellschaftlicher Machtstellungen, ZHR. 105, S. 4.

註42 Bergmann, a. a. O.

註43 Amtliche Begründung zum Aktiengesetz 1937, IV. Teil, 3. Abschnitt.

註44 この規定について生ずる細かな解釋問題については、Bergmann, a. a. O. SS. 12 ff. に詳しい。

註45 上掲理由書は、本條は第一〇一條の缺くべからざる補足（notwendige Ergänzung）であると說明してゐる。Vgl. Amtliche Begründung, 7 Teil.

註46 獨逸辯護士協會答申案（Deutscher Anwaltverein, a. a. O. I, S. 151）

註47 法曹會株式法委員會（Vgl. Heymann, a. a. O. S. 224）、一九三七年株式法理由書（Begründung zum § 101）、Lehmann, a. a. O. S. 401.

註48 Begründung, a. a. O.; Heymann, a. a. O. S. 231.

註49 Vgl. Bergmann, a. a. O. SS. 9—10.

註50 Vgl. Bergmann, a. a. O. S. 5; Lehmann, a. a. O. S. 401.

むすび

しばしばいはれるやうに、株式法は、常にその時々の經濟的關係に基いて生起する問題を、その發展の契機としてゐる。このことは株式法理論についても亦いひ得べきところである。從つて以上にその內容を能ふ限り忠實に疏明することに努め、且その發生の地盤を判例及立法の沿革を通して究明して來た株式會社共同體論は、獨逸現代の經濟的事情に相應する理論であり、それ故に、好むと好まざるとに拘らず、この理論が現代獨逸株式法の基礎理論たる意義を有するものであることを承認しなければならない。從つて又現代獨逸株式法を考究の對象とするためには、必然的にこの理論の知識と理解が要求されることを忘れてはならない。

翻つて我々がこの理論を株式法學上のものとして取扱ふ場合には、常にこの理論のもつ思想的側面と株式法學的側面とを分つて、これに批判の眼を向ける必要があることを注意しなければならない。既に第一の節に於て見て來たやうに、この理論に於ては、この二つの側面が甚しく混淆されてゐるのである。このことは、この理論が獨逸國民社會主義運動の思想的鬪爭の一翼に聯らなるものなることを想起すれば或は當然のことゝいはねばならぬかも知れないけれども、今これを株式法學上のものとして考察する限りに於ては、思想的側面に存する要素は一應これを捨象して考察することを必要とする。勿論かゝる捨象は、この理論の全體的意義を見誤らしめるものであるとの批難が加へられるかも知れないが、株式法學的側面に於ける要素のみを觀察の對象として見ても、我々に多くの示唆を與へるものゝあることは否定出來ない。我々は、この理論が、株式法上の諸問題について、從來の解釋學的立場に於ては到達し得なかつた何等かの結果を齎らすものではないかを、愼重に吟味して見ることが必要である（こゝで私事に亙つて記すことを許されるならば、私はこの論文の執筆にかゝるとき、以上の記述に續けて、株式會社共同體論の批判なる一節を加へる豫定であつたが、遲筆の禍は今こゝにこれを果すことを得なかつた。このことは私自身頗る遺憾とするところであるのみならず、讀者諸賢にも深く御詫しなければならぬところであるが、幸に別の機會を得てこのことを果し度いと思つてゐる。）

別の見地に立つて考へれるならば、この理論は、それが全體主義株式法の基礎理論たる點に於て、特に我々の興味を惹くものがある。一般的問題としての全體主義是非の問題はしばらくこれを措くとしても、少くとも株式制度の範圍に於て、全體利益の尊重もしくはそれの自覺の必要は、我國に於ても今までより以上に强調されなければならぬと信ずる。このことは我國近來の經濟事情の變遷を思ふとき何人にも多く異論のないところであらう。かく觀るとき、この理論が今後獨逸の判例等に於て如何なる形に於て、如何なる程度にまで實際上反映されて行くかは、興味ある觀察の對象たるを失はないところである。(をはり)

韓非子を讀む

——刑治主義か德化主義か——

鍾璧輝

目次

一　はしがき

夫れ天が烝民を生ずる。自ら牧《オサ》むること能はず。故に必らず君を立てて以て之を治めしめ各をして其の生を遂げしむ。而して理國の道には「王道」あり、「覇道」がある。前者は仁義の道に據るものにして徳化主義之は百姓を哀憐し、刑罰を輕くすることを以て本義とする。故に別名之を稱して「仁義の化」とも曰ひ拙稿「大道廢れて仁義有り」臺法三十一卷十號七七頁以下參看堯舜周公孔子(1)等が之に屬する。後者は法術に基くものにして刑治主義是は明法を正し、嚴刑を陳ぶることを以て内容とする。故に別名之を稱して『法術の治』とも曰ひ、公孫鞅、申不害、韓非子等が之に屬する。

右二つの中、何れを以て善とすべきや。人直ちに異氣同聲にて「王道」を擧ぐべきも余は必らずしも爾らず。それは一概に之を論斷するを許さざるものあり、時代の清濁治亂如何を以て標準としなければ決定され難き問題だと信ずるからである。則ち世が治平なるときは徳化主義を以て善とするも併しこのときと雖も未だ勢ひ以て刑治主義を全廢するを許さず、但だ徳化主義を先にして刑治主義を後にするまでである。而して世が昏亂して收拾すべからざるときは右に相反して刑治主義を以て善とするも併しこのときとても亦た未だ以て全然徳化主義を廢するを許さず、但だ刑治主義を先行せしめて德化主義を後進せしむるまでである。則ちこの兩者は先後の差こそあれ、時の古今を問はず、所の東西を論せず、何れの時代に於ても理國上、必要不可缺のものであり、兩々相須つて始めて能く其の功を成すのである。

然るに、韓非子の法術思想（刑名學）は、徒らに刑治主義を高調して之を萬能化し去り德化主義をネグレットする。是に於て乎、彼の特色を存すると共に難聲の伏する所でもある。今試みに彼が德化主義を排斥する所を見るに曰く、(?)『萬物は芻狗（芻草を結んで狗と爲し、巫祝之を用ひて以て祭祀の用に供す。祭すんだ後は之を路中に棄てて行人の踏踐に委する）なれば煦々然として仁を爲すことを事とするに足らず』と。即ち仁義は人民少くして財餘り有る時勢に於ける自然的所産にして人の易とする所なれば何もそれを多とするに足らず、從つて叉それは時異り、事變じたる今日に於てはもはや遵ひて行ふべからず、時に應じ事に從つて變らねばならぬといふのである（前掲拙稿臺法三十二卷八號六十八頁以下參看）故に彼曰く、『古今俗を異にすれば新故の備えは之を殊にする。もし寬緩の政を以て急世の民を治めんと欲せば猶ほ轡策無くして駻馬を御するが如し、其の制すべからざるや明なり。此れ時の急務を知らざるの患《ワザワヒ》也』と（卷十九第五頁）。この轡策に相當するものがとりも直さず「法術」そのものである。

然らば彼が法術を唱へ出して刑に專意なる所以如何。之は、一に世衰え、事變はり、民心が靡薄化したるに由る。則ち彼はこの大道廢れた衰世の慘たる情態を見て遂ひに悲觀し、人性を以て惡なりと斷じ、君臣・父子・夫婦の自然的關係を以て汎々平として萍の江湖に游して適々相値ふが若きものと看做し（3）、從つて其の間には何の恩愛の存する餘地なく、止だ是れ計數（計算の心）の出づる所にすぎずと爲した。故に衰世の民を理むる上に於ては、それはどうしても賞を重くし、罰を嚴にしなければ策の施しやうがない。彼に從へば夫れ父母の愛と雖、以て子を敎ふるに足らず、必らず州部の嚴刑に待つ所以の者は民は固り愛に驕り威に聽くからである。故に十仞の城は樓季（魏文侯の弟也）も踰ゆる能はざる所以の者は峭（險阻）なるがためである。千仞の山は跛の羊も牧《ヤシナ》ひ易き所以の者は夷《タイラカ》なるが故である。又三尺の岸にして虛車は登ること能はず、百仞の山は負車に任せても登る。何となれば陵遲の故也。數仞の牆にして民踰ゆる能はず。百仞の山は童子升りて遊ぶ。陵遲の故也（說苑卷七第六頁）今夫れ世の陵遲も亦た久焉。胡《ナン》ぞ民をして踰ゆること勿らしめん乎。故に明王は其の法を峭にして其の刑を嚴にする。然らば布帛の尋常（尋は八尺、常は一丈六尺、至微の物に譬ふ。）も庸人すら取らず鑠金の百鎰も盜跖は掇《ト》らぬ。則ち必ず害せざれば尋常も釋てず。（琬琰の玉汙泥の中に在れば廉者も釋てず）必ず害すれば手は百鎰を掇らぬ。故に明主は其の誅を必ずする也。是を以て賞は厚くして信なるに如くは莫い。民をして之を利せしむ。罰は重くして必ずするに如くは莫い。民をして之を畏れしむ。法は專一にして堅固に如くは莫い。民をして之を知らしめる。故に明主は賞を施して遷らず。誅を行て赦すことがない。譽は賞の及ばざる所を助け、毀は其の罰に隨ふ。然らば則ち賢不肖は俱に其の力を盡すのである巻十九第七頁、尚、後出「信賞必罰」參看この立前よりして彼は當時の人主が儒家や游俠を用ふることを難ずる所が有つた。かかる者を養ふは虎を養ふが如し、當に其の肉を飽くべし、飽かざれば則ち噬《カ》む。又鷹を養ふが如し。之を飢やせば則ち附し、之を飽かせば則ち颺る。彼則ち難じて曰く、「今弟兄被侵、必攻者廉也世謂之有廉隅之人、知友被辱、隨仇者貞也、廉貞之行成、而君上之法犯矣私劍職而、公法廢矣人主尊貞廉之行、而忘犯禁之罪、故民逞於勇、而吏不能勝也、不事力而衣食、則謂之能、不戰攻而尊、則謂之賢、賢能之行成、而兵弱而地荒矣以不耕不戰也人主說《ヨロコブ》賢能之行、而忘兵弱地荒之禍、則私行立而公利滅矣、儒以文亂法、俠以武犯禁、而人主兼禮之、此所以亂也、夫離法者罪、而諸先生後儒謂先生以文學取用《モチヒラル》也、犯禁者誅、而群俠以私劍養刺客也、故法之所非、君之所取、吏之所誅、上之所養也、法趣上下、四相反也、而無所定言法度或上或下、或左右四方、輕重反而莫有正也、雖有十黃帝、不能治也、故行仁義者、非所譽、譽之則害功、工《タクミ》文學者非所用、用之則亂法」楚之有直躬、其父攘《ススム》羊而謁《ツグ》之吏、令尹曰殺之、以爲直於君奉君之法也而曲於父(4)、報而罪之聞其告報、即時誅直躬、以是觀之、夫君之直臣、父之暴子也」魯人從君戰、三戰三北、仲尼問其故、對曰、吾有老父、身亡莫之養也、仲尼以爲孝、擧而尚之」以是觀之、夫父之孝子、君之背臣也、故令尹誅、而楚姦不上聞、仲尼賞、而魯民易降北、上下之利、若是其異也後出「君臣は計數の出づる所」參看而人主兼擧匹夫之行、而求致社稷之福、必不ン幾《チカカラ》矣」と巻十九第八頁。則ち彼は儒者の稱ふる廉貞の行（是は今日の刑法上に謂ゆる「自救行爲」に該るもの）や賢能の行や孝の行を以て「匹夫の行」となし、儒者を目して「浮淫の蠹」と罵倒し、之を功賞の上に加ふるは法を亂し功を害ひ富國强兵の道ではない。かかる諸行を擧げたるときは十の黄帝有りと雖、治むることを得ないといふのである。

最後に韓非子は韓の諸公の子である。生來、口吃にして道說するに拙きも善く書を著はす。李斯と俱に荀卿に事へ、斯その才を嫉み、遂に斯に死す。曾て韓の削弱を見て王に書を上《タテマツ》り、富國彊兵の道を說きたるも遂に用ひられず。他方、儒者は文を用ひて法を亂し、廉直の士と相容れず、俠者は武に恃みて禁令を干すことを見て悲しむ。曰く、『養ふ所は用ふる所に非ず、用ふる所は養ふ所に非ず』と（前出）。是に於て乎、退いて筆を援り「孤憤」等諸篇を作つたのである。

因みに本稿は、余が曾て公にした「大道廢れて仁義有り」（臺法三十一巻九號以下）とは姉妹篇を成すものである。而して全篇を通じて筆者の最も力を傾注したるは三「法術の必要」中の一「人心の惡化」と、四「法術の治」中の一「賢臣を登用して箴諫を求むべし」の二個所である。前者に於ては古今の世相の一端を仄かし、後者に於ては明主は狂夫芻蕘の言と雖も之を廢すべからざることを力說した。またこの他に全篇に亙りて夫れ相應の個所には、筆者の嘗て涉獵し來つた黄卷より萃めたる材料を織り込みたために冗長に失し、力を入れ過ぎて却つて全篇の整然たる體系を毀《コワ》したる嫌ひあるは、筆者に於ても遺憾なきにしも非ざるも併し、讀者には之は面白いなと一應思はしめるやうな所亦たなきにしても非ずと信ずる。幸にしてこの間の心情を量として頂ければ分外の矔びである。尙不敏を以て雖業の韓子學の讀破に當る。竊ら顧みて蚊虻の山を負ひ、螳螂の臂を怒らして車轍に當るの感に任えず。從て完璧を期するは固よりその任に非ず、從つてまた自ら杜撰の誹り有り、他の著作に比し數籌の遜色有るはけだし數の免れざる所である。大方の御寬恕を乞ふて息まない次第である。

（註1）　周公は孔子の崇敬措く能はざる高徳者である。彼は周の禮樂を作つたのであるが、孔子之を見て歎美して曰く『周鑑二二代一（夏殷を指す）郁々文哉、予從レ周矣』と（警法二九巻四號三七頁拙稿註二參看）。尙ほ孔子は最後に至る迄周公を忘れない。則ち彼が己の道の窮せることを嘆じ『吾久不三夢見二周公一、』と言つたのである。

（註2）　時恰も、老子の道德經にある『絕レ聖棄レ智、絕レ學無レ憂』なる旨に緣《ヨ》つて儒學を絀け、仁義禮法を擯ち、孔子の徒を詆訾するの風が靡然として世を蓋はんとしてゐた。彼之を見て則ち喜び恰も千萬の援軍を得たるが如き心持にて德化主義の排擊に出でたのである。

（註3）　是は老聃や莊子の「萬物一如說」の影響を受けたるものであつて、彼の「刑名の學」が黃老に基くといはれるのは之がためである。

（註4）　孔子曰く『父爲レ子隱、子爲レ父隱、直在二其中一』と。それ故に前漢の孝宣皇帝の詔に曰く、『父子之親、夫婦之道天性也、雖レ有二患禍一、猶蒙レ死而存レ之、誠愛結二於心一、仁厚之至也、豈能違レ之哉、自レ今子首二匿父母一（首匿者、言下爲二首謀一而藏中匿罪人上）、妻匿レ夫、孫匿二大父母一、皆勿レ坐、其父母匿レ子、夫匿レ妻、大父母匿レ孫、罪殊レ死』と（前漢書卷八第五頁）。是れ實にわが現行刑法第百五條の由つて生ずる所である。

二　仁義の化

一　夫子の事功

夫れ仁は以て善を勸む可く、(1)義は以て非を禁ず可きである。而してこの仁義は則ち堯舜の道に外ならない。この道を推して以て教えを萬世に垂らしめたるは何人も知るが如く、それは夫子その人である。故にその事功を語れば堯舜に勝ること遙かであると稱することもできる。孟子は夫子を稱へて「聖の時なる者」と云ひ、荀子は『德は周公と齊しく、名は三王と並ぶ』と稱した。（前掲拙稿臺法三十一卷九號八十三頁）孟軻は更に夫子の業蹟を次の如く稱えてゐる。『以レ予觀二夫子一賢二於堯舜一遠矣、又曰、生民以來、未レ有下盛二於孔子一者上也、斯非通二賢之格言、商較之定準一乎、雖二妙極一則同二萬聖一猶レ一、然淳薄異レ時、質文殊レ用、或當レ時則榮、沒則已焉、是以遺風所レ被、實有二深淺一、若下乃經二緯天人一、立レ言垂上レ制、百王莫二之能違一、彝倫資レ之以立、誠一人而已耳、周監二二代一、斯文爲レ盛、然於二六經之道一、未レ能レ及二其精致一、加以二聖賢不一レ興、曠レ年五百、道化陵夷、憲章殆滅、若使三時無二孔門一、則周典幾二乎息一矣、夫能光二明先王之道一、以成萬世之功一、齊二天地之無窮一、等二日月之久昭一、豈不レ踰二群聖一哉』（魏志二四卷二頁）

侚、子貢の夫子を稱へる所を見るに、則ち說苑卷十一第十九―二十頁に『子貢見二太宰嚭一、太宰嚭問曰、孔子何レ如、對曰、臣不レ足二以知一レ之、太宰曰、子不レ知、何以事レ之、對曰、惟不レ知、故事レ之、夫子其猶二大山林一也、百姓各足二其材一焉、太宰嚭曰、子增二夫子一乎、對曰、夫子不レ可レ增也、夫賜其猶二一累壤一也、以二一累壤一增二大山一、不レ益二其高一、且《シバラク》爲レ不レ知、太宰嚭曰、然則子有レ所レ酌也、對曰、天下有二大樽一、而子獨不レ酌焉、不レ識二誰之罪一也云々』とある。『齊景公謂二子貢一曰、子誰師、曰、臣師二仲尼一、公曰、仲尼賢乎、對曰賢、公曰、其賢何レ若、對曰不レ知也、公曰、子知二其賢一、而不レ知二其奚一レ若可乎、對曰、今謂二天高一無二少長愚智一皆知レ高、高幾何、皆曰不レ知也、是以知二仲尼之賢一、而不レ知二其奚一レ若云々』とある。實に尼父は達聖の姿を禀け「生知」の量を體し、理を窮め性を盡し、道は四海に光かしたのである。

かくの如く、夫子はその人と爲りや餘りにも器大なるがため一君は獨り畜ふること能はず、一國は獨り容るること能はず(2)周公の道を挈げて諸國を遊說したれど卒に用ひられず、この間といふものは頻りに斥逐に遭ひ、屢々詆訶せられて行歌したのであつた。鄭人はこの時の夫子の疲弊せる樣を見て「喪家之狗」の如しだと云つて其の意を得ざるの貌を形容する所があつた。則ち孔子家語卷五第十三頁に『孔子適レ鄭、與二弟子一相失、獨立二東郭門外一、或人謂二子貢一曰、東門外有二一人一焉、其長九尺有六寸、河目隆顙河目上下匡平、而長顙頰也、其頭似レ堯、其頸似二皐繇一其肩似二子產一、然自レ腰已下、不レ及レ禹者三寸、纍然如二喪家之狗一（喪家狗主人哀荒、不レ見二飯食一、故纍然不レ得レ意、孔子、生於亂世一、道不レ得レ行、故纍然、是不レ得レ意之貌也）子貢以告、孔子欣然而歎曰、形狀末也、如二喪家之狗一、然乎哉、然乎哉云々』とある。

又池州の夫子廟麟臺埤銘に曰く『二儀既閉、三象乃乖、聖道堙鬱、人心不レ開、上無二文武一、下有二定哀一、吁嗟麟兮、孰爲《タメニ》來哉、周雖レ不レ綱、孔賓嗣レ聖、詩書既刪、禮樂太定、勸レ善懲レ惡、姦邪乃正、吁嗟麟兮、克昭二符命一、聖二道時君一、化行位尊、苟或乖戾、身窮道存、於《ココニ》昭二魯邑一、栖二遑孔門一、吁麟嗟兮、孰知二其仁一、運極數殘、德至二時否一、楚國窶廣、秦封益侈、墻仞迫レ阨崎嶇闕里、吁嗟麟兮、靡有レ攸レ止、世治則麟、世亂則麐、出非二其時一、麇鹿同レ群、孔不二自聖一、麟不二自祥一、吁嗟麟兮、天何所レ亡』と（唐詩記事五十四卷一頁。）

又楚の賢人狂接輿は「鳳兮鳳兮何如德之衰也」（前揭拙稿同八十五頁註十一參看）と云つて嘲け笑つたのである。尙夫子自身も吾が道の窮せることを嘆き「獲麟歌」を作つた。則ち樂府卷八十三第五頁に『唐虞世兮麟鳳游、今非二其時一來何求、麟兮麟兮我心憂』（孔叢子曰、叔孫氏之事、子之樵二於野一、而獲レ麟焉、衆莫二之識一、以爲不祥、棄二之五父之衢一冉有告曰、麕身而肉角、豈天之妖乎、夫子曰、吾將二往觀一焉、遂泣曰予之於レ人猶レ麟也麟仁獸、出而死、吾道窮矣乃歌云）とある。尙孔子は陳蔡に窮し匡人に困じた（後出六「仁義は禍を招く」註四參看）。

（註１）義には「宜」に通じ大小の序正しく貴賤の別整然としてゐることを指す。故に儒者は瑟を鼓しない。けだし瑟は小絃を以て大聲と爲し、大絃を以て小聲と爲すを以て大小序を易ひ、貴賤位を易ふるもの則ち義を害ふこと有るがためである（卷十二第九頁裏。）

（註2）　孔孟が不遇なるは一に時の君主が才下く智淺く孔孟の如き大才を用ふること能はざるがためである。王充は「論衡」卷一第一頁に於て之を說いてゐる。『或以二賢聖之臣一、遭二欲レ爲レ治之君一、而終有二不遇一、孔子孟軻是也、孔子絶二糧陳蔡一孟軻困二於齊梁一、非二時君主不一レ用レ善也、才下知淺、不レ能レ用二大才一也、夫能御二驥騄一者、必王良也、能臣二禹稷皐陶一者、必堯舜也、御二百里一之手而以調二千里之足一、必有二摧レ衡折レ軛之患一、有二接具臣之才一、而以御二大臣之知一、必有二閉レ心塞レ意之變一、故至言棄捐、聖賢距逆、非下憎二聖賢一、不上レ甘二至言一也、聖賢務レ高、至言難レ行也、夫以二大才一干《モトム》二小才一、小才不レ能レ受、不遇固宜。』夫れ谷小の器は大物を藏むこと能はず、短促之綱は以て深井を引くべからず。夫れ時方に顚沛ならば則ち顯は隱に如かず。萬物が治を思へば則ち默は語に如かず。是を以て古の君子は道を弘むるの難きを患えずして時に遭ふの難きを思ふ。時に遭ふは難き匪ずして君に遇ふが難し。故に道あつて時なし。孟子の吝嗟する所以である。時有つて君無し。賈生の泣を垂るる所以である。

二　仁義は人少貪足時代の自然的所産也

上述の如く、夫子は諸國を遊歷して仁義の道を力說したるもその功遂ひに畫餅に歸し、己は困憊して、「喪家の狗」に相等しきものがあつたのである。仁義の道の當時に行はれなかつたのも無理はない。それは世變れば事も變はるからである。則ち古代が仁義を以て天下を治めて賞罰を用ひざりし所以の者は一に當時は人民少くして財餘り有る、時勢の然らしめし所であつて何もそれを多とする所はない。曰く、『古者丈夫不レ耕、草木之實足レ食也、婦人不レ織、禽獸之皮足レ衣也、不レ事レ力而養足、人民少而財有レ餘、故民不レ爭、是以厚賞不レ行、重罰不レ用、而民自治、今人有二五子一不レ爲レ多、子又有二五子一、大父未レ死、而有二二十五孫一、是以人民衆而貨財寡、事力勞而供養薄、故民爭、雖ニ倍レ賞累《カサヌ》一レ罰、而不レ免ニ於亂一云々』と巻十九第二二頁裏。

古の天下を讓る者は是れ監門賤役也の奉養堯の爲せし所也を去り、臣虜の勞禹の勤苦せし所也を離れんが爲換言すれば勢ひ薄らいたため輕々しく天子を辭したのだから稱譽するに足らぬ。(1) 又澤に居て水に苦しむ者は人功を買つて竇を決せしむれば、饑歳の春なるときは最愛なる幼弟と雖、猶ほ之に饟《ソマ》せざるも穰歳の秋なるときは疏遠の客と雖、必ず食ますのであるが、是れ決して骨肉を疎んじて訪客を愛するに非ず。水の多少の實異るが爲めである。是を以て古の財を易するは仁に非ず。財多ければ也。今の爭奪は鄙に非ず。財寡ければ也。故に聖人は多少を議し薄厚を論じて之が政を爲す。故に罰薄きは慈と爲さず、誅嚴しきは戾と爲さぬ。俗に稱《カナ》ひて行ふまでのことである。故に事は世に因り、備は事に適ふのである同上第二三頁。

是れ實に周の文王が仁義を行つて天下に王たり、徐の偃王が之を行つて其の國を喪つた所以である。(2) 是れ仁義は古に用ひられて今に用られず世異れば則ち事異なれば也。則ち續いて曰く、『古者文王處ニ豐鎬之間一、地方百里、行ニ仁義一而懷ニ西戎一、遂王ニ天下一事レ之以ニ皮幣犬馬珠玉一也徐偃王處ニ漢東一、地方五百里、行ニ仁義一、割レ地而朝者三十有六國、文王恐ニ其害一レ已也、擧レ兵代レ徐、遂滅レ之云々』と。もし時世を論せずして徒に先王の道を死守して動かなければ是れ「守株之類」である。

則ち巻十九第二頁に曰く、『前略、然則今有下美ニ堯舜湯武禹之道於當今之世一者上、必爲ニ新聖笑一矣新聖、後來之聖人也是以聖人不レ期レ修レ古在レ扶ニ世急一也、不レ法ニ常行一必爲ニ非常之行一、論ニ世之事一、因爲ニ之備一必論一世時ニ隨レ事爲レ備也、宋人有ニ耕レ田者一、田中有レ株、兎走觸レ株、折レ頸而死、因釋《ステ》ニ其耒一而守レ株、冀ニ復得一レ兎、兎不レ可ニ復得一、而身爲ニ宋國笑一、今欲下以ニ先王之政一治中當世之民上、皆守株之類也云々』と。夫れ故に聖人の世を濟ふ。物の汙隆に隨ふ。或は正、或は權、理は常に在ることはない。

加之、夫れ人子と爲つて常に他人の親を譽めて曰く『某子之親、夜寢早起、彊レ力生レ財、以養ニ子孫臣妾一』と。是れその親を誹謗する者である。人臣と爲つて常に先王の德を譽め、後王を捨てて上古を道《イ》ひ、厚として之を願ふは、之を譬ふれば、猶ほ己の君を捨てて人の君に事ふるが如くである。此れ亂るる所以である。故に人臣は堯舜の賢を稱へてはならぬ卷二十第四頁。故に曰く『治レ民無レ常、唯治爲レ法、法與レ時轉則治因レ時轉移、不レ膠ニ於一定之迹一、治與レ世宜則有功、故民樸而禁レ之以レ名則治、維レ之以レ刑則從、時移而治不レ易者亂、能治レ衆而禁不レ變者削、故聖人之治レ民也、法與レ時移、而禁與レ治變云々』と卷二十第十頁。

（註1）笠翁亦た之を論じて曰く「天下甯器也、讓ニ天下一大事也、從レ古及レ今、幾千萬年、求下其能讓ニ天下一者上、惟堯舜二人而已、倘如ニ外紀所載一則當日之天下、不レ値ニ一文錢一逢レ人卽讓、較ニ小兒之視ニ餅餌一、猶不レ若レ焉、則其讓ニ天下一于舜禹一者、亦偶然餽贈之常事耳、何果斷公明之足レ美哉と笠翁別集卷九第二頁。

（註2） 夫れ世事に時々刻々流轉して變遷すればなかく〳〵、書理を以て測り難きものがある。それは猶ほ兵家の勝敗の故の測り難きが如くである。則ち、異なる所有りて同じく、同じ所有りて異なるものがある。故にそれは決して書に依りて知り得べきではない。書を讀むこと多しと雖、實際に嘗れば則ち誤まるのである。是れ黃忠が兵を山に屯めて能く夏侯淵を斬るも馬謖が山に兵を屯めて司馬懿を退くこと能はざりし所以である。山と山とは同じきも而も一勝一敗の勢は則ち異なる。馬謖の敗る所以のものは、兵法の成語を胸中に熟記せるに因る。則ち、『之を死地に置いて而る後、生くる耳』と曰ふに過ぎず、『高に憑りて下を視る。勢ひ破竹の如き耳』と曰ふに過ぎぬ。孰か知らん、坐論せば則ち是なるも起行せば則ち非なることを。故に善く人を用ふる者は言を以てせず、善く兵を用ふる者は書に在らずと謂ふべきである。則ち三國誌演義卷十三第四十二―三頁に『謖曰中略此處側邊一山、四面皆不二相連一、且樹木極廣、此乃天賜之險也。可下就二山上一屯上レ軍、平曰、參軍差《タガヘリ》矣若屯二兵當道一、築二起城垣一、賊兵縱《ヨシヤ》有二十萬一、不レ能二偸過一、今若棄二此要路一、屯二兵於山上一、倘魏兵驟至、四面圍定、將二何策一保レ之、謖大笑曰、汝眞女子之見、兵法云、憑レ高視レ下、勢如二破竹一、泥二成法一者、不レ可二與論一レ兵 若魏兵到來、吾教二他《ニムカレ》片甲不一レ回、平曰中略今觀二此山一乃絕地也、若魏兵斷二我汲レ水之道一、軍士不レ戰自亂矣、謖曰、汝莫二亂道一、孫子云、置二之死地一而後生、若魏兵絕二我汲レ水之道一、蜀兵豈不二死戰一、以レ一可二以當一レ百也、吾素讀二兵書一、丞相孔明諸事尙問二於我一、汝奈何相阻耶、中略懿笑曰、徒有二虛名一、乃庸才耳虛名是平日聽來庸才是今日看出 孔明用二如レ此人物一、如何不レ誤レ事、中略司馬懿大驅二軍馬一、一擁而進、把《セシム》二山四面圍定一中略山上無レ水、軍不レ得レ食、寨中大亂中略懿又令二人於沿レ山放一レ火、山上蜀兵愈亂、馬謖料守不レ住《タヘ》、只得二逃奔一中略云々』とある。かくの如く兵法には常形なく、全く時に因りて宜を制するに在ってそれは人の測る所とはならぬ。運用の妙は一心に存し、何ぞ古の兵法を用ふるに至らんや。故に韓信が「背水の陣」に出でて趙に勝ち、馬謖が再び之を用ひて敗れたのである。則ち「正」が「奇」に勝ち、「奇」が「正」に勝つ。原と奕の譜、射の的、字書の藍本に等しからず。笠翁亦た「論二韓信兵法一」に於て之を明にする所があつた。曰く「兵無二常形一、全在二因レ時制一レ宜、而不レ爲二人所一レ測、若執二定古法一行レ軍、謂二其斷難移易一、則孫臏減レ竈之後、人人只該レ減レ竈、虞詡增レ竈之後、人

人又只該レ將レ兵矣、豈談二兵之書一、只我國有レ之、而敵人竟未二之見一邪、韓信用レ兵之妙、全在下善讀二陰符一而不中レ爲陰符所上レ縛、故能出レ奇取レ勝、以レ予觀レ之、其對二諸將一之言、還是論二其淺一、而未レ及二其深一也」と笠翁別集九。卷三三頁

それ故に聖賢だからとてその總ての行に效ふこともできない。伊尹の志なくして君を他所へ移せば簒となることは孔子様の已に明言せる所である。則ち彼に於ては可なるも吾に於ては不可なる場合があることを知らねばならぬ。是れ實に魯人が釐婦の引取の懇願を拒んだ所以である。則ち孔子家語卷二第二十一頁に『魯人有二獨處レ室者一、鄰之釐婦釐寡婦也亦獨處二一室一、夜暴風雨至、釐婦室壞、趨而託レ焉、魯人閉レ戸而不レ納、釐婦自レ牖與レ之言、何不仁而不レ納レ我乎、魯人曰、吾聞下男女不二六十一不中同居上、今子幼、吾亦幼、是以不二敢納一レ爾也、婦人曰、子何不下如二柳下惠一然上嫗不レ建二門之女一國人不レ稱二其亂一魯人曰、柳下惠則可、吾固不可、吾將以二吾之不可一學中柳下惠之可上、孔子聞レ之曰、善哉、欲レ學二柳下惠一者、未レ有レ似二於此一者、期二於至善一而不レ襲二其爲一、可レ謂レ智乎』とある。

三　仁義の治は禁姦の道に非ず

彼は老聃莊周の「萬物一如觀」[1]の影響を受けて君臣父子夫妻兄弟間の天賦的恩愛を否定した。夫れ夫婦父子兄弟の相愛の間に起る仁義及び君臣上下の相忌む際に出づる禮樂刑政なるものは洵に以て世を治むるに足るけれども併し君臣父子の間は汎々乎として萍の江湖に游して適々相値ふが若きものなれば是を以て父は愛するに足らず、君は忌むるに足らぬ。其の君を忌まず、其の父を愛せざれば則ち仁は以て懷くに足らず、義は以て勸むるに足らぬ。是を以て敎化は足らずして法は餘り有るのである。尙ほ後出「君臣は計數の出づる所也」參看。既にして人性には何の恩愛の存する所なければ仁は以て善を勸むるに足らず義は以て非を禁ずるに足らない。曰く、『夫施二與貧困一者、此世之所謂仁

義哀㆓憐百姓㆒、不㆑忍㆓誅罰㆒者、此世之所謂惠愛也、夫有㆔施㆓與貧困㆓、則無㆑功者得㆑賞、不㆑忍㆓誅罰㆒、則暴亂者不㆑止、國有㆓無㆑功得㆑賞者㆒、則民不㆔外務㆓當㆑敵斬㆒㆑首、內不㆑急㆓力田疾作㆒、皆欲㆘行㆓貨財㆒、事㆓富貴㆒爲㆓私善㆒、立㆓名譽㆒、以取㆗尊官厚俸㆖、故姦私之臣愈、衆而暴亂之徒愈勝』と四卷二。十二頁

（註1） 老莊の「萬物一如觀」とは次の如し。夫れ物の生は形氣相同じからざるが故に小あり、大あり、壽あり、夭あるを免れない。かゝ、若し物の「性足」を以て大とするならば、萬物は皆各の性に自足し得ざる物はないのであるから苟くも「性足」なる限り、秋毫秋時獸生㆓毫毛㆒其末至微故謂㆓秋毫之末㆒也と雖も尚大と稱するに妨げなかるべく、しかも天下の物之より大なるはないのである。故に毫末、岳も其の名を異にするを得ぬ。之に反し苟くも「性足」ならざる限り、大山と雖も亦「小」と稱す可く、しかも天下の物之より小なるは莫い。故に天地、稊米も其の稱を殊にする所はない。故に曰く『天下莫㆑大㆓於秋毫之末㆒、而大山爲㆑小』と莊集卷一下。第二十二頁。大山を小と爲さば則ち天下には大といふものがなくなり、毫末を大と爲さば則ち天下には小なるものもなくなる。小大既に爾り、夭壽亦然らざるを得ない。故に續て曰く『莫㆑壽㆓於殤子㆒人生在㆓於襁褓㆒而亡、謂㆓之殤子㆒而彭祖壽上㆓八百㆒爲㆑夭』と。是を以て蟪蛄は大椿以㆓八千歲㆒爲㆑春、八千歲爲㆑秋を羨まずして欣然として自得し斥鴳は天地を貴ばずして榮願足りし所以である。苟くも天然に足り、其の性命に安んぜば、天地兩儀大なりと雖も各の性は乃ち均しき故未だ以て壽となすに足らず、而して我と共に並び生じ、萬物多しと雖も自得の義は唯一つ故未だ以て異と爲すに足らずして我と合して一體となる。曰く『天地與㆑我並生、而萬物與㆑我爲㆑一』と。

かくの如く萬物は「性足」即ち各自の性に自足することを以て至樂となす。即ち魚と爲りては則ち深く淵に沈み、鳥と爲りては則ち高く飛んで天に厲る又斥鴳となくては楡枋の間に志を適して敢て天池を貴ばず。而して苟くもよく斯の如くなれば則ち愚昧と雖尙ほ賢知と稱するに妨げなかるべく、而も普天の下、之より賢知なるはないのである。故に賢知、愚昧も其の名を異にするを得ぬ。之に反し、苟くも「性足」ならざる限り、大聖と雖亦た小智と稱し可く、而も普天の下之より小智なる

は莫い。故に大聖、小智もその稱を殊にする所はたい。既而、大聖を小智と爲さば則ち天下には大聖といふものがなくなり、愚昧を賢知と爲さば則ち天下には愚昧なるものゐたくたる。即ち賢知なく愚昧がない。即ち世には吾人の慕うべき賢なるものなきを知るのである。而してさらに天然に足り、其の性命に安んじて自得すれば天地兩儀大なりと雖、各自の性は乃ち相均しき故（其の「性足」の點に於て）未だ以て壽と爲すに足らずして我と共に並び生じ（無壽無夭）萬物多しと雖、未だ以て異と爲すに足らずして我と合して一體となる（萬物一如）。

この立前よりして彼は一切の差別を廢棄した。彼は物の高卑、時の久短の差別を撤廢して曰く、「在二大極之先一、而不レ爲レ高、在二六極之下一、而不レ爲レ深、先二天地一生而不レ爲レ久、長二於上古一而不レ爲レ老（言道之無レ所レ不レ在也、故在レ高爲レ無レ高、在レ深爲レ無レ深、在レ久爲レ無レ久、在レ老爲レ無レ老、無レ所レ不レ在、而所レ在皆無也、且上下無レ不レ格者不レ得下以二高卑一稱上也、外内無レ不レ至者、不レ得下以二表裏一名上也、與レ化俱移者、不レ得レ言レ久也、終始常無者、不レ可レ謂レ老也）」『莊集卷三上第十四頁。』即ち「虛無の道」は在らざる所なく、在る所は皆無なれば「高」もなく「卑」もなく、又「久」もなく「短」もないことゝなる。且つ又上下格ざるなくは高卑を以て稱すべからず、外内至らざるなくば表裏を以て名づくべからず物化に安んじて之と俱に推移する者は「久」と言ふを得ぬ。即ち吾生れ吾死す。相與に皆吾であり、未だ吾に非ざるはない。假令千變萬化すと雖吾は常に在つて古今を彌貫してゐる。只新しき吾と故い吾の差あるばかりである。故に始終たくば「老」「少」の區別もないこととなる。

四　先王の道は辿るに由なし

加之、今は乃ち堯舜の道を三千載の前に審かにせんと欲する。しかるに堯舜は最早や今では復た生くべからず。將に誰をして後世の學を定めしめんとするや。於是乎、孔子の說く所と墨子の唱へる所とは、齊しく堯舜の道を遵奉するとはいへ、其の取捨する所は各相反して同じからず（例之、親の喪に對し。儒者は家を破つて厚葬し、服喪三年、哀痛の極み、形は存し骨は立て、て杖に扶ることを說けども、墨者は之に相反して桐棺は三寸と云つて薄葬を主張する如し）、又同じき儒術の中でも孔孔子の死後は、分れて子張の儒有り、子思の儒有り、顏氏の儒有り、孟氏の儒有り、漆雕氏の儒有り、仲梁氏の儒有り、孫氏の儒有り、樂正氏の儒が有る。墨道は墨子の死後は岐れて相里氏の墨有り、相夫氏の墨有り、鄧陵氏の墨が有る。則ち孔墨の後は、儒は分れて八と爲り、墨は離れて三と爲つたのである（卷十九第十五頁）。

かくの如く、古事は定まりなく、古學は湮滅して參考する迹なければ世に行ふべからず。故に籌度參驗することなくして據を他人に取つて憑信する者は愚に非ずんば則ち誣である。明主の聽用せざる所である（同上）。

五　仁義は「自完」の道にすぎず

更に仁義信の性質を檢討するに、それは自らのためにする所以にすぎずして人のためにする所以ではない。換言すれば、これらは皆「自覆」の道（覆猶二庇護一也自護二其名一）又は「自完」の道にすぎずして進取の前ではないのである。例へば龐統や孔明が劉備に同宗の地を略取して基業を建てることを勸告したるが如き(1)、又は孔明の『久借二荊州一』の如き(2)、はたまた秦が殽塞に出で、齊が營丘に出で、楚が疏章に出で、三王が位を代へ、五伯（五覇也）が政を改めたる如き、胥之《ミナ》がためならざるは莫い。

或時、蘇代（蘇秦弟也）が燕の昭王に謂つて曰く、『今、人此《ココ》に有り。孝は曾參、孝巳の如く、信は尾生高（學法三十卷十號八四頁拙稿註十九參看）の如く、廉は鮑焦、史鰌の如し。此の三行を兼ねて以て王に事へば如奚《イカン》』と。王曰く、『是の如んば足矣』と。對へて曰く、『足下、以て足れりと爲さば則ち臣は足下に事へず、臣は且《シバラ》く「無爲之事」に處し、歸りて周の上地を耕し、耕して之を食し、織つて之を衣せん』と。王曰く、『何故ぞや』と。對へて曰く、『孝、曾參、孝已の如くんば則ち其の親を養ふにすぎざる耳。信、尾生高の如くんば則ち人を欺むかざるに過ぎざる耳。廉、鮑焦、史鰌の如くんば則ち人の財を竊まざるにすぎざる耳。今臣は進取を爲す者也。臣以爲らく、廉は身と倶に達せず苟くも取らず故に窮多し義は生と倶に立たず。仁義なる者は「自完」の道也。進取の術に非ざる也』と（戰國策校注九卷二十一頁及五頁）。

註（1）　三國誌演義卷六第三十二頁に『孔明曰（中略）荊州北據二漢汚一、利盡二南海一、東連二吳會一、西通二巴蜀一、此用レ武之地、非二其主一不レ能レ守、是殆天所三以資二將軍一、將軍豈有レ意乎」益州險塞、沃野千里、天府之國、高祖因レ之以成二帝業一今劉璋闇弱、民殷國富、而不レ知レ存レ恤、智能之士、思レ得二明君一（中略）若跨二有荊益一、保二其巖阻一、西和二諸戎一、南撫二彝越一、外結二孫權一、內修二政理一、待二天下有一レ變、則命二一上將一、將二荊州之兵一、以出二宛洛一、將軍身率二益州之衆一、以出二秦川一、百姓有下不三簞食壺漿、以迎二將軍一者上乎、誠如レ是則大業可レ成、漢室可レ興矣、此亮所下以爲二將軍一謀上者也、惟將軍圖レ之（中略）先取二荊州一爲レ家、後卽取二西川一建二基業一、以成二鼎足之勢一、然後可レ圖二中原一也云々』とある。が、玄德言を聽き、席を避け拱手して謝して曰く『先生之言、頓開二茅塞一、使丙備如甲撥二雲務一、而覩下青天上、但荊州劉表、益州劉璋、皆漢室宗親、備安忍レ奪レ之（玄德曰、常思鷦鷯、尚存二一枝一、狡兎猶藏二三窟一、何況人乎、と同上。）

更に龐統は、西川の劉璋が張魯及操兵を拒ぐ爲め、玄德を招き入れたるを千載一時の機とし、璋を殺すことを魏延に密令し、招待宴席上に於て劍舞を演ぜしめ、その隙に乘じて延をして璋を殺さしめ以て一擧に西川を取らんとしたのであるが事果されなかつた。後程、備之を知つて大に怒つた。けだし璋を殺して急で之を取れば、人心附せず、從つて之を撫すること難く、それよりかは璋を殺すことをせず、緩かに之を取れば、人心は服すべくして之を享くるに若かざればである。萬安の策であるが、統は待ち切れず、竟に備に献ずるに次の如き策を以てした。則ち操が孫權の攻めを受け救を求め來たるを名とし、同宗の誼を推して精兵四萬、行糧十萬斛を速かに發して相助けられたしと。備之に從つたが、璋は諸臣の苦諫に依り、遂に老弱の軍四千、米一萬斛しか發しなかつた。備仍て大に怒つて曰く「吾爲レ汝禦レ敵、費レ力勞レ心、汝今積レ財吝レ賞、何以使ニ士卒效一レ命乎』と日今の宗族はかくの如く相疎んずる者也。是に於て遂に西川を攻取するの擧に出でた同卷廿第三十四頁。かくて、西川を取つた後、劉璋の手を握り泪《ナミダ》を流して曰く『非ニ吾不一レ行ニ仁義一、奈勢不レ得レ已也』と。而して後孔明の勸めに從ひ、璋を荊州に送つて後患を絕つたのである同卷十第六頁。

註(2) 荊州は當に赤壁の大戰に於て、莫大の錢量と軍馬の犧牲を拂ひたる孫權の手に歸すべき筈なるにも拘らず、孔明は機先を制して最先に之を占據した。而して魯肅孫權の軍師也が荊州の還付を催し來ること二回に及ぶも何れも言を左右に托して糊塗したのである。則ち同卷八第二十頁に『肅曰、吾主吳侯、與ニ都督公瑾一、教《シム》ニ某《ワレ》再三申ニ意皇叔一、前者操引ニ百萬之衆一、名下ニ江南一、實欲ニ來圖ニ皇叔一、幸得東吳殺ニ退曹兵一、救ニ了皇叔一、所レ有荊州九郡、合《ヘシ》ニ當歸ニ於東吳一、今皇叔用ニ詭計一、奪ニ占荊襄一、使ニ江東空費ニ錢量軍馬一、而皇叔安受ニ其利一、恐於レ理未レ順、孔明曰、子敬肅號乃高明之士、何故亦出ニ此言一常言道《イハク》、物必歸レ主、荊襄九郡、非ニ東吳之地一、乃劉景升之基業、吾主固景升之弟也、景升雖レ亡、其子尚在、以レ叔輔レ姪、而取ニ荊州一、有ニ何不可一中略若公子不レ在、須下將ニ城池一、還中我東吳上、孔明曰、子敬之言是也云々』とある。

然るに景升の子死し、再び之が還付を催促したら孔明乃ち色を變へて曰く、『子敬好《マコトニ》不レ通レ理、直須待ニ人開一レ口前番用レ柔、此番用レ剛、忽柔忽剛、令ニ人不一レ測自ニ我高皇帝斬レ蛇起レ義、開レ基立一レ業、傳至ニ於今一、不幸奸雄竝起、各據ニ一方一、少《タタ》不レ得天道好ニ還復ニ歸正統一、我主人乃中山靖王之後、孝景皇帝玄孫、今皇上之叔、豈不レ可ニ分レ茅裂一レ土、況劉景升乃我主兄也、弟承ニ兄業一、有ニ何不順一、汝主乃錢塘小吏之子、素無ニ功德於朝廷一、今倚ニ勢力一、占ニ據六郡八十一州、尚自貪心不足、而欲ニ幷ニ吞漢土一、劉氏天下、我主姓劉、倒無レ分、汝主姓孫、反要ニ强爭一、且赤壁之戰、我主多負ニ勤勞一、衆將竝皆用レ命、豈獨是汝東吳之力此言ニ我不一レ虧ニ東吳一若非ニ我借ニ東風一、周郎安能展ニ半籌之功一此言ニ東吳反虧一レ我、江南一破、休レ說ニ二喬置ニ於銅雀

宮一、雖二公等家小一、亦不レ能レ保、適來我主人不三即答一者、以三子啓乃高明之士、不二レ待細說一、何公不レ察之甚也』と同三一頁。

此にいふ『二喬を銅雀宮に置く』とは、次のことをいふ。則ち操曾て誓つて曰く、『吾一願掃二平四海一、以成二帝業一、一願得二江東二喬大喬是孫策妻、小喬是周瑜妻、俱有二沉魚落鴈之容、閉月羞花之貌一、置二之銅雀臺一、以樂二晩年一、雖レ死無レ恨矣』と。故に彼が百萬の衆を引ひて江南を虎視するは實は亦た、この二喬のためでもある。このことは「銅雀臺賦」操の子、曹子建の作、父命に由るに於て窺知せられる。曰く、『從二明后《キミ》一以嬉游兮、登二層臺一以娛レ情、見二大府之廣開一兮、觀二聖德之所一レ營、建二高門之嵯峨一兮、浮二雙闕乎太淸一、立二中天之華觀一兮、連二飛閣乎西域一、臨二漳水之長流一兮、望二園果之滋榮一、立二雙臺於左右一兮、有三玉龍與二金鳳一、攬二二喬於東南一兮、樂二朝夕之與共一、俯二皇都之宏麗一兮、瞰《ノゾム》二雲霞之浮動一、欣二群才之來萃一兮、協二飛熊之吉夢一、仰二春風之和穆一兮、聽二百鳥之悲鳴一、雲天亙其既立兮、家願レ得二乎雙逞一、揚二仁化於宇宙一兮、盡二肅恭於上京一、惟桓文之爲レ盛兮、豈足レ方《クラフ》二乎聖明一、休矣美矣、惠澤遠揚、翼二佐我皇家一兮、寧二彼四方一、同二天地之規量一兮、齊二日月之光輝一、永二貴尊一而無レ極兮、等二君壽於東皇一、御二龍旂一以遨遊兮、迴二鸞駕一而周章、思三化及二乎四海一兮、嘉二物阜《ユタカ》而民康、願斯臺之永固兮、樂二終古一而未レ央《ツキ》』と同卷七、二十二頁。及魏志十九卷二頁

右の目的は遂に果されなかつた。後人之を指して『銅雀何曾鎖二二喬』と云つて操の盲想を嘲笑したのである。かくの如く、孔明は荊州を交割する意思はなかつたのであるが、さうなると魯肅が孫權や周瑜に回答する面目を失することとなる。仍て孔明はこの窮狀を酌量して遂に西山を取ろ迄之を拜借する形式を取つた。卽ち同上に『周公瑾周瑜要三興レ兵取二荊州一、又是肅擔任、至レ說下待二公子去世一還中荊州上、又是肅擔承、今却《スナハチ》不レ應二前言一、敎《シムヤ》二魯肅如何回復一、我主與二周公瑾一必然見レ罪《セラレン》、魯死不レ恨、只恐下惹二惱東吳一、興中動干戈上、皇叔亦不レ能三安坐二荊州一、空爲二天下恥笑一耳既告レ之以レ情、又動レ之以レ勢孔明曰、曹操統二百萬之衆一、動以二天子一爲レ名、吾亦不三以爲一レ意、豈懼二周郞一小兒一乎前是論レ理、此是論レ勢、若恐三先生面上不二好看一、我勸二主人一立二紙文書一、暫借二荊州一爲レ本、待下我主別圖二得城池一之時上、便《スナハチ》交付還二東吳一、此論如何、肅曰、孔明待下奪二得何處一、還中我荊州上、孔明曰、中原急未レ可レ圖、西川劉璋闇弱、我王將レ圖レ之、若圖二得西川一、那《カノ》時便還、

肅無レ奈《イカン》、只得二聽從一、玄德親筆寫二成文書一紙一、押二了字一、保人肅也云々』とある。が、西川の益州の主劉璋は玄德の弟に當れば取るに忍びざる所があり、これを理由として魯肅の三回目の索地を辭謝し、荊州を以て身を安んずるの所と爲さんとした。是れ世に『久借二荊州一』として知られ亘つたところである。仁義の「自完の道」なること之を證するに餘り有るであらう。即ち同上第四五頁に『肅曰、今奉二吳侯鈞命一、專爲二荊州一事一而來、皇叔已借住多時、未レ蒙レ見レ還、今既兩家結レ親 是周瑜所レ弄美人計、即以二孫權妹一詐許二嫁於皇叔一。以圖三取二還荊州一、然竟至二弄レ假成一レ眞、可レ笑 當下看二親情面上一、早早交付上、玄德聞レ言、掩レ面大哭是孔明、之計也 肅驚曰、皇叔何故如レ此、玄德哭聲不レ絕、孔明從二屏後一出曰、亮聽レ之久矣、于敬知二吾主人哭的緣故一麼《イナヤ》一 肅曰其實不レ知、孔明曰、有二何難一レ見、當初我主人借二荊州一時、許下取二得西川一便還上、仔細想來、益州劉璋、是我主人之弟、一般都是漢朝骨肉、若要三興レ兵去取二他《カレ》城池一時、恐被二外人唾罵一、若要三不レ取、還二了荊州一、何處安レ身、若不レ還時、於二尊舅面上一、又不二好看一、事實兩難、因レ此淚出痛レ腸、孔明說能、觸二動玄德衷腸一、眞個搥レ胸、頓レ足放レ聲大哭、肅勸曰、皇叔且《シバラク》休二煩惱一、與二孔明一從レ長計議、孔明曰、有レ煩二子敬一、回見二吳侯一、勿レ惜二一言之勞一、將二煩惱情節一、懇告二吳侯一再容二幾時一』とある。而して西川を取つた後は今度は東川を取る迄と云つて辭謝した同十卷九十頁。

六、仁義は恃むに足らず

かの括子の謀は齊牛子之を然りとして用ひ、ために韓・魏・趙の聯合軍の圍を衞きたれども此よりの後括子は日に以て疏ぜられた。之に反し無害子の計は容られざる所となりたるも義行あるため却つて日に以て進んだのである。則ち淮南子鴻烈解卷十七「人間訓」第九頁に。

『三國伐レ齊圍二平陸一 三國韓魏趙也 括子以報二於牛子一曰、三國之地不レ接二於我一、踰二鄰國一而圍二平陸一、利不レ足レ貪也、然則求二名於我一也、請以二齊侯一往、牛子以爲レ善、括子出、無害子入 三子皆齊臣 牛子以二括子言一告二無害子一、無害子曰、異乎臣之所一レ聞、牛子曰、國危而不レ安、患結而不レ解、何謂レ貴レ智、無害子曰、臣聞レ之、有下裂二壤土一以安二社稷一者上、聞下殺レ身破レ家以存二其國一者上、不レ聞下出二其君一以爲二封疆一者上、牛子不レ聽二無害子之言一、而用二括子之計一、三國之兵罷、而平隆之地存、自レ此之後括子日以疏、無害子日以進、故謀レ患而患解、圖レ國而國存、括子之智得矣、無害子之慮、無レ中二於策一、謀無レ益二於國一、然而心調二於君一、有二義行一也云々』とある。

また魏將樂羊は文侯のために一子を殞して大に地を開いて大功有りしも此れよりの後は日に以て信ぜられず。則ち同上第五頁に「魏將樂羊攻二中山一樂羊文侯之將、其子執在二城中一、城中縣二其子一以示二樂羊一、樂羊曰、君臣之義不レ得二以レ子爲一レ私、攻レ之愈急、中山因烹二其子一、而遺三之鼎羹與二其首一、樂羊循而泣レ之曰、是吾子已、爲二使者一跪而啜二三杯一、使者歸報、中山曰、是伏レ約死レ節者也不レ可レ忍也、遂降レ之、爲二魏文侯一大開レ地有レ功、自レ此之後、日以不レ信、此所謂有レ功而見レ疑者也」とある。是れ亦た無理ならぬことである。骨肉すら尚ほかくの如し。況や他人をや。唐の陳子昂はその「感遇詩」に於て之を難じて曰く「樂羊爲二魏將一、食レ子殉二軍功一、骨肉且相薄、他人安得レ忠」と唐詩記事卷八第二頁。

更に功有つて忘れらるる例もある。夫の介子推の如き是れである。則ち説苑卷六第四頁に『文公卽レ位、賞不レ及レ推、推母曰、盍二亦求一レ之、推曰、尤而効《トカメラレテ》レ之、罪又甚焉、且出二怨言一、不レ

食二其食一、其母曰、亦使レ知レ之、推曰、言二身之文一也、身將レ隱、安用レ文、其母曰、能如レ是、與レ若俱隱、至レ死不二復見一、推從者憐レ之、乃懸二書宮門一曰有レ龍矯矯、頃失二其所一、五蛇從レ之、周徧二天下一、龍饑無レ食、一蛇割レ股、龍反二其淵一、安二其壤土一、四蛇入レ穴、皆有二處所一、一蛇無レ穴號二於中野一、文公出見レ書曰、嗟、此介子推也、吾方憂二王室一、未レ圖二其功一、使二人召一レ之則亡、遂求二其所在一、聞三其入二緜上山中一、於レ是文公表二緜上山中一而封レ之、以爲二介推田一號曰二介山一云々』

とある。一說に曰く「文公は緜上山を焚き庶くは其れ走り出んと。火至り子推遂に樹を抱て焚死(1)した」と。

夫れ請ふて其の賞を得る。廉者の受けざる所である。言盡きて名至る。仁者の爲さゞる所である。今天油然として雲を作し、沛然として雨を下せば則ち苗草は興起して之を能く禁ずること莫きも、今一人の言の爲めに一人に施す。猶ほ一塊の土の爲めに雨を下す如し。士亦た之を生じないであらう。

或は其の源を見ずして其の末のみを見るため眞の大功ある者が賞せられずして功少なき者が上賞を受ける例もある。これ猶ほ「烟突を更ひ其の薪を徙すことを勸めし者」が賞に預からずして「頭を焦らし額を爛して失火を消し止めし者」が上客となる如くである。徐福の如き是れである。

則ち

成語考卷之下「人事編」第五十頁註に

『霍光女爲二宣帝后一性驕侈、徐福上言、宣二以レ時抑制一、上不聽、及二後霍氏誅滅一、或人爲二徐福一、上書曰、客有レ見三主人竈直突傍有二積薪一、請三更レ突徙二其薪一、不レ然有二火患一、主人不レ應、俄果失火、鄰里共救得レ息、殺レ牛置レ酒、謝二灼爛者一、而不レ錄三言レ曲レ突者一、人謂二主人一曰、曲レ突徙レ薪無二恩澤一、焦レ頭爛レ額爲二上客一耶、』とある。

右に反し功なきものが先に賞せられて功有る者が後になる例もある。前者は雍季是れであり、後者は咎犯之に該る。則ち淮南子「人間訓」第十頁に『昔晋文公將三與レ楚戰二城濮一、問二於咎犯一曰、爲奈何、咎犯曰、仁義之事、君子不レ厭二忠信一、戰陣之事不レ厭二詐僞一、君其詐レ之而已矣、辭二咎犯一問二雍季一、雍季對曰、焚レ林而獵、愈多得レ獸、後必無レ獸、以二詐僞一遇レ人、雖二愈利一、後亦無レ復、君其正レ之而已矣、於レ是不レ聽二雍季之言一、而用二咎犯之謀一、與二楚人一戰、大破レ之、還歸賞二有功者一、先二雍季一而後二咎犯一、左右曰、城濮之戰、咎犯之謀也、君行レ賞先二雍季一何也、文公曰、咎犯之言、一時之權也、雍季之言、萬世之利也、吾豈可下以先二一時之權一、而後中萬世之利上也哉云々』とある。

（註1）　笠翁には文公が子推の「割股行爲」を賞せざりしは至當なりと目した。何となれば夫れ股を割るは餘程萬已むを得ぬ場合に非されば人之をなさず、親子の如き誼至つて關切なるものに於てすら尚ほ且つ必ずや親疾みて危を垂るる日を待つて然る後に之を爲すからである。然るに文公の困を受くるの時は餒にすぎず、決して疾ではない。股を割つて以て病を療すは之れ

有るも股を割つて以て饑を救ふは未だ嘗て聞かず。にも拘らず、子推敢て人のなさざる所をなす。亦た何の心ぞや。他日の非常の報を來さんと望むに非ずや。況や死を以て君の過を彰はし以て母をして倶に焚かしむるに至るをや。何ぞ忠孝といふべけんや。古人が彼を純孝に列せさる、固り其れ宜なる哉。尤も文公が鳥獸を驅るの道を以つて人を驅るは人を求むるの過急なるためか知らぬが聊か「出過ぎ」の嫌ひあるを免れぬ。子推が出てずして死を擇びたる是れ亦た固り其れ宜なる哉。則ち笠翁別集九卷五頁に

『笠翁曰、晉文公賞從亡者、而不及介子推、人皆責其寡恩、予獨嘉其有識何也、以予推望報之心、不在施恩以後、而在行惠之先也、當其割股救餒之時、已先伏一求多之念于胸中矣、夫割股救親人子之事也然必于親疾垂危之日、萬不得已而爲之、求以自盡其心耳、而古人猶有病其過情、不以列之純孝者、以其非中庸之道也、至從亡之主、誼雖關切、然亦稍殺《オドル》于親矣況其受困之時餒也、非疾也、割股以療病吾聞其語矣、吾見其人矣若曰割股以救饑則吾不特未見其人亦且未聞其語也、子推爲此、亦何心哉、蓋以從亡者五人、解衣推食之事、誰獨無之、非有奇能異行、不足以結嗣主之心、而來他日非常之報耳、由是觀之、則與易牙之烹子何異哉、文公之不賞非忘之也、蓋稍遲之、之以觀其責報不責報耳、迨有龍之歌作、而當年之心事昭然矣、此時不求之使出、復何待哉、而無如其有求不得、遂以恩變爲讐也、焚山不出、抱樹而死亦何前恭而後倨哉、凡施恩而有責報之心、迨望之過奢、酬之稍薄者、未有不莫逆其始而氷炭其終者也、吾不怪晉文賞功之太遲、而怪其求人之過急、或榜示其功、招之使出、否則使人以物色求之、世未有終日望報之人、與之以報而不受者也奈何烈山澤而焚之、是以驅鳥獸者驅人矣、報功之典、曾若是乎、此譎而不正之故智也、雖然子推干此、亦惟有死而已矣、豈能復以鳥獸之道、自全其身哉』

黃石公亦た之を評して曰く『計施責報、是君臣之間有市心矣、況以死而彰君之過、以激而致母倶焚、忠孝奈何、余嘗過介山、恨不起子推問之也』と同上。

七　仁義は禍を招く

元來仁義は身を全うする所以ではあるが、時には亦た身を亡ぼす所以ともなる。恰も江湖はもともと舟を濟ふ所以なれども時には亦た舟を覆する所以ともなると相似する。かの比干が心を剖かれたるが如し。(1)則ち、(2)韓詩外傳卷四『紂作二炮烙之刑一、王子比干見二微子去箕子狂一、乃歎曰、主暴不レ諫非レ忠也、畏レ死不レ言非レ勇也、過則諫、不レ用則死、忠之至也、進レ諫不レ去者三日、紂問何以自持、比干曰、修レ善行レ仁以レ義自持、紂怒曰、吾聞聖人心有二七竅一、信諸遂殺二比干一、刳視二其心一也云々』とある。

尙ほ孔子が仁義の道を提げて諸國を遊說して遂に陳蔡に窮し、匡人に困じたる(3)亦た爾らざるは莫い。その他忠信が却つて罪を得るの例證もある。東周の吏の妾の如き是れである。則ち戰國策校注卷九第五―六頁に

『燕王曰、夫忠信何得レ罪之有也、對曰蘇秦、足下不レ知也、臣鄰家有二遠爲レ官者一、三年不レ歸、其妻私レ人、其夫且レ歸、其私レ之者憂レ之曰、子之丈夫來、則レ且奈何乎、其妻曰、公勿レ憂也、吾已爲二藥酒一以持レ之矣、後二日夫至、妻使下妾奉二巵酒一進上レ之、妾知三其爲二藥酒一也、半道而立慮曰、吾以二此飲二吾主父一、則殺二吾主父一、以二此事一告二吾主父一、則逐二吾主母一、與下殺二吾主父一、逐中吾主母上者、寧佯躓而覆レ之、於レ是佯僵而仆レ之、其妻曰、爲二子之遠行來一之、故爲二美酒一、今妾奉

而仆レ之、其丈夫不レ知、縛二其妾一而笞レ之云々』とある。按ずるに妾の酒を棄てたるは上は以て主父を活かし、下は以て主母を存するのだから正に忠と謂はねばならぬ。忠此の如くに至る。然れども尚且つ笞を免れぬ。此れ忠信を以て罪を得る者である。

註(1) 故に臣と爲るには比干龍逢の如き忠臣と爲るは不幸にして稷契、咎陶の如き良臣と爲るは幸である。何となれば良臣は身は美名を荷ひて君と倶に顯號し、子孫は傳承し、祚を無疆に流すも忠臣は則ち爾らず、己は禍誅に嬰れ諺に曰く『負レ重致レ遠、力窮則困、竭レ誠事レ君、智盡則傾、理固然也』と君は昏惡に陷り、國を喪ひ家を夷ひ祇《タ》だ空名を取るのみなればである。故に臣は宜しく良臣となるべきである。誠に魏徵の言へるが如くである。則ち舊唐書七十一卷二頁に『徵頓首曰、願陛下俾三臣爲二良臣一、毋レ俾三臣爲二忠臣一、帝曰、良忠異乎、曰、良臣稷契、咎陶也、忠臣龍逢、比干也、良臣身荷二美名一、君都顯號、子孫傳承、流二祚無疆一、忠臣己嬰二禍誅一、君陷二昏惡一、喪レ國夷レ家、祇取二空名一、此其異也、帝曰、善』とある

註(2) 夫れ忠直の主に迕ひ、獨立の俗に負《ソム》くは理勢の然らしむ所である。故に木、林に秀でば風必ず之を摧き、岸に堆出すれば流必ず之を湍《カ》む。行ひ人に高ければ衆必ず之を非《ソシ》る。是れ古今不易の鐵則である。然るに志士仁人は猶ほ之を蹈んで悔ひず、之を操つて失はざるは何ぞや。將に以て志を遂げて名を成すがためである。其の志を遂ぐことを求めて風波を險塗に冒し、其の名を成すことを求めて謗議を當時に歷るのである。

雖然、君に事ふるには體有り、諫を進むには方が有る。悻直を以て禍を取るは愚である。箕子仍て曰く『知レ不レ用而言愚也、殺レ身而彰二君之惡一不忠也』と韓詩外傳卷六。夫れ君に事えて忠諫する。三たび諫めて從はざれば則ち當に身を奉じて去るべきである。身荷も絕たず。何の忿懟か之れ有らん。又友を善導する。善納れられされば則ち當に止むべきである。けだし、煩瀆に至れば則ち言ふ者輕く、聽く者ふ厭矣。是を以て榮を求めて反つて辱められ、親を求めて反つて疏んぜられるのである。是れ寔に子游の指摘せし通りである。曰く『事レ君數斯辱矣、朋友數斯疏矣數頃數也、君臣朋友皆以レ義合、故其事同也』と朱集論語卷二第八頁。尙、荀子は忠を三つに別けて「大忠」「次忠」「下忠」と爲した。大忠とは德行の事を以て君に報白し、之をして自ら善に化せしむ

ることであり、次忠とは徳を以て君を調して以て其の惡を匡救することであり、下忠とは、是を以て非を諫めて君を怒らすことである。下忠と稱する所以は、けだし、君をして賢を害するの名有らしめるからである。周公の成王に於るが如きは大忠と謂ふ可く、管仲の桓公に於けるが如きは次忠と謂ふ可く、子胥の夫差に於るが若きは下忠と謂ふ可きである

註（3）　善庵氏校閲荀子箋釋卷九「臣道篇」第五—六頁同旨の下に於て箕子亦た難じて曰く『比干死レ紂而不レ能レ正二其行一、子胥死レ呉而不レ能レ存二其國一、二子者强諫而死、適足レ明二主之暴一耳、未三始有レ益レ如二秋毫之端一也、是以賢人閉二其智一、塞二其能一、待レ得二其人一、然後合、故言無レ不レ聽、行無レ見レ疑、君臣兩與、終身無レ患、今非レ得二其時一又無二其人一、直私意不レ能レ已二閔世之亂、憂主之危、以無貲之、身渉二蔽塞之路一、經二手纔人之前一、造二無量之主一、犯二不測之罪一傷二其天性一、豈不レ惑哉中略詩云人知二其一一、莫レ知二其他一、此之謂也云々』と說苑十七。卷二頁

其の他孔子は、曾參が其の父の大杖に委ねて逃走せざりし行ひを非つたのであるが、これも全くこの爲めに外ならぬ則ち若し身死んだら則ち參は父をして「不父の罪」を干犯せしめしことゝなり不孝之より大なるは莫く、從つて已は「烝々の孝」を失ふことゝなるからである。

則ち孔子家語卷四第五—六頁に『曾子耘レ瓜、誤斬二其根一、曾晳怒、建二大杖一以擊二其背一、曾子仆レ地而不レ知レ人久之、有レ頃乃蘇、欣然而起、進二於曾晳一曰、嚮也參得二罪於大人一、大人用レ力敎レ參、得レ無レ疾乎、退而就レ房、援レ琴而歌、欲レ令三曾晳而聞レ之、知二其體康一也、孔子聞レ之而怒、告二門弟子一曰、參來勿レ內、曾參自以爲無罪、使三人請二於孔子一、子曰、汝不レ聞乎、昔瞽瞍有レ子曰レ舜、舜之事二瞽瞍一、欲レ使レ之未三嘗不二於側一、索而殺レ之、未二嘗可一レ得、小棰則待レ過、太杖則逃走、故瞽瞍不レ犯二不レ父之罪一、而舜不レ失二烝烝之孝一、今參事レ父委レ身以待二暴怒一、殪而不レ避殪死既身死而陷二父於不義一、其不孝孰大レ焉、汝非二天子之民一也、殺二天子之民一、其罪奚若、曾參聞レ之曰、參罪大矣、遂造二孔子一而謝レ過云々』とある。同旨韓詩外傳卷八。

因みに箕子は比干の諫めて死するをみるや乃ち假に痴呆漢と作り、權く懞憧人と爲り被髮佯狂して紂を去つた君子は之を以

て「仁知之室」と爲した則ち韓詩外傳卷六に『不レ可レ然、且爲レ之、不祥莫レ大レ焉、遂被髮佯狂而去、君子聞レ之曰、勞矣、箕子盡二其精神一、竭二其忠愛一、見二比干之事一免二其身一、仁智之至』とある。又箕子の「箕操」に曰く『嗟嗟紂爲二無道一、殺二比干一、嗟重復嗟獨奈何、漆レ身爲レ厲、被髮以佯レ狂、今奈二宗廟一何、天乎天哉、欲二負レ石自投レ河、嗟復嗟奈二社稷一何』と樂府五十七卷九頁尤も史記に據れば、箕子が被髮佯狂して奴と爲りたるは是よりも先き則ち紂が始めて象箸を爲つた時であると云ふ。曰く『紂始爲二象箸一、箕子歎曰、彼爲二象箸一、必爲二玉杯一、爲二玉杯一則必思二遠方珍怪之物一而御レ之矣、輿馬宮室之漸自レ此始、不レ可レ振也、乃被髮佯狂而爲レ奴、遂隱而鼓レ琴以自悲』と。夫れ瓶水の凍を見て天下の寒を知り、肉の一臠を嘗めて鑊中の味を織る。則ち物には其の類有れば推して得可きである。

註(3)　孔子家語五卷十一頁に『楚昭王聘二孔子一、孔子往拜禮焉、路出二于陳蔡一、陳蔡大夫相與謀曰、孔子聖賢、其所二刺譏一、皆中二諸侯之病一、若用二於楚一、則陳蔡危矣、遂使三徒兵距二孔子一、孔子不レ得レ行、絕レ糧七日、外無レ所レ通、藜羹不レ充、從者皆病、孔子愈慷慨、講二絃歌一不レ衰、乃召二子路一而問焉曰、詩云、匪レ兕匪レ虎、率二彼曠野一率修也、言非二虎兕一、而修二曠野一也、吾道非乎、奚何至二於此一、子路慍作レ色而對曰、君子無レ所レ困、意者、夫子未レ仁與、人之弗二吾信一也言人不レ信、豈以二未仁一故也意者、夫子未レ智與、人之弗二吾行一也言人不レ使二通行一而困窮者、豈以二吾未智一也且由也昔者聞二諸夫子一、爲レ善者天報レ之以レ福、爲二不善一者天報レ之以レ禍、今夫子積レ德懷レ義行レ之久矣、奚居之窮也、子曰、由未二之識一也、吾語レ汝、汝以二仁者一爲二必信一也、則伯夷叔齊不三餓二死首陽一、汝以二智者一爲二必用一也、則王子比干不レ見レ剖レ心、汝以二忠者一爲二必報一也、則關龍逢不レ見レ刑、汝以二諫者一爲二必聽一也、則伍子胥不レ見レ殺、夫遇不遇時也、賢不肖才也、君子博學深謀而不レ遇レ時者衆矣、何獨丘哉、且芝蘭生二於深林一、不下以二無人一而不上レ芳、君子修レ道立レ德、不レ謂二窮困而改一レ節、爲レ之者人也、生死者命也、是以晉重耳之有二覇心一、生二於曹衞一重耳晉文公也、爲二公子一時出奔、困二於曹衞一、越王勾踐之有二覇心一、生二於會稽一言越王之有二覇心一、乃生下困二於會稽一之時上也故居レ下而無レ憂者、則思不レ遠、處レ身而常逸者、則志不レ廣、庸知二其終始一乎庸用也、汝何用知二其終始一、或者晉文公越王之時一也云々』とある。

夫れ良農は能く稼るも必ずしも能く穡めず、良工は能く巧なるも每に人意に順ふこと能はず、君子は能く其の道綱を修めて之を絕するも必ずしも其の能く容られず。夫子の道は至大、天下能く容るゝこと莫く、爲めに世彼を用ひざるは是れ有國者の醜であつて夫子には何等病む所がない。容れらず、然る後君子を見るのである。

加之、君困せざれば王を成さず、烈士困せざれば行彰れず。けだし、之に由つて激憤し志を厲ますからである。同上第二二一頁參看

又同上第二十二頁裏には『孔子之レ宋、匡人簡子以二甲士一圍レ之、子路怒、奮レ戟將二與戰一、孔子止レ之曰、惡有乙修二仁義一而不レ免下世俗之惡上者甲乎、夫詩書之不レ講、禮樂之不レ習、是丘之過也、若下以述二先王一、好二古法一、而爲上レ咎者、則非二丘之罪一也、命之夫、歌、予和レ汝、子路彈レ琴而歌、孔子和レ之、曲三終、匡人解レ甲而罷、孔子曰、不レ觀二高崖一、何以知二顚墜之患一、不レ臨二深泉一、何以知二沒溺之患一、不レ觀二巨海一、何以知二風波之患一、失レ之者其在レ此乎不レ在二此三者一之或也士愼二此三者一則無レ累二於身一矣』とある。

抱朴子亦た曰く『夫節士不レ能レ使二人不一レ憎レ之、而道不レ可レ屈也、不レ能レ令二人不一レ辱レ之、而行猶在レ我也、不レ能レ令二人不一レ擯レ之、而操不レ可レ改也、故分定計決、勸沮不レ能レ干、樂天知命、憂懼不レ能レ入、困瘁而益堅、窮否而不レ悔、誠能用レ心如レ此者、亦安肯草靡萍浮、以索二鑿枘一、傚二乎禮之所レ弃、者之所一レ爲哉』と外篇二七卷四頁

夫れ「性」と「命」は同じからず。故に善人必ずしも禍なきを得ぬ。この點王充は頗る明快に論ずる所があつた。曰く『夫性與レ命異、或性善而命凶、或性惡而命吉、操行善惡者性也、禍福吉凶者命也、或行レ善而得レ禍、是性善而命凶、或行レ惡而得レ福、是性惡而命吉也、性自有二善惡一、命自有二吉凶一、使命吉之人雖不レ行レ善、未二必無一レ福凶命之人、雖勉二操行一、未二必無一レ禍、孟子曰、求レ之有レ道、得レ之有レ命、性善乃能求レ之、命善乃能得レ之、性善命凶、求レ之不レ能レ得也、行レ惡者禍隨而至、而盜跖莊蹻橫二行天下一、聚レ黨數千、攻二奪人物一、斷二斬人身一、無道甚矣、宜遇二其禍一、乃以レ壽終、夫如レ是隨レ命之說、安所レ驗乎、遭レ命者行二善於內一、遭二凶於外一也、若顏淵伯牛之徒、如何遭レ凶、顏淵伯牛、行レ善者也、當二得隨レ命、福祐隨至一、何故遭レ凶、顏淵困二於學一、以レ才自殺、伯牛空居、而遭二惡疾一、及屈平伍員之徒、盡レ忠輔レ上、竭二王臣之節一、而楚放二其身一、吳烹二其尸一、行レ善得隨二命之福一、乃觸遭二命之禍一、』と論衡卷二第六頁則ち善惡を行ふこと（性）と福禍を受

くること（命）とは自ら異なり、命が吉であれば善行なしと雖、未だ必ずしも禍なきにしもあらず。例へばかの盜跖、莊蹻は下を横行し、黨員數千を聚めて人物を攻奪し、人身を斷斬し、無道甚しければ宜しく天誅に遇ふべきにも拘らず、事實に於ては乃ち壽を以て終へたるが如し。また他方に於て命が凶であれば善行多しと雖、未だ必ずしも禍なきを得ず。譬へばかの顔淵や伯牛又は屈平や伍員の如し。則ち顔淵は學に困じて遂に才を以て自殺し、伯牛は空居にて惡疾に遇ひ、屈平は放たれ伍員は烹せらる。乃ち凶命の禍に遭つたのである。

更に彼は次の如く言つてゐる。『操行有二常賢一、仕宦無二常遇一、賢不賢才也、遇不遇時也、才高行潔不レ可レ保二以必尊貴一、能薄操濁、不レ可レ保二以必卑賤一、或高才潔行不遇、退在二下流一、薄能濁操、遇在二衆上一、世各自有二以取一レ士、士亦各自得以進、進在レ遇、退在二不遇、處レ尊居レ顯、未二必賢遇一也、位卑在レ下、未二必愚不愚一也、故遇或抱二洿行一、尊二於桀之朝一、不遇或持二潔節一、卑二於堯之廷一、』論衡巻一第一頁 則ち遇ならば薄能濁操の質と雖も能く衆の上に在るを得、不遇ならば高才潔行を抱くと雖も未だ退いて下流に在るを免れず。いな時には害に遭ふこともあり得るのである。譬へばかの時賢伍員が呉の夫差に事へて誅死せられ、箕子が商の紂に遇ひて奴と爲るが如し。何れも賢主に遇えぬがためである。賢を以て惡君に事ふ。忠行を以て之を佐くと雖、操志乖忤す。不遇固り宜なる哉

尤も大才の臣を以て大才の主に遇ひて尚事實に於ては乃ち遇不遇が有るが、之は一にその人の懷く道に精なるものあり麤なるものあり、抱く志に淸たるものあり、濁なるものあるに由る。則ち主の行ふ道德が溷であり爲す仁義が濁であれば例へば（堯や周の武王の如し）淸道尚義の臣（例へば許由や伯夷の如し）は之に事へることを潔とせずして去るも不遇道德淸からず仁義高からざるの臣（例へは舜や太公の如し）は遇と爲りて榮達する。王充則ち之を説いて曰く、『以二大才之臣一、遇二大才之主一、乃有二遇不遇一、虞舜、許由、太公、伯夷是也、虞舜許由倶聖人也、並生二唐世一、倶面二於堯一、虞舜紹二帝統一、許由入二山林一、太公伯夷倶賢也、並出二周國一、皆見二武王一、太公受レ封伯夷餓死、夫賢聖道同志合趨レ齊、虞舜太公行レ耦、許由伯夷操レ違者、生非二其世一、出非二其時一也、道雖レ同、同中有レ異、志雖レ合、合中有レ離、何則道有二精麤一、志有二清濁一

也、許由皇者之輔也、生ニ於帝者之時一、伯夷帝者之佐也、出ニ於王者之世一、並由ニ道德一、俱發ニ仁義一、主ニ行道德一、不レ淸不レ留、主爲ニ仁義一、不レ高不レ止、此其所ニ以不遇一也、堯溷舜濯、武王誅レ殘、太公討レ暴、同レ濁皆麤、擧措鈞齊、此其所ニ以爲一レ遇者也、故舜王ニ天下一、皐陶佐レ政、北人無擇、深隱不レ見、禹王ニ天下一、伯益輔レ治、伯成子高、委レ位而耕、非下皐陶才愈ニ無擇一、伯益能出中子高上也、然而皐陶伯益進用、無擇子高退隱、進用行耦、退隱操レ違也』と論衡卷一。第二頁　故に自然に隨ひ順すべし。然らば禍は避くべく災はふ禳べきである。曰く『日觀ニ世事之盛衰一、夜思ニ氣運之消長一、由ニ其盛衰一也、吾以ニ出處一應レ之、由ニ其消長一也、吾以ニ進退一應レ之、則禍可レ避、而災可レ禳』國色天香卷四第三十五頁

八　舜道は亂世絕嗣の道也

曰く、『今舜以レ賢取ニ君之國一中略、瞽瞍爲ニ舜父一、而舜放レ之、象爲ニ舜弟一而殺レ之、放レ父殺レ弟、不レ可レ謂レ仁、妻ニ帝二女一堯女、娥皇女英而取ニ天下一、不レ可レ謂レ義、仁義無レ有、不レ可レ謂レ明、詩云、普天之下、莫レ非ニ王土一、率土之濱、莫レ非ニ王臣一、若ニ詩之言一也、是舜出則臣ニ其君一、入則臣ニ其父一、妾ニ其母一也男曰レ臣、女曰レ妾、云々』と卷二十。第三頁

九　仁義は惡を爲すの具也

更に又仁義を假りて以て虛名を求める者もまた尠しとしない。かの燕王が堯の許由に禪讓したる迹に倣ひたる、即ち是である。則ち卷十四第九頁に『潘壽謂ニ燕王一曰、王不レ如ニ以レ國讓ニ子之一、人所ニ以謂ニ堯賢一者、以ニ其讓ニ天下於許由一、許由必不レ受也、則是堯有下讓ニ許由一之名上、而實不レ失ニ天下一也、今王以レ國讓ニ子之一、子之必不レ受也、則是王有下讓ニ子之一之名上、而與レ堯同レ

行也、於レ是燕王因擧レ國而屬レ之、子之大重云々』とある。則ち燕王が子之に讓るに國を以てせば、王は堯と爲り、(1)子之之を受けざれば則ち亦た許由となるであらう。是れ世の奸邪者が、好んで堯の迹に倣つて假の仁義を行ひ、以て虛名を索める所以である。(2)滑稽に任えざるは湯が務光に天位を禪讓したことである。則ち卷七第一頁に『湯以《ステニ》伐レ桀、而恐三天下言二己爲一レ貪也、因乃讓二天下於務光一、而恐三務光之受一レ之也、乃使三人說二務光一曰、湯殺レ君而欲レ傳二惡聲於子一、故讓二天下於子一、務光因自投二於河一云云』とある。(3)虛名を求むるの心、是に至つてその極致に達せりといはねばならない。

更に憎らしきは曹操の所爲である。彼は啻に虛名を求めたるに止まらず、仁義を藉りて以て己の陰謀を遂行したのである。この點に付、余は嘗て臺法月報第三十二卷四號八十頁以下に於て、隨分觸れ來つたのであるが、更に茲の紙數を多少拜借してもう少し觸れてみたいと思ふ補遺。彼は實に奸邪の魁(魁とは天に在ては鬼斗の星と爲り、地に在ては河岳の精と爲り人に在ては奇特の英となること)である。下記の數例によりて之を知り得るのである。

まづ操は漢の獻帝を迎へたのであるが、之は眞に獻帝の爲めに非ず。天下を取らんと欲すればである。則ち其の賊たることを明にせば敵は乃ち服す可きからである。是れ天下を欺くものである。而して操のこの擧は荀彧の慫慂に因るものであるが、之は漢の高祖が秦の義帝の爲めに喪を發すの迹に義帝と高祖は共に天を戴かさるの讐である。にも拘らず喪を發するに何ぞや、是れ楚を屈服せんと欲するが爲に非ずや倣つたものである。彼操は最初は忠臣義士たりしも玆に至つて亂臣賊子となつたのである。則ち笠翁別集卷之九第三十頁に『項羽密使英布弑二義帝于江中一、沛公從二新城三老之議一、爲二義帝一發レ喪、合二諸侯兵一伐レ楚」、荀彧謂二曹操一曰、昔晉文納二周襄一而諸侯從、漢高發二義帝喪一而天下歸、因勸レ迎二彧帝一、操遣二曹洪一西迎二天子一、自將レ兵詣二洛陽一』とある。之に對し

笠翁曰く「繼二晉文一而欺二天下一者漢高是也、繼二漢高一而欺二天下一者曹操是也、思二舊德一而懷二故主一、天下之民有レ同レ心焉、納二襄王一、哭二義帝一、迎二獻帝一所謂欺レ之以二其方一、故當世之心、皆爲レ所レ欺、而莫二之覺一也、然以後世之人一觀レ之、則似二傀儡登一レ場、不レ過三演二習故套一而已、何同異得失之足レ論哉』と同上。

次に操は至つて才人を愛するのであるが、只この點に着眼するときは、如何にも仁者の如く映ずるも併し、其の才人を愛するは自ら目的がある。それは己の用を爲すが爲めである。己の用を爲さない方は則ち之を忌んだのである。是れ、操が己を罵しる陳琳の如き者を以て罪と爲さずして、己を罵らざる楊修を罪した所以である。彼が修を誅した所以は實に己が意中の言はざる所を知つたからである。(4) 操は最も己が心事の人に知らるゝことを畏れたからである。則ち三國誌演義卷十第四十六―七頁に『操屯レ兵日久、中略欲二收レ兵回一、又恐レ被二蜀兵恥笑一、心中猶豫不レ決、適《タマタマ》

庖官進雞湯、操見碗中有雞肋、惇傳令衆官都《スベテ》稱雞肋、行軍主簿楊修見傳雞肋二字、便教隨行軍士、各收拾行裝、準備歸程、有人報知夏侯惇、惇大驚、遂請楊修至營中問曰、公何收拾行裝、修曰、以今夜號令、便《スナハチ》知魏王不日將退兵歸也、雞肋者食之無味、棄之可惜、今進不能勝、退恐人笑、在此無益、不如早歸、來日魏王操也必班師矣、故先收拾行裝、免得臨行慌亂、夏侯惇曰、公眞知魏王肺腑也、遂亦收拾行裝、於是寨中諸將、無不準備歸計、當夜曹操心亂、不能穩睡、遂手提鋼斧、遶寨私行、只見夏侯惇寨內軍士、各準備行裝、操大驚、急回帳召惇問其故、惇曰、主簿楊德祖、先知大王欲歸之意、操喚楊修問之、修以雞肋之意對、操大怒曰、汝怎《ナンソ》敢造言、亂我軍心、喝刀斧手推出斬之、將首級號令於轅門外云々』とある。尤も元來、楊修の人と爲りや、才を恃んで放曠、しばく曹操の忌を犯し、從て操は生平から修を殺すの心が有つたのであるが機熟せずして殺せば賢士を殺すの汚名を崇ること丶なる。故に只管に機の到來を待ち構えてゐた。恰もその待望の機熟し乃ち上述の如き軍心を惑亂するの罪を借りて殺したのである。

知人之所不言、其罪大安

尙、更に甚しきは彼の創業の基底を成さしめし腹心の大功臣謀士である荀彧を殺した一事である。則ち彼が馬超の雄軍を破つて許都に凱旋したるや、威福日に甚しい。長史董昭進みて曰く『自古以來、人臣未有如丞相之功者、雖周公呂望、莫可及也、櫛風沐雨、三十餘年、播蕩群凶一、與《タメニ》二百姓一除レ害、使二漢室復存一、豈可下與二諸臣宰一同上レ列乎、合《ベシ》下受二魏公之位一、加二九錫一以彰中功德上』と。侍中の荀彧曰く『不可、丞相本興二義兵一、匡二扶漢室一、當下秉二忠貞之志一、守中謙退之節上、君子愛レ人以レ德、不二宜如一レ此』と。曹操言を聞き、勃然として色を變へた。董昭曰く、『豈可下以二一人一而阻中衆望上』と。遂に上表し操を尊んで魏公と爲し九錫を加はんことを請ふた操は墓道「曹侯之墓」と書することを願つたが、今は則ち此言と大に相同じからず　荀彧嘆じて曰く、『吾不レ想今日見二此事一』と。操聞て深く之を恨み、以爲らく己を助けずと。建安十七年冬十月、曹操兵を興して江南を下る。就ち荀彧に命じて同行せしむ。彧已に操己を殺すの心有るを知り、病に託して壽春に止まる。忽ち曹操人をして飲食一盒を送らしめ至る。盒上に操の親筆封記有り。盒を開きて之を視れば並《スナハ》ち一物だに無し明に是れ彧をして絕食して餓死せしむの意世。荀彧其の意を會す。遂に毒を服して亡ぶ。年五十歲。其の子荀惲哀書を發して曹操に報ず。操甚だ懊悔す。命じて之を厚葬せしむ。謚して「敬侯」と曰ふ是れ老奸の測るべからざる所。也同卷九第三十一－二頁

最後に彼は死に至る迄猶ほ僞である。則ち彼が臨終に際し、家人婢妾は盡く之を處置したるに拘らず、獨り一言として禪代の事に及ばなかつた。是れ天下の後世をして其の國を纂するの心無きを信ぜしめ、是に於て子孫が其の惡名を蒙つて己は之を避けたのであつた。卽ち自ら周の文王に比した所以である文王の子武王は紂を討つて天子となつた。其の意とする所は天下後世の人を欺き盡くさんとするのであつて、後世の無識者は乃ち遂に其の欺く所となつた。故に彼の臨終の遺命は禪代より大なる者

が有るのである。眞に操は奸雄の尤たる哉。則ち同卷十一第三十一頁に『侍中陳群等奏曰、漢室久衰微、殿下功德巍巍、生靈仰望、今孫權稱臣歸命、權致書於操曰、臣孫權久知天命已歸主上、伏望早正大位、遣將剿滅劉備、掃平兩川、臣即率群下、納土歸降矣、此天人之應、異氣齊聲、殿下宜應天順人、早正大位、操笑曰、吾事漢多年、雖有功德及民、然位至於王、名爵已極、何敢更有他望、苟天命在孤、孤爲周文王矣云々』とある。かくの如く、操は己を文王に託して自ら國を簒奪せずして其の子をして之を爲さしめたこの點の巧に於て彼はかの王莽に優ること百歩である。莽は國を簒する事を自ら爲したるは聊か拙と云はねばならぬ。則ち操は其の身を以て文王に學び、而して其の子をして、武王に學ばしめた。是れ兩世を以て兩聖人の事を分けて學ばんと欲したのであった。(5・6)豈聖人の事が乃ち奸雄の竊む所と爲りしに非ずや。

かくの如く仁義の陳迹は適々盜の本と爲る。田成子が齊の簡公を弑して其の國を盜みし如き是れである。則ち彼は内は大臣や百姓に德を施し其の心を循撫して之を收め詳細は前揭拙稿憲法三二巻七號七〇頁參看、外は戒翟、天下の賢士を懷け陰かに諸侯の雄俊豪英の心を結び其の志は將に不善を爲すこと有らんとした。彼のこの覬覦の望みをまづ見透したのは大夫隰斯彌であつたが併し田成子の威勢に懼れて遂び之を發くに至らず、後襄王の幸臣九属のみが敢て能く之を發いたのであるが、彼は免《トリ》冠、徒跣《ハタシ》、肉祖《ハタカ》して死罪を王に請ふた爲め罪は赦され、後九属を讒害し己は「夜邑萬戶」に升り、(7)遂に簡公を弑して國を奪つた。而して彼は賢臣顏涿聚の力に依り齊國を有ち得たのである後出「十過」註七參看。

かくの如き次第なれば戎人由余は、先生の作れる詩書禮樂法度は治の具に非ずして亂の器なりと云つた。卽ち史記「秦本紀」に『戎王使㆓由余於秦㆒中略、秦繆公示以㆓宮室積聚㆒、由余曰、使㆓鬼爲㆒㆑之、則勞㆑神矣、使㆓人爲㆒㆑之、亦苦㆑民矣、繆公怪㆑之問曰、中國以㆓詩書禮樂法度㆒爲㆑政、然尙時亂、今戎夷無㆑此、何以爲㆑治、不㆓亦難㆒乎、由余笑曰、此乃中國所㆓以亂㆒也、夫自㆓上聖黄帝作㆓爲禮樂法度㆒、身以先㆑之、僅以小治、及㆓其後世㆒、日以㆓驕淫㆒、阻㆓法度之威㆒、以責㆓督於下㆒、下罷《ツカレ》極、則以㆓仁義㆒怨㆓望於上㆒、上下交爭怨、而相簒弑、至㆓於滅㆒㆑宗、皆以㆓此類㆒也、夫戎夷不㆑然、上含㆓淳德㆒以遇㆓其下㆒、下懷㆓忠信㆒以事㆓其上㆒、一國之政、猶㆓一身之治㆒、不㆑知㆔所㆓以治㆒、此眞聖人之治也云々』とある。尙由余は後秦の穆公に仕えたのであるが之は史廖の紅裙計に據る。則ち戎王に女樂二八を遺り因て由余のために其の歸期の延期を請ひ以て其の諫を疏んじた爲めである後出「十過」。註六參着

要之、儒者の稱へる先生の治百姓を哀憐し刑罰を輕くする者は國亡び身死し、地削られ主卑き所以であり、愚の至大にして患の至甚なる者である。而して法度術數の治明法を正し、嚴刑を陳ぶる者は群生の亂を救ひ、天下の禍を去り、彊をして弱を凌がざらしめ、衆は寡を暴れず、耆老は遂ぐることを得、幼孤は長ずるを得、地廣く兵彊く、君臣は相ひ親しみ、父子は相ひ保つて死亡繫虜の患なき至上の治である。

註（1）　燕王が子之に天下を讓つた所以は眞に之を讓る心意に非ずして唯、堯舜の如く、天下を許由に讓つた美名を獲んが

ために假に之を行つたものに過ぎざるは上述の如くであるが、そのやり方は禹の迹に傚つたものである。則ち禹は益を愛して天下を益に任かせたのであるが、その反面に於て、太子啓の臣を以て益の吏と爲した。而して老に及び、啓を以て天下を任かすに足らずと爲して天下を益に傳えた。が、勢ひ重き者は盡く啓に在つた。仍て啓は友黨と共に益を攻めて天下を奪つた。是れ禹は名は天下を益に傳えたといふものの其の實は啓をして自ら之を取らしめたのである同上。今、燕國の官吏を見るに、是れ太子の人に非ざるは莫い。故に名は子之に天下を傳ふといふけれど、實は太子をして自ら之を取らしめるも同樣である。

註(2) 之がために忠佞の見分けが附き難い。則ち或は佞に托して以て忠を成すものが有る。譬へば楚の子綦の如し。則ち彼の楚王を諫むるや、最初は貌恭しく王意に逆ふ所がなかつたのであるが佞に見ゆ終に忠言を致したのである。或は忠を假りて以て佞を飾るものが有る。かの曹操出次の如き是である。寔に魏の高祖の言へし通りである。則ち魏書卷五十四第三頁に『高閭曰、佞者飾ㇾ智以行ㇾ事、忠者發心以附ㇾ道、譬如二玉石一、皦然可ㇾ知、高祖曰、玉石同ㇾ體而異ㇾ名、忠佞異ㇾ名而同ㇾ理、求二之於同一、則得三其所二以異一、尋二之於異一、則失三其所二以同一、出二處同異之間一、交二換忠佞之境一、豈是皦然易ㇾ明哉、或有二託ㇾ佞以成一ㇾ忠、或有二假ㇾ忠以飾一ㇾ佞、如二楚子綦一、後事顯ㇾ忠、初非佞也云々』とある。

註(3) 尤も笠翁は堯の天下を許由に譲り商の湯の卞隨、務光に譲りたることを以て空中樓閣となし、それは只「巖栖穴處者流」の自ら其の高尚を矜らんと欲したるにすぎずとされるこの意義に於て秦始皇の「焚始」を是認した故に當日の世風も正に未だ必ずしも今日より上ならずと。則ち笠翁別集卷之九第二頁に於て「……甚恨典籍之不ㇾ足ㇾ憑、而秦始皇之焚ㇾ書、亦不ㇾ爲二無見一也、此皆巖栖穴處者流、欲三自矜二其高尚一、故構二此空中樓閣一、以聳二聽聞一耳、後世稗官野史、皆效ㇾ此立ㇾ言以爲下讓二天下一之大事、猶可中幻設上、則凡小二于此一者、何一不ㇾ可二幻設一乎、人謂二世風日下一、以ㇾ此ㇾ觀ㇾ之、則當日之世風、正未三必上二于今日一也、無ㇾ論下讓二天下一之事上、必不ㇾ可ㇾ信、卽所謂許由卞隨務光者、恐堯舜商湯之世、亦未三必果有二其人一耳』とある。

かくの如く古事は怪奇渺茫にして皆信ずべからざること實に今に十倍する。皆俗語の所謂「瞞天謊」である。此の如き怪誕不經の事を古人は說いて出づるを得て今人は說いて出でず。今人の說く所は皆瑣尾流離の事、古人の道ふを屑しとせざる者である。此に由つて之を推せば則ち笠翁の所謂「當日之世風、未必上于今日」には蓋し至當不易の論といはねばならない。

註（4）　三國誌演義卷十第七頁に「操嘗造花園一所、造成、操往觀之、不置褒貶、只取筆於門上、書一活字而去、人皆不曉其意、修曰、門內添活字、乃闊字也、丞相嫌園內闊耳、於是再築園牆、改造停當、又請操觀之、操大喜、問曰、誰知吾意、左右曰、楊修也、操雖稱美、心甚忌之、」又一日塞北送酥一盒至、操自寫一合酥三字於盒上、置之案頭、修入見之、竟取匙與衆分食訖、操問其故、修答曰、盒上明書一人一口酥、豈敢違丞相之意乎、操雖喜笑、而心惡之、」操恐人暗中謀害己身、常分付左右、吾夢中好殺人、凡吾睡著、汝等切勿近前、一日、晝寢帳中、落被《フドン》於地、一近侍慌取覆蓋、操躍起拔劍斬之、復上睡半晌而起、佯驚問何人殺吾近侍、衆以實對、操痛哭、命厚葬之、假夢假睡、假問假哭、一片是假人皆以爲操果夢中殺人、惟修知其意、臨葬時而嘆曰、丞相非在夢中、君乃在夢中耳、操聞而愈惡之。

操第三子曹植、愛修之才、常邀修談論、終夜不息、操與衆商議、欲立植爲世子、曹丕知之、密請朝歌長吳質入內府商議、因恐有人知覺、乃用大簏藏吳質於中、只說是絹疋在內、載入府中、修知其事、逕來告操、操令人於丕府門伺察之、丕慌、告吳質、質曰、無憂也、明日用大簏裝絹、再入以惑之、丕如其言、以大簏載絹入、使者搜看簏中、果絹也、回報曹操、操因疑修設害曹丕、愈惡之。操欲試曹丕曹植之才幹、一日令各出鄴城門、却《スナハチ》密使人、分付門吏、令勿放出、曹丕先至、門使阻之、丕只得退回、植聞之、問於修、修曰、君奉王命而出、如有阻當者、竟斬之可也、植然其言、及至門、門吏阻住、植叱曰、吾奉王命、誰敢阻當、立斬之、於是曹操以植爲能、操以殺人爲能後有人告操曰、此乃楊修之所教也、操大怒、因此亦不喜植。

修又嘗爲曹植作答教十餘條、但操有問、植卽依條答之、操每以軍國之事問植、植對答如流、操心中甚疑、

後曹丕暗買ニ植左右一、偸ニ答敎一來告レ操、操見了大怒曰、『匹夫安敢欺レ我耶』とある。之等の諸行爲は他日、身を殞すの禍根を成したのである。周諺に言有りて曰く『察ニ見淵魚一者不祥、智料ニ隱匿一者有レ殃』と列子八。巻五頁。故に語に曰く『聰明疏通者、戒ニ於大察一、寡聞小見者、戒ニ於雍蔽一、勇猛剛彊者、戒ニ於大暴一、仁愛溫良者、戒ニ於無斷一、湛洸也靜安舒者、戒ニ於後一レ時、廣心浩大者、戒ニ於遺忘一』と。愼まざるべけんや。因みに植は天性仁孝、之に加ふるに聰明智達、殆んど博學淵識に近く、文章は絶倫前記の「銅雀臺賦」に於ても知るが如し詩は所謂「七歩の詩才」を挾み建安七子中の第一人者である。故に彼の天位承繼を冀ふ者衆く操とても最初は之を希望したのである。この中わけて廙は濃厚であつた。一日、彼が從容として太祖操に謂つて曰く「臨菑侯天性伏孝、發ニ於自然一、而聰明智達、其殆庶ミ幾至ニ於博學淵識一、文章絶倫、當今天下之賢才君子、不レ問ニ少長一、皆願下從ニ其游一而爲レ之死上、實天之所下以鍾ニ福於大魏一、而永授中無窮之祚上也、欲ミ以勸ニ動太祖一、」と。太祖答へて曰く「植吾愛レ之、安能若ニ卿言一、吾欲ニ立レ之爲一レ嗣何レ如、」と。廙曰く「此國家之所ニ以興衰一、天下之所ニ以存亡一、非ミ愚劣瑣賤者所ニ敢與及一、廙聞知レ臣莫レ若ニ於君一、知レ子莫レ若ニ於父一、至下於君不レ論ニ明闇一、父不レ問ニ賢愚一、而能常知中其臣子上者何、蓋由ニ相知一、非ニ一事一物相盡一、非ニ一旦一夕一、況明公加レ之以ニ聖哲一習レ之以ニ人子一、今發ニ明達之命一、吐ニ永安之言一、可レ謂下上應ニ天命一、下合中人心上、得ニ之於須一臾、垂ニ之於萬世一者也、廙不レ避ニ斧鉞之誅一、敢不ニ盡言一」と。太祖深く之を納めたのである魏志十九。巻三頁。

註(5) 操は武王の事を以て其の子に遺して自ら文王に比したるも丕は則ち文王の事を以て其の父を目せずして仍て之を諡して武王と曰つた時後丕が天位を簒奪した。時に武皇帝と改稱した 郎ち父が改革の名を避けて之を子に讓らんと欲したるも、子は又、改革の實を避けて之を先世に歸したのである。而して魏の漢を簒するは丕が之を簒するに非ずして實は操が之を簒したのみである。操は人を欺かんと欲して予先づ欺くこと能はず。操は自ら掩はんと欲して予之が爲めに掩はれぬ。嗚呼奸雄の奸も亦た復た何の用たる哉。

註(6) 曹妹は王位を繼承してから間もなく、獻帝を迫つて禪國の詔勅を降下せしめ、序で又「受禪臺」を建てゝ帝躬らその詔勅を授與することを迫つて以て簒竊の名を免れ、群疑を釋き衆議を絶つたのであつた この時、丕の妹郎ち帝后さえも見るに忍びざる所があつて兄の大逆

行爲を痛罵し。その詔勅の略に曰く、『咨爾《アア》魏王、昔者唐堯禪二位於虞舜一、舜亦以命レ禹、天命不レ于常一、惟歸二有德一、漢道陵遲、世失二其序一、降及二朕躬一、大亂滋昏、群凶恣逆、宇内顚覆、賴二武王神武一、拯二茲難於四方一、惟淸二區夏一、以保二綏我宗廟一、豈予一人獲レ乂、俾《セシム》三九服實受二其賜一、今王欽《ツツシミテ》承二前緒一、先二於乃德一、恢二文武之大業一、昭二爾考之弘烈一、皇靈降レ瑞、人神告レ徵、誕惟亮采、師二錫朕命一、僉《ミナ》曰、爾度克協二於虞舜一、用率《シタガフ》二我唐典一、敬遜《ユヅル》二爾位於戲一、天之曆數在二爾躬一、君其祗《タダ》順二大禮一、饗二萬國一以承《ウヤウヤシク》二天命一』と（三國誌演義卷十。第四十一頁）たのである。

註（7） 田成子の奸惡は彼が相となること三年にして既にその一端を暴露した（前揭拙稿、臺法三二卷六號七十頁）が、彼の姦邪の端を發く者はなかつた、但た襄上の幸する所の臣九人のみが敢て王の前に於て之を發いた。然れども、彼は善く忠義の貌を裝ひ、則ち冠を免り徒《ト》跣肉袒にて王の前に進み、退いて死罪を請ふた爲め遂に王も彼の姦心を知るに到らず、彼を放免したのであつた。則ち戰國策校注卷四第五十七—八頁に『王有二所レ幸臣九人之屬一、欲レ傷二安平君一、相與語二於王一曰、燕之伐レ齊之時、楚王使下將軍將二萬人一而佐上レ齊、今國已定、而社稷已安矣、何不レ使三使者謝二於楚王一、王曰、左右孰可、九人之屬曰、貂勃可、欲レ去二（單之助一）、貂勃使レ楚、楚王受而觴レ之、數日不レ反、九人之屬相與語二於王一曰、夫一人身而牽二留萬乘一者、豈不レ以レ據レ勢也哉（言三勃據二單勢一）、且安平君之與レ王也、君臣無レ禮、而上下無レ別、且其志欲レ爲二不善一（謂二反畔一）、内收二百姓一、循二撫其心一、振レ窮補二不足一（振擧救也）、布二德於民一、外懷二戎翟一、天下之賢士一、陰結二諸侯之雄俊豪英一、其志欲レ有レ爲也（爲二不善一）、願主之察レ之、異日而王曰、召二相單一來、田單免冠、徒跣、肉袒而進（肉袒露二肢體一示レ欲レ受レ刑）、退而請二死罪一、五日而王曰、子無レ罪二於寡人一、子爲二子之臣禮一、吾爲二吾之王禮一而已矣云々と』ある。

かくて彼の信任は日增しに寡れば、遂に彼の腹臣、貂勃は王の前に於て右の九子を讒謗して之を殺さしめ、而して彼の名單此は亡國（の言也）といふ醜名を廢して之に代ふるに他の雅號を以てすべく王に勸說した。曰く、『…周文王得二呂望一以爲二太公一、桓公得二管夷吾一以爲二仲父一、今王得二安平君一而獨曰レ單、且自二天地之闢開也一、民人之治一（如二治作一）、爲二人臣之功一者、誰有下厚二於安平君一者上哉、而王曰レ單、單、惡《イヅクンゾ》得二此亡國之言一乎、云々』と。仍て王は彼を封ずるに「夜邑萬戶」を以てしたのであつた（同上）。

三　法術の必要

一、人心の惡化

荀子は、人の性は惡にして其の善なるは「僞」卽ち人が之を作爲するからだと說く。かの一歲の嬰兒は推讓の心無く、食を見れば號んで之を食はんと欲し、好《ヨ》き物を睹れば啼いて之を玩ばんと欲するも、長大の後は則ち爾らず、情を禁じ欲を割き、勉厲して善を爲すに至る。故に人性の善なるはこれ僞なることを知る詳細は拙稿臺法三十二卷三號九六頁參看。

韓非子は人性(1)の惡を次の如く說いてゐる。夫れ世上の人心は信寡くして巧詐(2)に長けてゐる前出。則ち人を利するの心なきも是れあるが如く示して而して後に魚人の功を斂める。荊王や趙の肅侯の所爲是れである。則ち卷七第三一四頁に『齊攻レ宋、宋使三臧孫子南求二救於荊一、荊王大說、許レ救レ之甚歡言下與二臧孫一歡上也、臧孫子憂而反、其御曰、索レ救而得、今子有二憂色一、何也、臧孫子曰、宋小而齊大、夫救二小宋一而患《ニクマル》二於大齊一患作レ惡、言與二大齊一相仇也、此人之所二以憂一也、而荊王說、必以堅レ我也、堅而齊敝《ヤブル》、荊之所レ利也、臧孫子乃歸、齊人拔二五城於宋一、而荊救不レ至荊本無三救レ宋之情一、悅而許レ之、而已以堅二其守一、使三齊宋俱斃一、收二漁人之功一、卒之レ齊拔二五城一荊救不レ至、孫子之言、是其驗也云々』と。又續て曰く『魏文侯借二道於趙一、而攻二中山一、趙肅侯將レ不レ許、趙刻曰、君過矣、魏攻二中山一、而弗レ能レ取、則魏必罷《ツカル》、罷則魏輕、魏輕則趙重、魏拔二中山一、必不レ能三越レ趙而有二中山一也、舍レ近謀レ遠者、勞而無レ功、舍レ遠謀レ近者、逸而有レ終、是用レ兵者魏也、而得レ地者趙也、君必許レ之、許レ之而大歡與二使者一歡也、彼將レ知二君利一レ之也、必將レ輟レ行、君不レ如下借二之道一、示以上レ不レ得レ已也越二人之國一以攻、雖二戰勝攻取一必不レ能レ得二寸尺之地一、范睢祖レ此、爲レ秦獲三遠交近攻、而一二天下一也有レ由矣』と。

而して人の名利を追求するや惟だ前の利のみを知つて後の害を顧みない。それは猶ほ蟬の清露を飲む際、高き輕陰に處して螳螂の其の後を襲ふことを知らざるが如くである。則ち韓詩外傳卷十第三十七頁表に曰く『園中有レ蟬、蟬方奮レ翼悲鳴、欲レ飮二清露一、不レ知下螳螂之在レ後、擧二其頸一欲中攫而食上レ之也、螳螂方欲レ食レ蟬、而不レ知下黃雀在レ後、擧二其頸一欲中啄而食上レ之也、黃雀方欲レ食二螳螂一、不レ知下童子挾二彈丸一在レ下、迎而欲上レ彈レ之、童子方欲レ彈二黃雀一、不レ知下前有二深坑一、後有上レ窟也云々』。それは又「鷸蚌の爭ひ」に相似するものがあるが、豈圖らんやこの爭ひ已まず、漁夫兩ながらにして捕ふのである。

古人は『嫌レ貧愛レ富丈人心、盤古流傳直到レ今』と云つてゐるが寔にその通りである。是れ實に世には廉愼なる者寡くして貪求なる者衆き所以である。則ち智者は其の功を立つることを樂しみ勇者は好んで其の志を行ひ、貪者は邀ひて毛羽の輕きを競ひ、錐刀の末に趨り、愚者は其の死を計らぬ。

かくの如く苦心慘憺して覓め得た名や利に安んずるも誰か知らん、それは堂に悦ぶ燕雀に等しきもの、何ぞ後災を知らんや（次出「三譯」參看）。曰く「燕雀處ㇾ堂、子母相樂、自以爲ㇾ安也、突決棟焚、而燕雀恬然、不ㇾ知ニ禍之將一ㇾ及」と（成語）。その財を愛して命を愛せざるを「剖ㇾ腹藏ㇾ珠」(3)といふ。このためには又いかなる卑劣なる手段をも敢て辭しない。則ち花言巧語を以て人を媚事する如き是である。是れ英雄や奸雄の最も惡む所である。(4) 又禮義信を賊ふことをも敢てする。則ち未だ妻なきときは至つて孝なる者でも之等を有するに至ると孝は日一日と衰徴の途を辿り、又困窮せるときは友に信厚き者でも嗜欲得れば則ち信衰え、尙ほ親在り之と共に依食せる間は兄弟至て仲善しなるものでも親死せば心は急に變異を生じ財產分配のため一大鬪爭を惹起すること世に其の例に乏くない。(5) さらに、處士たりし時代は、君に忠敦かりし者でも爵祿盈ちれば忠誠の念が稀薄化する。嗚呼人情は賴り難きものなる哉。その變異するの容易なること秋の空の如く掌を反すが如くである。朝に快晴を成して暮に雲を成すのである。(6) 是れ舜の歎息痛恨してやまざりし所である。則ち葬庵氏校閱「荀子箋釋」卷十七「性惡篇」第九頁表に曰く、『堯問ニ於舜一曰、人情何ㇾ如舜對曰、人情甚不ㇾ美、又何問ㇾ焉、妻子具而孝衰ニ於君一、人之情乎、人之情乎、甚不ㇾ美、又何問ㇾ焉、唯賢者爲ㇾ不ㇾ然云々』と。又說苑に曰く『官怠ニ於宦一、成病加ニ於少愈一、禍生ニ於懈惰一、孝衰ニ於妻子一』と。

於是乎、友誼の稀薄化を生ずる。ことに嗜欲得て榮達したる時に於て爾り。(7) 語に曰く『富易レ妻、貴易レ交』と。古來之を歎いた詩曲あり。次の如し。『……東西南北少二知音一、終年竟歲悲二行路一、仰レ面訴レ天天不レ聞、低レ頭告レ地地不レ言、天地生レ我尙如レ此、陌上他人何足レ論……險巇唯有二世間路一、一嚮令三人堪二白頭一』樂府三十五卷十頁『朋情淺薄烈二於今一、管鮑知交未レ可レ尋、利僅錙銖猶見レ奪、患無レ補レ救且相侵、但憑二酒食一誇二豪擧一、那解三金蘭愜二素心一、古誼不レ辭二如レ水淡一、千秋意氣自深沉』『翻レ手作レ雲覆レ手雨、紛紛輕薄何須レ數、君不レ見管鮑貧時交、此道今人棄如レ土』「貧交行」國色天香四卷五頁。『古人結交惟結レ心、此心堪レ比二石與金一、金石易レ銷心不レ易、百年契合共二于今一、今人結交惟結レ口、往來歡娛等《マツ》二着酒一、只因二小事一失二相酧一、從レ此生レ嗔便《スナハチ》分レ手、吁嗟乎、大丈夫貧レ財忘レ義非二吾徒一、陳雷管鮑莫三再得一、結交輕薄不レ如レ無、水底魚、天邊雁、高可レ射兮低可レ釣、萬丈深潭終有レ底、只有二人心一不レ可レ量、虎熟不レ堪レ騎、人心隔二肚皮一、休下將二心腹事一說與結交知上、恐三後無情、日後翻成二大是非一』「結交行」。同上四頁

古人の結交は意氣に在るも、(8) 今人の結交は勢利の爲めにする。從來勢利の交は堅からず、意氣の交情が堅いのである。則ち勢利を失へば則ち相棄る。このことは兄弟すら免れ難い。俗に曰く『無レ事世人親、有レ事兄弟急』と。賀蘭進明は「行路難」を作つて之を慨歎して曰く『君不レ見雲間月、蹔盈還復缺、君不レ見林下風、聲遠意難レ窮、親故平生或聚散、懽娛未レ盡罇中空、歎息靑

青陵上陌、歳寒能與二幾人一同』唐詩記事十七卷四頁。

『君不レ見東流水、水去無二窮已一、君不レ見西郊雲、日夕空氛氳、群鴈徘徊不レ能レ去、一鴈驚鳴復失レ群、人生結交在二終始一、莫下以二深沉一中路分上、』同上。

『花開蝶滿レ枝、花謝蝶還稀、唯有二舊巢燕一、主人貧亦歸』同上六三卷一六頁。

『把レ盞御レ盃意氣深、兄兄弟弟有二何親一、一朝平地風波起、此際相交纔見レ心』かくの如く世は道を喪ふこと久しく人情は習ふ所を玩び、純風は日に去り、華競は日に彰はる。猶ほ火の膏を消すが如し。而も之を覺らぬのである。

南朝の任昉は、賓遊の「素交」盡きて「利交」之に替りて興つたことを嘆き、而してこの「利交」を(一)勢交、(二)賄交、(三)談交、(四)窮交、(五)量交に分ち之等に由りて、(1)「敗レ德殄レ義」、(2)「難レ固易レ攜」、(3)「名陷二饕餮一」の三釁生ずと堂々説く所があつた。則ち客と主人の問答に托し「廣絕レ交論」を著して次の如く曰つた。『客問二主人一曰、朱公叔絕交論爲レ是乎、主人曰、客奚此之間、客曰、夫草蟲鳴、則阜螽躍、彫虎嘯而淸風起、故氛氳相感、霧涌雲蒸、嚶鳴相召、星流電激、是以王陽登、則貢公喜、罕生逝而國子悲、且心同二琴瑟一、言鬱《トシテ》二郁於蘭茝一、道叶二膠漆一、志婉二變於損篪一、聖賢以レ此鏤二金板一而鐫二盤盂一、書二玉牒一而刻二鍾鼎一、若下乃匠石輟二成風之妙巧一、伯牙息二流波之雅引一、范張款二款於下泉一、尹斑陶二陶於永夕一、駱驛從橫、烟霏雨散上、巧歷所レ不レ知、

心計莫レ能レ測、而朱盆州汨彛、敍ニ粤謨一訓ニ捶直一、切ニ絕交遊一、視ニ黔首一以ニ鷹鶻一、媿ニ人靈於豺
虎一、蒙《オソラクハ》有レ猜焉、請辯ニ其惑一、主人听然曰、客所謂撫ニ弦徽音一、未レ達ニ燥濕變レ響、張レ羅沮一レ澤、
不レ睹ニ鴻鴈高飛一、蓋聖人握ニ金鏡一闡ニ風烈一、龍驤蠖屈、從ニ道汙隆一、日月連レ璧、贊ニ亹亹之弘一、
致ニ雲飛雷薄《セマル》一、顯ニ棣華之微旨一、若ニ五音之變化一、濟ニ九成之妙曲一、此朱生得ニ玄珠於赤水一、謨ニ
神睿一以爲ニ言至一、夫組ニ織仁義一、琢ニ磨道德一、懽ニ其愉樂一、恤ニ其陵夷一、寄ニ通靈臺之下一、遺ニ
跡江湖之上、風雨急而輟ニ其音一、霜雪零而不レ渝ニ其色一、斯賢達之素交、歷ニ萬古一而一遇、逮ニ叔
世一人訛狙詐、飆起ニ溪谷一、不レ能レ蹤ニ其險一、鬼神無ニ以究ニ其變一、競ニ毛羽之輕一、趨ニ錐刀之
末一、於レ是素交盡、利交興、天下蚩蚩、鳥驚雷駭、然利交同レ源、派流則異、較言ニ其略一、有ニ五
術一焉、若下其寵ニ坊董石一、權ニ壓梁竇一、彫ニ刻百工一、鑪ニ錘萬物一、吐嗽興ニ雲雨一、呼噏下ニ霜露一、
九域聳ニ其風塵一、四海疊ニ其熏灼一、靡レ不レ望レ影、星奔藉響、川鶩鷄人始唱上レ鶴、蓋成ニ陰高門一、
旦開レ流水一接レ軫、皆願ニ摩レ頂至レ踵、隳レ膽抽レ腸、約同ニ要離一、焚ニ妻子一、誓下殉ニ荊卿一湛中七
族上、是曰ニ勢交一、其流一也、富埒ニ陶白一、貲巨ニ程羅一、山擅ニ銅陵一、家藏ニ金穴一、出ニ平原一而聯レ
騎、居ニ里閈一而鳴レ鐘、則有ニ窮巷之賓、繩樞之士一、冀ニ宵燭之末光一、邀《モトム》ニ潤レ屋之微澤一、魚貫鳧
踊、颯沓鱗萃、分ニ鴈鶩之稻粱一、霑ニ玉斝之餘瀝ニ、銜ニ恩遇一、進ニ款誠一、援ニ青松一以示レ心、指ニ
白水一而旌《シルス》レ信、是曰ニ賄交一其流二也、陸大夫宴ニ喜西都郭一、有ニ道人一倫ニ東國一、公卿貴ニ其籍一甚、

搢紳羨二其登仙一、加以二斂レ頤蹙一レ頞、涕レ唾流レ沫、騁二黄馬之劇談一、縱二碧雞之雄辯一、敍二溫燠一則寒谷成レ暄、論二嚴苦一則春叢零《オチ》レ葉、飛沉出二其顧一、指二榮辱一定二其一言一、於レ是有二弱冠王孫、綺紈公子一、道不レ挂二於通人一、聲未レ遒《オハラ》二於雲閣一、攀二其鱗翼一、丐《ミ》二其餘論一、附二駔驥之旄端一、軼二歸鴻於碣石一、是曰二談交一、其流三也、陽舒陰慘、生靈大情、憂合歡離、品物恆性、故魚以二泉涸一而呴レ沫、鳥因レ將レ死而鳴レ哀、同病相憐、綴二河上之悲曲一、恐懼寘懷、昭二谷風之盛典一、斯則斷レ金、由二於湫隘一、刎頸起二於苫蓋一、是以伍員濯二漑於宰嚭一、張王撫二翼於陳相一、是曰二窮交一、其流四也、馳騖之俗、澆薄之倫《タグヒ》、無レ不下操二權衡一、執中纖上纊衡、所三以揣《ハカル》二其輕重一、纊所三以屬《ツナグ》二其鼻息一、若衡不レ能レ擧、纊不レ能レ飛、雖二顏冉龍翰、鳳雛曾史一、蘭薰雪白、舒向二金玉一、淵海卿雲、黼二黻河漢一、視若二游塵一遇二同士一、梗莫レ肯レ費二其半菽一、罕有レ落二其一毛一、若衡重二錙銖《ヨリ》一、纊微二彯撇《ヨリ》一、雖二共工之蒐慝、驩兜之掩義、荊南之跋扈、東陵之巨猾一、皆爲二匍匐委蛇一、折レ支舐レ痔、金膏翠羽、將二其意脂一、韋二便辟一導二其誠一故輪蓋所レ游、必非二夷惠之室一、包苴所レ入、寔行二張霍之家一、謀而後動、芒豪寡《タカニス》レ忒、是曰二量交一、其流五也、凡斯五交、義同二賈鬻一、故桓譚譬二之於闤闠一、林回諭二之於甘醴一、夫寒暑遞進、盛衰相襲、或前榮而後悴、或始富而終貧、或初存而末亡、或古約而今泰、循環翻覆、迅若二波瀾一、此則徇レ利之情未三嘗異一、變化之道不レ得レ一、由レ是觀レ之、張陳所二以凶終一、蕭朱所二以隙末一、斷焉可レ知矣、而翟公方規、規然勸レ門以レ箴、客何所レ見之晩乎、然因二此五交一、是《ココニ》生二三釁一、敗レ德殄レ義、禽獸相若、一釁也、難レ固易レ攜、讐訟所レ聚、二釁也、名陷二饕餮一、貞介所レ羞、三釁也、古人知二三釁之爲一レ梗、懼二五交之速尤一、故王丹威子以二檟楚朱穆一昌、言而示レ絕、有レ旨哉、有レ旨哉、近世有二樂安任昉、海內髦傑、早綰銀黃一、夙昭二人譽一、遒文麗藻、方駕二曹王英時俊邁一、聯レ衡許郭、類二田文之愛一、客同二鄭莊之好一レ賢、見二一善一則盱レ衡扼レ腕、遇二一才一則揚レ眉抵レ掌、雌黃出二其脣吻一、朱紫由二其月旦一、於レ是冠蓋輻湊、衣裳雲合、輜軿擊轊、坐客恆滿、蹈二其閫閾一、若下升二闕里之堂一、入中其隩隅上、謂下登二龍門一之坂上、至三於顧盻、增二其倍價一、翦拂使二其長鳴一、彰二組雲臺一者摩レ肩、趨二走丹墀一者疊《カサヌ》レ跡、莫レ不下締レ恩狎結綢繆、想二慧莊之淸塵一、庶中羊左之徽烈上、及下瞑二目東粵一、歸中骸洛浦上、繐帳猶懸レ門、罕漬酒之彥墳、未下宿二草野一絕中動輪之賓上、藐爾諸《コレ》孤、朝不レ謀レ夕、流二離大海之南一、寄二命瘴癘之地一、自レ昔把レ臂之英、金蘭之友、曾無二羊舌下レ泣之仁一、寧慕二郈成分レ宅之德一、嗚呼世路嶮巇一、一至二於此一、太行孟門、豈云二嶃絕一、是以耿介之士、疾二其若一レ斯、裂レ裳裹レ足、棄二之長騖一、獨二立高山之頂一、懽與二麋鹿一同レ羣、皦々然絕二其雰濁一、誠恥レ之也、誠畏レ之也、』（南史五十九。巻第四頁）

故に古より道く『結交須レ結二英與一レ豪、莫レ結二區區兒女曹一』と。けだし英豪の結交は情は股肱に同じく、義は倒屣に合し一旦事ある時は太山輕く一擲鴻毛に等しきものあればである。之を「刎頸の交」といふのである。

げにや今の結交は、幾んど例外なく咸黄金を目標にして行はれてゐる。則ち黄金を重んじて人を重んじない。從つて貧者には門前の客はない。兇暴でも富饒なれば猶ほ羨むに足り、善良でも貧困なれば誰か哀れむものあらんや。唐の朱灣之を歎いて云く『閑庭只是長莓苔、三徑曾無二車馬來一……門前下客雖レ彈レ鋏寒食節之樂也溪畔窮魚且曝レ鰓、他日趨レ庭因問レ禮、須レ言三陋巷有二顏回一』と唐詩記事四十五卷一頁。それは猶ほ寺廢すれば僧の居る者少く、橋壞るれば客の過ぐる者稀に、水淺くなれば魚住み難く、林稀なるときは鳥捿まざるが如し。寔に悲しむべきである。曰く『寺廢僧居少、橋灘客過稀、家貧奴負レ主、官罷吏相欺、水淺魚難レ住、林稀鳥不レ捿、人情皆若レ此、徒堪二悲復凄一』と金瓶梅四八卷一頁。

いつたい、黃金多しと雖、盡くるの時有るも結交一たび成れば竭くるの期がない。この理は實に唐の高適が任華に贈る詩の中に躍如としてゐる。曰く『丈夫結交須レ結レ貧、貧者結交交始親、世人不レ解二結交一者、唯重二黃金一不レ重レ人、黃金雖レ多有二盡時一、結交一成無二竭期一、君不レ見管仲與二鮑叔一另眼相看、腹心相托至レ今留レ名名不レ移』と同上二十二卷三頁。何ぞ富貴に汲々たり貧賤に戚々たるに足らんや。

同樣に唐の崔膺もその作「感興」に於て、富貴は義を以て合し難く、困窮は恩を感じ易きものなることを道破して曰く、『富貴難二義合一、困窮易レ感レ恩、古來忠烈士、多出二貧賤門一、世上桃李樹、但結二繁華子一、白屋抱關人、青雲壯心死、本以二勢利一交、勢盡交情已、如何失レ情後、始歎二門易一執』と同上卷四十三第二十一頁表。

故に晏子曰く『衣は新に若くは莫いが、人は之に反し舊に若くは莫い』と。衣は親みを厭はず、人は舊を厭はない。交結も爾りであつて故ければ故い程親しみが存する。故に俚言に曰く『貧賤之交不レ可レ忘、糟糠之妻不レ下レ堂』と、今友道の何たるを說いた詩を擧ぐれば次の如し。曰く『朋友之交道若何、少年爲レ弟長爲レ哥、同レ行共レ席須二謙讓一、立レ志存レ心互切磨、終日群レ君譚二道義一、青春可レ惜莫二蹉跎一、休レ論三富貴與二貧賤一、同氣相求所レ益多』と天香五。卷四頁

かの家を見る狗は、主人の貧富に拘らず長へに相守り、而も老ひ來りて病を生じ、主人が殺を行ふときに於てすら尙ほ家を戀ひ慕ふの心腸止まず、主人に向つて吠え、或は頭を回らして主人の門を顧みるではないか。無義の人、豈狗に若かんや。則ち「狗病賦」に曰く、『狗病狗病因レ何苦、狗病只因レ爲二家主一、晝夜不レ眠防二賊來一、賊聞レ有レ狗不レ登レ戶、護二得主人金與一レ銀、護二得主人命與一レ身、等《マ》二待《ソ》老來狗一レ生レ病、却將《スナハチヒイテ》賣二與屠宰人一、狗見下賣二與屠人一宰《コロス》上、聲叫二主人一全不レ採、回レ頭又顧二主人門一、還《マタ》有二戀レ家心腸在一、嗚呼狗帶二皮毛一人帶レ血、狗行二仁義一人行レ殺、狗皮裡面有二人心一、人面獸心安可レ察、嗚呼世上人情不レ知レ狗、人情不レ似二狗情久一、人見二人貧

情漸疎、狗見二人貧一長相守、有レ錢莫レ交二無義人一、有レ飯只養二看レ家狗一』（同上三巻九頁）俗に「犬馬の情」といふは是を指す。

王充は、夫れ身を脩め行を正うすと雖、福を來すこと能はず、戰栗戒愼すと雖、禍を避くることと能はざる所以のものは郷里に「三累」有り、朝廷に「三害」有るが故だと曰ふ。則ち論衡一巻六頁に於て之を說いて曰く『夫郷里有二三累一、朝廷有二三害一、累生二於郷里一、害發二於朝廷一、古今才洪行淑之人、遇レ此多矣、何謂二三累三害一、凡人操行、不レ能レ愼レ擇レ友、友同レ心恩篤異レ心疎薄、疎薄怨恨、毀二傷其行一、一累也、人才高下、不レ能二鈞同一、同時並進、高者得レ榮、下者慙恚、毀二傷其行一、二累也、人之交遊、不レ能二常歡一、歡則相親、忿則疎遠、疎遠怨恨、毀二傷其行一、三累也、位少人衆、仕者爭進、進者爭レ位、見二將相毀一、增二加傳致一、將昧不明、然二納其言一、一害也、將吏異レ好、清濁殊レ操、清吏增二郁郁之白一、擧二涓涓之言一、濁吏懷二恚恨一、徐求二其過一、因二纖微之謗一、被以二罪罰一、二害也、將或幸二佐吏之身一、納二信其言一、佐吏非二清節一、必拔レ人越次、迕二失其意一、毀レ之過レ度、清正之仕、抗レ行伸レ志、遂爲レ所レ恨、毀二傷於將一、三害也、未レ進也身被二三累一、已レ用也身蒙二三害一、雖二孔丘墨翟一、不レ能二自免一、顏回曾參、不レ能レ全レ身也、動二百行一作二萬事一、嫉妬之人、隨而雲起、枳棘鉤二掛容體一、蠭蠆之黨、啄二螫懷操一、豈徒六哉』則ち人は未だ進まずして、郷里に在る間はまづ(1)意氣相投合せざる友に疎んぜられて怨恨せられ怨恨せらるれば其の行を毀傷する。(2)又夫れ味有るの物には蠱必ず生じ、才有るの人には讒言は必ず至る。故に才高き者の日に〳〵に榮え行くのを見れば才卑き者は之を毀傷し、(9)さらに(3)交遊に於ては常に圓滑に進むとは保し難く、時には些少の言語の食ひ違ひより忿恚を買ふことあるを免れず。忿恚すれば疎遠せられて怨恨せられ、其の行を毀傷するに至る。身「三累」を被る所以である。また已に用ひられて朝廷に在るときは(1)位階の爭奪よりして毀傷せられ(2)清吏は濁吏に害せられ(10)(3)人材登用の際、佐吏と清正の仕相拮抗し、これがため清正の仕が毀傷せられる。身「三害」を蒙る所以である。かくの如く何か事を作すと直ちに嫉妬の人が隨つて雲の如く起きて之を毀傷すれば孔丘、墨翟と雖、尙自ら免るゝこと能はず、顏囘、曾參と雖、身を全ふすることを得ぬのである。狐丘丈人又曰く『人有二三怨一、爵高者士妬レ之、官大者主怨レ之、祿厚者怨處レ之、故爵高志益下、官大心益小、祿厚施益博、是以免二三怨一』と淮南子「道應訓」第十五頁。

かくの如く忠義の道寢み、廉恥の節廢し退讓の風退き、毀譽の議興るは名位を貴尙するに由らざるは莫い。

孔子は人の極惡を大體五つに分けて說いて曰く『人有二惡者五一而盜竊不レ與レ焉、一曰必達而險、二曰行辟而堅、三曰言僞而辯、四曰記レ醜而博、五曰順レ非而澤心達而險、謂下心通二達於事一、而凶險上也、辟、讀曰レ僻、醜、謂二怪異之事一、澤、有二潤澤一也、此五者、有レ一二於人一則不レ得レ免二於君子之誅一云々』と善庵校閲「荀子箋解」卷二十「宥坐篇」一一二頁。是れ孔子が魯の攝相たりし時、朝を聽くこと七日にして少正卯を誅せし所以である。

げにや人心は測り難い。天地廣大と雖、尙且つ以て度る可きも獨り人心のみは量るべからず。又海底の魚は深しと雖、尙ほ以て釣る可く、天上の鳥は高しと雖、尙ほ以て射る可きも獨り人心のみは之を奈何ともすることができない。欣然として笑つてゐるかと想へば爾らず、笑ひの中には刀有つて潛かに人を殺す。笑なりや瞋なりやは測り難い。それは陰陽神變の測り難きよりもつとく測り難いものがある。之を工みに描寫したるは「天可度」の曲である。其の辭に曰く『天可度、地可量、唯有人心不可防、但見丹誠赤如血、誰知僞言巧似簧、勸君掩鼻君莫掩、使君夫婦爲參商、勸君掇蜂君莫掇、使君父子成豺狼、海底魚兮天上鳥、高可射兮深可釣、唯有人心相對時、咫尺之間不能料、君不見李義府之輩、笑欣欣笑中有刀潛殺人陰陽神變皆可測、不測人間笑是瞋』と樂府九九卷十一頁。

故に曹子建曰く、『夫遠不可知者天地、近不可知者人也人而咫尺、心隔千里傳曰知人則哲、堯猶病諸、諺曰人心不同若其面焉』曹子建集卷八第十五頁。故に人意に迎合するは難し。曰く『觸目不分皆笑拙、見機而作又疑奸、思量那件合人意、爲人難做做人難』と尚次項註參看。

是れ世に「知音」[11]や「知言」[12]に乏しき所以である。それは利の相違に非ずんば卽ち一寸した言語の齟齬に原由する。[13]之がために或は日に膝を接へて相知らず、或は世を異にして相慕ふ。諺に曰く『有ニ白頭如レ新、傾蓋如一レ故』と。則ち人相知らざれば才能を以て交りて白頭に到ると雖、猶ほ「新」の如し。之に反し道行いて相遇ひ車中にて對語し、兩蓋を以て相切すと雖、苟も心相同じく氣相似たれば則ち虎嘯いて谷風起り、龍躍つて景雲浮ぶが如く相應ずる。故に舊の如しといふ。夫れ同聲の相應ずるや、翼乎として鴻毛の順風に遇ふが如く、肝膽の相照すこと沛乎として巨魚の大海を縦にするが如し。同心も自ら相知る。故に意合すれば則ち胡越と雖、昆弟と爲る。(14・15・16) 由余と越人蒙是矣、合せざれば則ち骨肉と雖、出逐して収めず、朱象と管蔡是矣。故に曰く『結交在ニ相得一、何必骨肉親』と。が、青眼は逢ひ難い。それは旦暮の過にすぎぬ。故に一旦知己に逢ふや則ち魚の水に接するが如き歡びありて大に志伸び語に曰く「君子屈ニ於不ニ己知一、於己知ニ而伸ニ。之がために千金を費すことはもはや何の惜しむ所でない。千金何ぞ重んずるに足らん。存する所は意氣の間に在るからである。則ち徐謙の「短歌行」に曰く、『窮通皆是運、榮辱豈關レ身、不レ願ニ門前客一、看レ時逢ニ故人一、意氣青雲裏、爽朗烟霞外、不レ羨ニ一囊錢一、唯重ニ心襟會一』と樂府三十卷九頁いな、ただに千金の費を惜まぬところか、更に進んでは知己のために死せんことを欲する、固り其れ宜なる所である。故に曰く『馬逢ニ伯樂一而嘶士遇ニ知己一而死』と。又豫讓曰く『嗟呼士爲ニ知己一死、女爲レ説レ己者容《カタチソクル》』と、或は魏琳璃の歌に『士爲ニ知己一死、女爲ニ悅者一玩、恩義苟敷暢、他人焉能亂』と云ふ。所謂『親者割レ之不レ斷、疎者續レ之不レ堅』であつて殊に理有るのである。

尚、拙稿「人生苦と行路難」臺法。三十卷三號五十七頁以下參看、故に古自り『得意友來情不レ厭、知心人至話相投』とか『酒逢二知己一千鍾少、話不二投機一半句多』とか又は『人會二知己一話偏長』と云はれ來つたが良に以ありといはねばならない。

註(1)　人生の善惡如何に付ては古來樣々説が爲されてゐる。則ち荀子の「性惡説」あり、孟子の「性善説」あり、揚子の「善惡混合説」等あることは人の知る所である。その他、栒朴子は性善を説いて曰く『靈鳳振二響於朝陽一、未レ有二惡レ物之益一、而莫レ不三泛二聽於下風一焉、鴟梟宵集二於垣宇一、未レ有二分毫之損一、而莫レ不三掩レ耳而注二レ鏑焉、故善言之往、無二遠不一レ悦、惡辭之來、靡二近不一レ忤、猶下日月無レ謝二於貞明一、枉矢見中レ忘於暫出上一』外篇三十八卷九頁。この善性は但に人類に止まらず禽獸類にも存する。莊集卷五下三頁表に『商太宰蕩、問二仁於莊子一、莊子曰、虎狼仁也、曰何謂也、莊子曰、父子相親、何爲不レ仁』である。即ち仁とは親愛の迹である。之に立脚して見れば、夫の虎狼猛獸と雖も猶ほ父子相互間に親愛の情が往來して居り、而も之は教を須つてさうなつたものに非ず、實に大然より出でたるものであつて此乃ち眞の仁である。この意義に於て萬類は皆仁性を有するものといはねばならぬ。尤も莊子の眞意とする所は彼の「萬物一如觀」の立て前よりして人性の善惡たるものを認めず。それは完き虛無であると説く。而して後覺者は先覺者の所爲を學習して善となる。夫れ學習とは何ぞや。荊釵記卷上第三頁裏に曰く、『學之爲レ言效也、人性皆善、而覺有二先後一、後覺者必效二先覺之所爲一、乃可二以明一レ善、而復二其初一也、習鳥數《シバシバ》飛也、學レ之不レ已、如二鳥飛一也』と。然るに今の學ぶ者は、「博聞強記」又は「巧文麗辭」を以て工と爲して徒に其の言を榮華にすることを事とし、而して「聖」を以て是れは本と生れ乍らにして知り、學の至る可べき所に非ずとして聖に學ばうとしない。誤れるの甚しきといはねばならない。此の理を闡明したるは實に宋の程頤その人である。彼は「學レ聖法」を作つて後人を教ふる所があつた。その辭に曰く、『天地儲精、得二五行之秀一者爲レ人、其本也眞而靜、其未レ發也、五性具焉、曰仁義禮智信、形既生矣、外物觸二其形一、而動二其中一矣、其中動、而七情出焉、曰喜怒哀樂愛惡欲、情既熾而益蕩《ウゴク》、其性鑿矣是故覺者約二其情一、使レ合二於中正一、

其心養ニ其性一、愚者則不レ知レ制レ之、縱ニ其情一而至ニ於邪僻一、梏ニ其性一而亡レ之、」然學之道、必先明レ諸、心知レ所レ養、然後力行以求レ至、所謂自明而誠也、誠レ之之道、在ニ乎信レ道篤一、信レ道篤、則行レ之果、行レ之果、則守レ之固、仁義忠信、不レ離ニ乎心一、造次必於レ是、顛沛必於レ是、出處語默必於レ是、久而弗レ失、則居レ之安、動容周旋中レ禮、而邪僻之心、無ニ自生一矣、故顏子所レ事、則曰非レ禮勿レ視、非レ禮勿レ聽、非レ禮勿レ言、非レ禮勿レ動、仲尼稱レ之、則曰得ニ一善一、則拳拳服膺、而弗レ失レ之矣、又曰、不レ遷レ怒、不レ貳レ過、有ニ不善一、未ニ嘗不一レ知、知レ之未ニ嘗復行一、此其好レ之篤、學レ之得ニ其道一也、然聖人則不レ思而得、不レ勉而中、顏子則必思而後得、必勉而後中、其與ニ聖人一、相去一息、所レ未レ至者、守レ之也、非レ化レ之也、以ニ其好レ學之心一、假レ之以レ年、則不レ日而化矣、後人不レ達、以謂ニ聖本生知、非ニ學可一レ至、而爲レ學之道遂失、不レ求ニ諸己一、而求ニ諸外一、以ニ博聞强記巧文麗辭一爲レ工、榮ニ華其言一、鮮レ有下至ニ於道一者上、則今之學與ニ顏子一、所レ好異矣』と宋史四百二十七卷四頁。

告子は人性の初めは善惡の別なきこと猶ほ水の東西の分れなきが如しと云つた。則ち論衡卷三第十六頁に『告子與ニ孟子一同時、其論レ性無ニ善惡之分一、譬ニ之湍水一、決ニ之東一則東、決ニ之西一則西、夫水無レ分ニ於東西一、猶三人無ニレ分於善惡一也』とある。が、長大に及び善を習ひて善となり、惡を習ひて惡と爲る。孔子の所謂「性相近也、習相遠也」である。尤も之は徒だ「中人」を指すのみであつて極善極惡となればもはや推移すべからず。何者、極善極惡になると復た習に在らず。譬へば丹朱商均は已に唐虞の化に染めらるゝも然し丹朱は傲にして商均は虐なるが如し。孔子の所謂「上智と下愚は移すべからず」である。かくの如く人は交はる友によりて善惡を決する。故に荀子曰く、『蓬生ニ麻中一、不レ扶而直、蘭槐之根是爲レ芷、其漸ニ之滫一、君子不レ近、庶人不レ服、其質非レ不レ美也、所レ漸者然也蘭槐、香草、其根是爲レ芷也、漸、漬也、染也、滫、溺也、言雖ニ香草一、浸ニ漬於溺中一、則可レ惡也故君子居必擇レ鄕、遊必就レ士、所下以防ニ邪僻一而近中中正上也』と荀子箋釋卷一「勸學編」三頁

宋の顏延之は之をその作「庭誥」に於て說いて曰く『習之所レ變亦大矣、豈唯蒸性染レ身、乃將移レ智易レ慮、故曰、與ニ善人一居、如レ入ニ芝蘭之室一、久而不レ聞ニ其芬一、與レ之化矣、與ニ不善人一居、如レ入ニ鮑魚之肆一、久而不レ知ニ其臭一、與レ之變矣、是以古人愼レ所ニ與處一、唯夫金眞玉粹者、乃能盡而不レ汚爾、故曰丹可レ滅、而不レ能レ使レ無レ赤、石可レ毀而不レ能レ

使レ無レ堅、騙石之性、有二堅香之驗一故苟無二丹石之性一、必愼二浸染之由一云云』と宋書七十三卷七頁。實に善人と語れば自ら化せられて芬芳となり、不善人と語れば火の膏を銷すが如く、覺えずして盡くるのである。更に曰く『與二邪佞人一交、如三雪入二墨池一、雖二融爲一レ水、其色愈汚、與二端方人一處、如三炭入二薰爐一、雖二化爲一レ灰、其香不レ滅』と國色天香四卷三十六頁。

尙ほ孔子は益友に三有り、損友に三有りとして曰く、『益者三友、損者三友、友レ直、友レ諒、友二多聞一、益矣、友二便辟一、友二善柔一、友二便佞一、損矣、友レ直、則聞二其過一、友レ諒、則進二於誠一、友二多聞一、則進二於明一、便、習熟也、便辟、謂下習二於威儀一而不上レ直、善柔、謂下工二於媚說一而不上レ諒、便佞、謂下習二於口語一而無中見聞之實上、三者損益、正相反也』と論語卷八。天子より以て庶人に至る。未だ友に須たずして以て成る者はなく、其の損益は是の如き者がある。故に曰く『無レ友二不レ如レ己一者』と同卷一第二頁尙この點に付ては本註末尾子張の說を併せて參看のこと。けだし己に如かざれば益なくして損あるからである。

而して益友損友の識別法については『必須レ察二其言一、觀二其色一、試二其心一約二其信一、語二其道一、論二其志一、方可三與言二交誼之道一也』天香四卷三十六頁。

夫子はその樂しむ所を見れば判然すると云ふ。曰く、『益者三樂、損者三樂、樂レ節二禮樂一、樂レ道二人之善一、樂レ多二賢友一、益矣、樂二驕樂一、樂二佚遊一、樂二宴樂一損矣、節謂レ辨二其制度聲容之節一、驕樂則侈肆而不レ知レ節、佚遊、則惰慢而惡レ聞レ善、宴樂則淫溺而狎二小人一、三者損益、亦相反也』と同上。

夫れ人は善を爲す者は君子と爲り、惡を爲す者は小人と爲るのであるが事善を爲すと雖、意の從ひ來る所の者は未だ必ずしも善たらざる者があり、又從ひ來る所善なりと雖、心の樂しむ所の者善ならざるものがある。故にその爲す所、その由る所、其の樂しむ所を觀察すればその人と爲りが判るのである。則ち曰く、『視二其所一レ以以、爲、也、觀二其所一レ由觀比視爲レ詳、矣由從也察二其所一レ安察則又加レ詳也、安所レ樂也人焉廋哉、人焉廋哉焉何也、廋匿也、重言以深明レ之』と宋熹集註論語。卷一第六頁

更に昔の聖王に從へば人の情僞、貪鄙、美惡の性を知る途としては内外の二つが有る。則ち(一)は「六戚四隱」の法則を用ひて其の内を觀、(二)は「八觀六驗」の法則を用ひて其の外を觀るのである。何を「六戚四隱」、「八觀六驗」と云ふ。則ち高誘訓解「呂氏春秋」卷三第九頁に曰く、『凡論レ人通則觀二其所一レ禮通達也、孟子曰、達則兼二善天下一故觀三其所二賓禮一貴則觀二其所一レ進進薦也堯薦レ舜、舜薦レ禹、傳曰、善進レ善、不善蔑由至矣、不善進二不善一、善亦蔑由至矣、故曰、觀二其所一レ進也、富則觀二其所一レ養、聽則觀二其所一レ行養則善レ賢也、行則行レ仁也、故觀レ之也、止則觀二其所一レ好、習則觀二其所一レ言好則好レ義、言則言レ道、窮則觀二其所一レ不レ受、賤則觀二其所一レ不レ爲不レ受レ非二其類一、不レ爲二諂諛一也、喜レ之以驗二其守一守淸、守也、

樂レ之以驗ニ其僻一邪僻、怒レ之以驗ニ其節一性節、懼レ之以驗ニ其特一特獨也、獨不レ恐、哀レ之以驗ニ其人一人可レ哀不レ忍レ之也、苦レ之以驗ニ其志一鑽レ堅攻レ難、不レ成不レ止、故曰以驗ニ其志一也八觀六驗、此賢主之所ニ以論一レ人也論猶ニ論量一也、論レ人者又必以ニ六戚四隱一六戚六親也、四隱相隱而揚レ長蔽レ短何謂ニ六戚一、父母兄弟妻子、何謂ニ四隱一、交友故舊邑里門郭、內則用ニ六戚四隱一、外則用ニ八觀六驗一、人之情僞貪鄙美惡、無レ所レ失矣、言ニ盡知一レ之、譬レ之若レ逃ニ雨汙一、無ニ之而非一レ是皆是雨也、此先聖王之所ニ以知一レ人也ニと。

李克は次の如く說く。『夫觀レ士也、居則視ニ其所一レ親、富則視ニ其所一レ與、達則視ニ其所一レ擧、窮則視ニ其所一レ不レ爲、貧則視ニ其所一レ不レ取、此五者足ニ以觀一矣』と韓詩外傳卷三第八頁。

又孟に從へば人の心神の邪正を鑑定する最上の方法としては其の人の言を聽き、其の人の眸子《ヒトミ》を觀るに若くものはない。蓋し、人と物と接するの時は其の神は目に在れば也。故に胸中正なれば則ち神は精にして明、不正なれば則ち神散つて昏い。又言は心の發する所なれば此を併せて以て觀れば則ち人の邪正は匿くすことができぬ。曰く、孟子曰、存ニ乎人一者、莫レ良ニ於眸子一、眸子不レ能レ掩ニ其惡一、胸中正則眸子瞭焉、胸中不正、則眸子眊焉良善也、眸子目瞳子也、瞭明也、眊蒙蒙目不明之貌也、聽ニ其言一也、觀ニ其眸子一人焉廋哉廋匿也、然言猶可ニ以僞爲一、眸子則有ニ不レ容レ僞者一』と朱註孟子卷四第六頁。

かくの如く益友損友を辯別して益友は交はるべく損友は遠ざくべきであるが併し子張は右益友損友の別を設くることなく、齊しく之を容れて交はるべきだと說く。則ち、朱註「論語」卷十「子張編」第一頁表に曰く、『子夏之門人、問ニ交於子張一、子張曰、子夏云レ何、對曰、子夏曰、可者與レ之、其不可者拒レ之、子張曰、異ニ乎吾所一レ聞、君子尊レ賢而容レ衆、嘉レ善而矜ニ不能一劉幷州曰く「和氏之璧不ミ獨耀ニ於郢握一夜光之珠、何專玩ニ於我之大賢與、於レ人何所レ不レ容、我之不賢與、隋掌一天下之寶、固當下與ニ天下一共上レ之』と。この事ならん。人將レ拒レ我、如レ之何其拒レ人也』と。が、この「容衆の精神」は決して夫子の非とする所ではない。いな寧ろ之をモットーとして居られるのである。

孔子家語に『楚王出遊、亡ニ烏號之弓一、左右請レ求レ之、王曰止、楚人失レ弓楚人得レ之、又何求也。孔子聞レ之曰惜乎其不一レ大也、不レ曰ニ人遺レ弓人得一レ之而已、何必楚也。成語考卷之上第五十五頁表註。とある如くである。陶靖節も「落レ地爲ニ兄弟一何必骨肉親一と云ふ。又諺にも「花開不ㇾ擇二貧家地一、月照二山河一到處明」とある。且つ又、人を愛すれば人亦た從つて己を愛し、人を利すれば人亦た必ず從つて己を利する。故に人の國を視ること其の國を視るが若く、人の家を視ること其の家を視るが如く、人の身を視ること其の身を見るが如く人々が兼ね相ひ愛し、交も相ひ利するやうになれば、諸侯は相愛して野戰せず、家主は相ひ愛して相ひ簒はず、人と人とは相ひ愛して相ひ賊はず、君臣は相ひ愛して惠忠となり、父子は相ひ愛して慈孝となり、兄弟は相ひ愛して和調し、天下の人は相ひ愛して強は弱を執へず、衆は寡を劫さず、富は貧を侮らず、貴は賤に敖らず、詐は愚を欺かぬ。是れ則ち天下の利を興して天下の害を除き去る所以にして仁人の正に事と爲す所である墨子「兼愛」第十五參照。然るに夫子は「無ㇾ友二不ㇾ知ㇾ己者一」と仰せられたのであるが、之は何が故だらうか。それは萬やむを得ぬ所があるからである。則ち例へば「大逆罪」の如きは亦た當に絶つべき所なればである。故に子張の言ふ所は勿論子夏の言迫狹のため之を譏つたものであらうが、併し亦高に過ぐるの弊あるを免れない。學ぶ者は夫れ之を察せねばならない。

最後に性に付明の馬理は性即理、理即性の説を唱えて如上の諸説の不備偏頗を難ずる所があつた。則ち人と物は何れも天地の理を具えてゐるのであるが、但だ人は其の全を得て物は其の偏を得といふ違ひがあるにすぎない。則ち彼は「性論」を作つて之を論じて曰く、「天地者、陰陽五行之本體也、故理無ㇾ不ㇾ具、人物之性、皆出二於天地一、然而人得二其全一物得二其偏一。又曰、古聖賢論ㇾ性有ㇾ二、其一、性與ㇾ情對言、此是性之本義、直指二此理一而言二其一一、性與ㇾ習對言、但取二生字一爲ㇾ義、非三性之所二以得一ㇾ名、蓋曰、天所ㇾ生爲ㇾ性、人所ㇾ爲曰ㇾ習耳、先儒因二性相近一語一、遂謂下性兼二氣質一而言上、不ㇾ知人性上下、不ㇾ可ㇾ添二一物一、纔著二氣質一便不ㇾ得ㇾ謂二之性一矣、荀子論二性惡一、楊子論二性善惡混一、韓子論三性有二三品一、衆言淆亂、必折二之聖一、若謂二夫子性相近一言一、正論三性之所二以得一ㇾ名、則前後説皆不ㇾ謬二於聖人一、而孟子道二性善一、反爲二一偏之論一矣、孟子見ㇾ之分明、故言ㇾ之直捷、但未ㇾ言三性爲二何物一、故荀楊韓諸儒、得下以二其説一亂上ㇾ之、伊川一言以斷ㇾ之曰、性即理也、則諸説皆不ㇾ攻自破矣と 明史二百八十二巻十二頁。

（註2）「詐」は「智」に非ず。笠翁乃ち兩者の相違點を次の如く擧げる。

『今世所ㇾ尙者詐也、非ㇾ智也、智由ㇾ性出、詐以ㇾ習成、詐能庇ㇾ身、而亦能殺ㇾ身、智能善ㇾ世、而其利又不ㇾ止二于善一ㇾ世、

智不レ可レ無、詐不レ可レ有、苟非三熟二讀聖經賢傳。暨二代以下、二十一朝之載籍一、烏知二後世之聰明、皆前人所謂殺レ身之具一哉』笠翁文集一。巻二五頁 而してこの「詐」は、特に兵法に於て甚しい。その格言に曰く「兵不レ厭レ詐」と。則ち軍略上に於ては止だ戰捷を期しさえすれば足るのである。故に「詐」が幾何あつても厭はない。多多益々辨ずである。かの周瑜が僅か五、六萬の寡兵を以て曹操の八十三萬の衆兵を破らんがために案出した世人周知の所謂「苦肉計」の如き是れである。則ち東呉ニ世の舊臣黃蓋を犧牲に供して故《コトサラ》に彼を俊烈なる笞刑に處し仍て以て彼をして操に虛詐の投降を爲さしめたのである。その降書に曰く「蓋受二孫氏厚恩一、本不レ當レ懷二二心一、然以二今日事勢一論レ之、用二江東六郡之卒一、當二中國百萬之師一、衆寡不レ敵、海內所二共見一也、東吳將吏、無レ論二智愚一、皆知二其不可一、周瑜小子、褊懷二淺戇一、自二負其能一、輒欲二以レ卵敵一レ石、兼之擅作二威福一、無レ罪受レ刑、有レ功不レ賞、蓋係《コレ》舊臣、無レ端爲レ所二摧辱一、心實恨レ之、伏聞丞相、誠心待レ物、虛懷納レ士、蓋願率レ衆歸降、以圖二建レ功雪一レ恥、糧草軍仗、隨レ船獻納、泣血拜白、萬勿二見疑一云々」と巻七第三十九頁。而して闞澤はこの降書を携へて星夜漁翁に扮作し、小舟に駕して北岸を望んで行つた。

夫れ人は理に服するものなれば、之を誑くに理の有る所を以てすれば則ち信せられ、之を昧くするに理の無き所を以てすれば則ち疑はれる。黃蓋が曹操を欺きたる如き是であるが、この外に校人が鄭の子產を誑きし如き亦た是れである。則ち朱熹集註「孟子」巻五萬章編第二頁裏に「昔者有レ饋二生魚於鄭子產一子產使三校人 小吏 主二池沼一 畜二之池一、校人烹レ之、反命曰、始舍レ之、圉圉焉 困而未レ舒之貌 少則洋洋焉 稍縱也 攸然而逝、子產曰、得二其所一哉、得二其所一哉、校人出、曰、孰謂二子產智一、予既烹而食レ之、曰、得二其所一哉、得二其所一哉」とある。

（註3） いつたい人の居する所は「容レ膝」に過ぎず、食する所は「適レ口」に過ぎぬ。墨子も其の節約主義よりして、宮室は以て生を便ずれば足り、輪奐の美は之を必要とせず、又衣服帶履は以て身を便にすれば足り、養澤は之を必要とせぬ。又食は腹加減に叶へば足り、嘉肴甘旨を要せぬ。然らば財用は得て足る可きだと說いた。則ち墨子「辭過」第六に曰く、『…是故聖王作二爲宮室一、便二於生一、不三以爲二觀樂一也、作二爲衣服帶履一、便二於身一、不三以爲二辟怪一也、……其爲レ食也、足二以增レ氣充レ虛、彊レ體適一レ腹而已矣云々』と。

翻つて考ふるに財は人を誤まる。則ち賢にして財多ければ則ち其の智を損ひ、愚にして財多ければ則ち其の過を益す。且つ富は衆の怨である。是れ疏廣が日に酒を置き族人故舊を招請して財を散じ以て子孫を累はらざりし所以である。彼のこの擧は(1)看透し得ること是れ智也(2)做し出づるを得ること是れ勇也(2)財を以て子孫を累らざること是れ仁也なれば一擧にして三德備はるといふべきである。則ち笠翁別集卷之九第六十四頁に『疏廣疏受既歸㆓鄕里㆒、日置㆑酒請㆓族人故舊㆒、有㆚勸㆘㆑廣爲㆓子孫㆒立㆖㆑產者㆙、廣曰、賢而多㆑財、則損㆓其智㆒、愚而多㆑財、則益㆓其過㆒、且富者衆之怨也、吾既無㆔以敎㆓化子孫㆒、不㆑欲㆘益㆓其過㆒而生㆖㆑怨』とある。之に對し、笠翁曰く『二疏之所㆑難、不㆑在㆑請㆑老、而在㆔不㆑以㆑財累㆓子孫㆒、蓋既曰、請㆑老必非、年富力强之時、人當㆓日暮途窮㆒、蓋有㆓投㆑林望㆑宿之念㆒、若自己功名告㆑止、正欲㆘以㆓富貴㆒望㆗其子孫㆖、貴則有㆑待㆓于天㆒、其富與不富、則爲㆑祖爲㆑父者、可㆔以操㆓其權㆒也、孔子曰、及㆓其老㆒也、戒之在㆑得、正慮㆘其爲㆓子孫㆒謀㆖耳、二疏不㆘爲㆓後代㆒作㆗馬牛㆖、且欲㆓爲㆑之去㆒㆑累、此則千古一人、以㆓其看得㆑透、而又做得㆒㆑出耳、然而紈袴之子、多有㆓不㆑能㆑振㆑拔者㆒、皆以㆓驕奢淫慾㆒、故慮㆓其驕奢㆒、而予以㆓褰儉㆒、則人人自奮、而爲㆓致㆑身立㆑名之事㆒矣、吾謂㆔二疏之散㆑財、非㆔果欲㆒㆑去㆑累、乃眞能以㆓富貴㆒望㆓子孫㆒者也』と。

故に曾子は臨終に際し乃ち遺言して子弟を戒める所があつた。その宗とする所は利を以て身を害せざれば則ち恥辱遠かるといふに在る。則ち說苑十卷六頁に『曾子有㆑疾、曾元抱㆑首、曾華抱㆑足、曾子曰、吾無㆓顏氏之才㆒、何以告㆑汝、雖㆓無能㆒君子務㆑益、夫華多實少者。天也、言多行少者人也、夫飛鳥以㆑山爲㆑卑、而層㆓巢其巓㆒、魚鼈以㆑淵爲㆑淺、而穿㆓穴其中㆒然所㆓以得㆒者餌也、君子苟能無㆔以㆑利害㆒㆑身、則辱安從至乎、官怠㆓於宦成㆒、病加㆓於小愈㆒、禍生㆓於懈惰㆒、孝衰㆓於妻子㆒、察㆓此四者㆒、愼㆑終如㆑始云々』と。

且又貧は士の常、賤は道の實である。故に眞の富貴は「德」に在つて「位」や「財」に在らず。天爵は印綬よりも貴い。是れ抱朴子の力說する所である。曰く、『立㆑德踐㆑言、行全操淸、斯則富矣、何必玉帛之崇乎、高㆓尙其志㆒、不㆑降不㆑辱、斯則貴矣、何必靑紫之兼拕也、俗民不㆑能㆑識㆓其度量㆒、庸夫不㆑得㆑揣㆓其銓衡㆒、是則高矣、何必凌㆑雲而蹈㆑霄乎、問者莫㆔或測㆓其淵流一、求者未レ有レ覺ニ其短乏一、是則深矣、何必洞レ河而淪レ海乎、四海苟備、雖ニ室有ニ懸磬之寠一、可ニ以無一レ羨乎、鑠レ山而煮レ海矣、身處ニ鳥獸之群一、可ニ以不一レ渴乎、朱輪而華轂矣』、と抱朴子三九卷一頁 又外篇卷二第五、六頁に於て曰く

『善卷無ニ治民之功一、未レ可三謂ニ之滅ニ於俗吏一、仲尼無ニ攻伐之勛一、不レ可三以爲ニレ不レ及於韓白一矣『中略』桀紂帝王也、仲尼陪臣也、今見レ比ニ於桀紂、則莫レ不レ怒焉、見レ擬ニ於仲尼一、則莫レ不レ悅焉、爾則貴賤果不レ在レ位也、……夫匹庶而鈎稱ニ於王一者、儒生高極ニ乎唐虞一者 宰予謂孔子賢ニ於堯舜一遠上矣 德而已矣、何必官哉』と。則ち紂は無道を爲して「獨夫」と稱せられ、仲尼は陪臣なるも謂つて「素王」と爲す。則ち君子は德に在つて富貴に在らざるを知るのである。而して德を得る者は貴くしてそは黃鉞の威を待たず、德を體する者は富んでそれは得難きの貨を須たない。天爵(德)が印綬より貴きが爲めである。故に德を缺如せる小人が冕を軒けて榮達すと雖重んずるに足らない。之に反し德を盛る君子が褐を被して窮すと雖輕んずべからず。それは恰も鋸牙の獸は低伏すと雖憚かれ、運斧の蟲は跧形すと雖威ならずと一般である 枸朴子外篇卷三八第九頁 從つて君子が俗に黨せず、淸波を揚げて以て濁流を激し、勁矢を執つて以て群枉を厲するは隱退すること當に容られざると富貴を得ざるべしに過ぎず、天爵苟も吾が體に存すれば此を以て獨立して榮達せざるも何ぞ苦しまん何ぞ恨まん乎 同上卷二十七第四頁。

是を以て理國上、道義は治の本であつて印綬寵祿は治の末である。魏書卷二第八頁に於てこの理を次の如く說明してゐる。

『將ニ委レ任責一レ成、非レ虛ニ寵祿一也、而今世俗、僉《ミナ》以ニ台輔一爲ニ榮貴一、企慕而求レ之、夫此職司、在ニ人主之所一レ任耳、用之則重、捨之則輕、然則官無ニ常名一、而任有ニ定分一、是則所レ貴者至矣、何取ニ於鼎司之虛稱一也、夫桀紂之南面、雖レ高而可レ薄《セマル》、姬旦之爲レ下、雖レ卑而可レ尊、一官可ニ以效一智』、華門可ニ以垂一レ範、苟以ニ道德一爲レ實、賢ニ於覆餗蕃家一矣、故量レ己者、令ニ終而義全一、昧レ利者、身陷而名レ滅、利之與レ名、毀譽之疵競、道之與レ德、神識之家寶、是故道義治之本、名爵治之末、名不レ本ニ於道、不レ可ニ以爲一レ宜、爵無レ補ニ於時一、不レ可ニ以爲一レ用、用而不レ禁、爲病深矣、能通ニ其變、不レ失ニ其正一者、其惟聖人乎、來者誠思ニ成敗之理一、察ニ治亂之由一、鑒ニ殷周之失一、革ニ秦漢之弊一、則幾於治矣』

註(4) 夫れ庸人なら能く花言巧語を以て欺き易きも奸雄や英雄は則ち爾らず。故に奸雄に說くの法は皆當に「順」を用ふ

べからずして當に「逆」を用ふべきである。英雄の自負する所の者は「義」のみ。嚴氣正色に動くのみである。故に宜しく義を以て之を激すべきである。兵法に曰く「請レ將不レ如レ激レ將」と。是れ實に張遼（曹操の勇將）が關公の降を說いて成功した所以にして妙は其の輕々しく死するの義に非ざることを責むるに在る。若し遼をして甘言卑詞に出でしめんか則ち公の拒むや愈々峻烈なるに相異がない。則ち三國誌演義卷五第二頁裏に「關公迎謂曰、文遠欲二來相敵一耶、遼曰、非也、想二故人舊日之情一、特來相見、遂棄レ刀下レ馬、與二關公一敍レ禮畢、坐二於山頂一、公曰、文遠莫レ非レ說二關某一乎、遼曰、不レ然、昔日蒙二兄救一レ弟、今日弟安得レ不レ救レ兄（又將二白門樓事一提）、公曰、然則文遠將欲レ助レ我乎、遼曰、亦非也、公曰、既不レ助レ我、來レ此何幹《ツヤ》、遼曰、玄德不レ知二存亡一、翼德未レ知二生死一、昨夜曹公已破二下邳一、軍民盡無二傷害一、差《セシム》二人護二衞玄德家眷一、不レ許二驚擾一（先言二二嫂無一レ恙、以安二其心一）、如レ此相待（劉備與二董承一同謀、而曹操於二董貴妃一則殺レ之、獨至二甘糜二夫人一、不二惟不一レ殺、又加レ禮焉何也、曰、此非下愛二玄德一、而獨能忘中其讐上、乃愛二關公一、而以レ此結二其心一也、故凡操之不レ殺二甘糜一者、爲二關公一也）弟特來報レ兄、關公怒曰、此言特說レ我乎（不二是敵一、不二是助一、竟是說也）吾今雖レ處二絕地一、視レ死如レ歸、汝當二速去一、吾卽下レ山迎戰（凛凛數語、至レ今讀レ之、鬚眉欲レ動）張遼大笑曰、此言豈不レ爲二天下笑一乎、公曰、吾仗二忠義一而死、安得レ爲二天下笑一、遼曰、兄今卽死、其罪有レ三、公曰、汝且《シバラク》說二我那《カノ》三罪一、遼曰、當初劉使君與レ兄結レ義之時、誓レ同二生死一、今使君方敗、而兄卽死戰、倘使君復出、欲レ求二兄相助一而不レ可レ得、豈不レ負二當年之盟誓一乎、其罪一也、劉使君以二家眷一付二託於兄一、兄今死戰、二夫人無レ所二倚賴一、負二却使君付託之重一、其罪二也（是公死而使二二夫人亦死一、是公有レ憾二於死一、倘公死而二夫人或未二必能死一、則公益有レ憾二於死一）、兄武藝超レ羣、兼二通經史一、不レ思下共二使君一匡中扶漢室上、徒欲三赴レ湯蹈レ火、以成二匹夫之勇一、安得レ爲レ義、其罪三也（關公心存二漢室一、遼卽以二漢室二字一動レ之、關公以レ死爲レ義、乃遼偏說レ不二是義一妙）、兄有二此三罪一、弟不レ得レ不レ告、公沉吟曰、汝說三我有二三罪一、欲二我如何一、遼曰、今四面皆曹公之兵、兄若不レ降必死、徒死無レ益、不レ若下且降二曹公一、却《スナハチ》打二聽劉使君音信一、如《モシ》在二何處一、卽往投上レ之（此二句方刺二入關公耳中一）、一者可三以保二二夫人一、二者不レ背二桃園之約一、三者可レ留二有用之身一、有二此三便一、兄宜レ詳レ之、公曰、兄言二三便一、吾有二三約一、若丞相能從、我卽當レ卸レ甲、如其不レ允、吾寧受二三罪一而死（遼因二三罪一說二出三便一）公又因二三便一、遼曰、丞相寬洪大量、何所レ不レ容、願聞二一事一、公曰、一者吾與二皇叔一設レ誓、共扶二漢室一、吾今只降二漢帝一、不レ降二曹操一、辨二君臣之分一二者二嫂處三請給二皇叔献帝之叔即劉備也俸祿養贍一、一應二上下人等、皆不一レ許レ到レ門、嚴二男女之義一三者但知二劉皇叔去向一、不レ管二千里萬里一、便當二辭去一明二兄弟之義一三者缺レ一、斷不レ肯レ降云々」とある。則ち張遼は關公の最も重んずる桃園結義の誓と二嫂付託の重責と漢室匡扶の大任を巧みに攖んで懇々と說き去り說き來つて竟にさすが義にもゆる意氣剛毅なる關公の降を說くことに成功したのである勿論一時的の假の降とは云へ。倘ほ貂蟬が暫く呂布を引き留むるを得た亦た「逆」を用ひたるがためである。則ち布の自負する「勇」を以て之を激したのである。則ち同巻二第二十一頁に「布曰、我今偸レ空而來、恐老賊董卓見レ疑、必當二速去一、貂蟬牽二其衣一曰、君如レ此懼二怕老賊一、妾身無下見二天日一之期上、布立住曰、容三我徐圖二良策一謀二殺董卓一之策也、說能提レ戟欲レ去、貂蟬曰、妾在二深閨一、聞二將軍之名一、如二雷灌一レ耳、以爲當世一人而已、誰想反受二他人之制一乎、言訖淚下如レ雨、布羞慚滿面、重復倚レ戟云々」とある。その他王允が呂布にその義父董卓に對する殺意を促進して愈々之を堅牢ならしめたるに成功したる、亦た之がためにあらざるは莫い。この間の曲折の妙を得たる所は實に吾人の稱讃に値ひするものがある。則ち同第三巻第二頁に卓が蟬と同じく快樂を受けんが爲め相府を離れて塢に歸らんとする所を布が見るや、嘆息痛恨措く能はず、允乃ち故に意を知らぬ振りを裝ふて問て曰く、「溫侯何ぞ太師に從ひて去《ユ》かずして乃ち此に在つて遙望して嘆を發するや」と。「老夫は日來微恙に染かるに因り門を閉ぢて出てず、故に久しく未だ得て將軍に一見せず。今日太師郿塢に駕して歸る。只た病を扶けて出て送るを得たり却《スナハ》ち將軍に晤《ア》ふを得るを喜ぶ。請問せん將軍は何が爲め此に在つて長嘆せるや」。布曰く「正に公が女の爲めのみ」と允佯はり驚いて曰く「許《ヤヤ》、多時にして倘ほ未だ將軍に與へずや惟た疾に託して門を閉づ。方に此の句を掩ひ飾るを得たり。然ずんば王允豈知らざるの理有らんやと。布曰く「老賊自ら寵幸すること久矣。」と。允佯り驚いて曰く「此事有るを信せず」と。かくて布の話を一々聞いた後、允曰く「不レ意太師作二此禽獸之行一……、太師淫二吾之女一奪二將軍之妻一、誠爲二天下恥笑一、非レ笑二太師一、笑三允與二將軍一耳、然允老邁無能之輩、不レ足レ爲レ道、可レ惜將軍蓋世英雄、亦受二此汚辱一也、」と。布怒氣天に冲し、案を拍《ウ》つて大に叫ぶ。允急いで曰く「老夫失語、將軍息レ怒」と。布曰く「誓レ當下殺二此老賊一、以雪三吾恥上」と。允急いで其の口を掩ふて曰く「將軍勿レ言、恐累及二老夫一不下用二順口一攛掇上、却用二反言一激レ惱」と。布曰く、「大丈夫生居二天地間一、豈能鬱鬱久居二人下二」と。允曰く「以二將軍之才一、誠非三董太師所二レ可限制一（此處王允却用二順口一擷掇）」と。布曰く。「吾欲レ殺二此老賊一奈是父子之情、恐惹二後人議論一（此處呂布用二反言一却跌頓）」と。允微笑して曰く「將軍自姓レ呂、太師自姓レ董、擲レ戟之時、豈有二父子情一耶（擷掇之中、又以三擲戟二字一激二惱他一）」と。布奮然として曰く「非二司徒言一、布幾自誤」と。允其の意已に決せるを見て便ち之に說いて曰く「將軍若扶二漢室一、乃忠臣也、靑史傳レ名、流二芳百世一、將軍若助二董卓一、乃反臣也、載二之史筆一、遺二臭萬年一」と。布席を避けて下拜して曰く「布意已決、司徒勿レ疑」と。允曰く『但恐三事或不レ成、反招二大禍一』と。布帶刀を拔き、臂を刺し血を出して誓と爲す。允跪き謝して曰く「漢祀不レ斬、皆出二將軍之賜一也」と。則ち王允は其の奮怒に當つては反つて口を掩ふて之を止め、其の遲疑するに及んでは則ち正言を以て之を動かし、其の返答を待つては又反言を以て之を決せしめた。凡そ三番の曲折を用ひしは豈妙を得る處に非ずや。

更に奸雄の自負する所は智耳。故に須く智を以て之を動かすべきである。是れ洵に闞澤が曹操に說いて卒に能く死から免れ操をして黃蓋と己を納めしむることに成功した所以にして妙は其の事を料るの不明なるを笑ふに在る。所謂「逆」を用ひて「順」を用ひざる者である。若し澤をして地に伏して乞を陳べしめんか則ち澤の死は愈々速かになるであらう。則ち同巻七第四十頁に「曹操於二几案上一翻覆、將看レ書了十餘次、忽然拍レ案張レ目大怒曰、黃蓋用二苦肉計一、令三汝下二詐降書一、就レ中取レ事、却來敢戲二侮我一耶、便教二左右推出斬一レ之、左右將二闞澤一簇下、澤面不レ改レ容、仰レ天大笑、操教《セシム》二牽回一、叱曰、吾已識二破奸計一、汝何故哂笑、澤曰、吾不レ笑レ你、吾笑二黃公覆不一レ識レ人耳、操曰、何不レ識レ人、澤曰、殺便殺、何必多問、操曰、吾自レ幼熟二讀兵書一、深知二奸僞之道一、汝這條計、只好レ瞞二別人一、如何瞞二得我一、澤曰、你且說二書中那件事是奸計一、操曰、我說二出你那破綻一、教二你死而無一レ怨、你既是眞心獻レ書投降、如何不三明約二幾時一如今你有二何理說一、闞澤聽罷大笑曰、虧三汝不二惶恐一、敢自誇三熟二讀兵書一、還不レ及二早收レ兵回去一、倘若交戰、必被二周瑜擒一矣、無學之輩、可レ惜三吾屈二死汝手一、操曰、何謂二我無學一、澤曰、汝不レ識二機謀一、不レ明二道理一、豈非二無學一、操曰、你且說三我那幾般不二是處一、澤曰、汝無二待レ賢之禮一、吾何必言、但有レ死而已、操曰、汝若說得レ有レ理、我自然敬服、澤曰、豈不レ聞二背レ主作レ竊、不レ可レ定レ期、倘今約二定日期一、急切下不レ得レ手、這裏反來接應、事必泄漏、但可二覰レ便而行一、豈可二預期相訂一乎、汝不一明二此理一、欲三屈二殺好人一、眞無學之輩也、操聞レ言、改レ容下レ席而謝曰、某《ワレ》見レ事不明、誤犯二尊威一幸勿レ掛レ懷、澤曰、吾與二黃公覆一、傾レ心投降、如三嬰兒之望二父母一、豈有レ詐乎、操大喜曰、若二人能建二大功一、他日受レ爵、必在二諸人之上一、澤曰、某等非下爲二爵祿一而來上、實應レ天順レ人耳云々」とある。則ち曹操の奸を書かざれば闞澤の巧は顯はれぬ。則ち若し操が苦肉計たることを知らざりしならば之を欺くことは難くない。惟た彼が既に苦肉計たることを知れば之を欺くの難しと爲つたのである。倘し彼が詐の降書たることを知らざりしならば計に中ることは奇とするに足らぬ。惟た彼が既に詐の降書たることを知つて而も尙ほ終に能くその計に中るが故に奇と爲るのである。

因みに闞澤は字は德潤、會稽山陰の人也。家貧しくして學を好む。嘗て人より書を借りて看る。一遍看過せば便ち遺忘せず。口才は辨給し、少にして胆氣有り。孫權召して參謀と爲す。黃蓋と最も相ひ善し。蓋、其の能く言ひ胆有るを知る。故に詐の降書を獻ぜしめんと欲す。澤、欣然として應諾して曰く、「大丈夫世に處して功を立て業を建つること能はざるは草木と同じく腐するに幾からずや。公既に軀を捐て主に報ゆ。澤又何ぞ微生を惜まんや」と。是に於て黃蓋と共に星夜漁翁に扮作し小舟に駕して魏に到り操に降書を獻じた（註二參看）。

註(5)、諺に曰く「金逢二火煉一方知レ色、人與レ財交便《スナハチ》見《アラハル》レ心」と。元來兄弟なる者は原と是れ「同胞共乳の人」であり同じ根より分れ出でたものなれば些々の言語の食ひ違ひを以て情を傷づけてはならず兄は友に弟は敬に、貨財に對しても決して爭心を起してはならない。古來兄弟の道を道破した詩一首あり。「兄友レ弟兮弟敬レ兄、天然倫敘自分明、席間務讓二兄居一レ左、路上應《マサニ》二該弟後行一、酒食須先供二長者一、貨財切勿レ起二爭心一、諄諄誨レ汝無二他意一、原是同胞共乳人」（國色天香卷五第四頁）また兄弟は手足に譬へられ、妻子よりも貴い。曰く「一家和氣暖溶溶、兄弟如二手足一、妻子如二衣服一、衣服破尙可レ縫、手足斷安可レ續」と。その間の親昵たるや割つても斷れぬ。故に一方が害せらるれば他方はその儘に放置せず必ず復仇の念を起す。曰く「父母之讐不レ同レ天、兄弟之讐不レ同レ國」と。故に天倫の樂しみ程貴いものはない。曰く「功名富貴草頭露、骨肉團圓錦上花」と。從つて些の利の爭を以てこの樂みを傷つけるは愚の至甚といふべきである。夫れ家庭は「和」を以て至寶とする。曰く「家庭善事惟和氣、和則致レ祥乖則異、母慈子孝樂融融、諸事備、凡事遂、小往大來都吉利」と。「又黃金

萬兩未レ爲レ貴、一家安樂値レ錢多」とか更に「揚レ名顯レ親孝之至也、兄弟怡怡、宗族欣欣、悌之至也」と云はれてゐる。古來の帝王の教も此に重點を置く。曹植の上疏文に曰く『前略蓋堯之爲レ教、先レ親後レ疏、自レ近及レ遠、其傳曰、克明二峻德一、以親二九族一、九族既睦、平二章百姓一、及周之文王、亦崇二厥化一、其詩曰、刑二于寡妻一、至二于兄弟一、以御二于家邦一、是以雍々穆々、風人詠レ之、昔周公弔二管蔡之不一レ咸、廣封二懿親一以藩屛、王室傳曰、周之宗盟、異姓爲レ後、誠骨肉之恩爽、而不レ離二親レ親之義一、寔在二敦固一、未下有レ義而後二其君一、仁而遺二其親一者上也、中略恩澤衰薄、不レ親二九族一、則角弓之章刺、今令二諸國兄弟、情禮簡怠、妃妾之家、膏沐疏略一、朕縱不レ能二敦而睦一レ之、王援レ古喩レ義備悉矣、何言精神不二足以感通一哉、夫明二貴賤一、崇二親親一、禮二賢良一、順二少長一、國之綱紀、……』と魏志十九。卷六頁

最後に家門の風波を鎭める名詞を左に二つ掲げて置かう。一は兄を責る所を鎭めるもの、他は兄弟の搆詞を和らぐものである。

『勸レ你千金體莫二氣傷一、且看二兄面一恢二宏量一』

『勸レ你行レ息レ忿、甚寃讐、動輙相傷、大哥你比レ他年長、怎與レ他一般校量』

註(6) 故に吾人は此の人心惡化せし世に處する上に於ては徒に知を見はしてはならぬ。若し之を示したら禍端を招く。夫の鄭の大夫關其思は乃ち武公の厚ふする所なるも胡を伐つ可しなる智を示した爲めに遂ひに殺戮の禍に遭ひて尤も之は胡をしんと欲したるが疑はざらしめ爲めであるが又宋の鄰人之父は富人に牆を築て盗難に備ふ可きことを勸告して却つて疑はれた已の爲めに憂を同ふ。此の二人の說は皆當つてゐるのであるが、但だ其の智に處して其の宜しきを得ざる爲め或は疑はれ、或は戮せられたのであつた。するに當らずとして

則ち韓非子解詁卷四第十二—三頁に「昔者鄭武公欲レ伐レ胡、故先以二其女一妻二胡君一、以娛二其意一、因問二於羣臣一、吾欲レ用レ兵、誰可レ伐者、大夫關其思對曰、胡可レ伐、武公怒而戮レ之曰、胡兄弟之國也、子言レ伐レ之何也、胡君聞レ之、以レ鄭爲レ親レ已、遂不レ備レ鄭、鄭人襲レ胡取レ之。

宋有二富人一、天雨牆壞、其子曰、不レ築必將レ有レ盜、其隣人之父亦云、暮而果大亡二其財一此夕盗至故大亡地其家甚智二其子一、而疑二隣人之父一」とある。

人は百禽の啼を喜ぶも獨り鴉の鳴のみは之を嫌厭する。何ぞや。人の前にて口嘴多きが爲めに非ずや。曰く「百禽啼後人皆

喜、惟有二獨鳴一事若何、見者多嫌聞者厭、只爲二人前口觜多」と、又俗に「隔レ墻須有レ耳、窓外豈無レ人」と云はれてゐる通りである。故に唐の姚崇は「口箴」を著はして之を戒めて云く「君子欲レ訥、吉人寡レ辭、利口作レ戒、長舌爲レ詩、斯言不善、千里遝レ之、勿レ謂レ可レ復、駟馬難レ追、惟靜惟默、澄神之極、去レ甚去レ泰、居二物之外一、多言多失、多事多害、聲繁則淫、音希則大、室本無レ暗、垣亦有レ耳、何言者天成、躁者李似、不レ能レ言爲二世所一レ尊、言不レ出レ口、冠レ時之首、無レ掉《ウゴカス》二爾舌一、以レ速二爾咎一、無レ易二爾言一、亦孔之醜、欽レ之愼レ之、可レ大可レ久、欽レ之伊何《イカン》、三命而走、愼レ之伊何、三緘二其口一、勉哉夫子行矣、勉二旃レ書之屋一、壁以代二韋絃一』と（唐詩記事十五卷六頁）。君子の所謂「三端」（三つの禍端）を避ける。又この爲に外ならぬ。曰く、『鳥之美羽勾喙者、鳥畏レ之、魚之侈口垂腴者、魚畏レ之、人之利口贍辭者、人畏レ之、是以君子避二三端一、避二文士之筆端一、避二武士之鋒端一、避二辯士之舌端一』と（韓詩外傳）。是れ弟子の任意が公議先生の潁を舍てて他所に之かんとする所を諫告せし所である。則ち宋の王向の「公默先生傳」に次のことが出てゐる。『公議先生、剛直任レ氣、好二議論一取二富世一、是非辨明、游二梁宋間一、不レ得レ意去二居一潁、其徒者百人、居二二年一與二其徒一謀、又去レ潁、弟子任意對曰、先生無二復念一レ去也、弟子從二先生一久矣、亦各厭二行役一、先生舍レ潁爲二居廬一、少有二生計一、主人公賢、遇二先生一不二淺薄一、今又去レ之、弟子未レ見二先生止處一也、先生豈薄レ潁邪、公議先生曰、來吾語レ爾、君子貴レ行二道信於世一、不レ信貴レ容、不レ容貴レ去古之辟也辟地辟色辟言是也、吾行年三十、立レ節循レ名、被二服先王一、究二窮六經一、頑鈍晚成、所レ得無レ幾、張二羅大綱一、漏二略零細一、校二其所見一、未レ爲二完人一、豈敢自忘レ冀二用於世一、予所二厭苦一、正謂レ不レ容、予行二世間一、波混流同、予譽不レ至、予毀日隆、小人鑿レ空、造二事形迹一、帰二排萬端一地險天側、詩不レ云乎、讒人罔レ極、主人明レ恕、故未レ見レ疑、不幸去レ我來者、謂下誰讒二一日一效、我終顚危、智上者利身、遠レ害全レ德、不レ如三亟行以適二異國一、語已、任意對曰、先生無レ言也、意輩弟子、嘗竊論二先生一、樂レ取二怨憎一、爲人所レ難、不レ知二不レ樂一也、今定不レ樂、先生知レ所二以取一レ之。乎、先生聰明、才能過レ人遠甚、而刺レ口論二世事一、立レ是立レ非、其間不レ容二毫髮一、又以二公議一名、此人之怨府也、傳曰議レ人者不レ得二其死一、先生憂レ之是也、其去未レ是、意有二三事一爲二先生一計、先生幸聽、意不二必行一不レ聽二先生一、雖二去絕一レ海、未レ見二先生安一也、公議先生彊レ舌不レ語、下二

視二任意一、目下轉移、時卒問、任意對曰、「人之肺肝、安得レ可レ視、高出二重泉一、險不レ足レ此、闘二善於彼一、陽譽陰非、反背復憎、詆笑縱横、得其二細過一、聲張口播、緣三飾百端二、德敗行破、自然是人、賤レ彼善レ我、意策二之三一、此爲二最上一者也、先生能用レ之乎、公議先生曰、不レ能、爾試言二其又次一者、對曰、捐二棄骨肉一、佯狂而去、令三世人不二復顧忌一、此策之次者、先生能用レ之乎、公議先生曰、不レ能、爾試言二其又次一者、對曰、先生之行己、視二世人所一レ不レ逮、伺等也、曾未レ得レ稱二高世一、而詆訶鋒起、幾不レ得下與二庸庸人一伍上者、良以二口禍一也、先生能不レ好レ議而好レ默、是非不レ及レ口、而心存焉、何疾二於不一レ容、此策之最下者也、先生能用レ之乎、公議先生喟然歎曰、吁吾爲レ爾用二下策一也、任意乃大笑、顧二其徒一曰、宜吾先生之病二於世一、吾三策レ之、卒取二其下一者矣』宋史四百三十二巻七頁。

孔子周に之く。大廟を觀る。右陛の前に金人有り。其口を三緘し其背に銘じて曰く『古之愼レ言人也、戒レ之哉、戒レ之哉、無二多言一、多言多レ敗、無二多事一、多事多レ患、安樂必戒、無レ行レ所レ悔、勿レ謂二何傷一、其禍將レ長、勿レ謂二何害一、其禍將レ大、勿レ謂二何殘一、其禍將レ然、勿レ謂レ莫レ聞、天伺レ人熒熒、不レ滅炎炎、奈何涓涓不レ壅、將レ成二江何一、緜緜不レ絕、將レ成二網羅一、靑靑不レ伐、將レ尋二斧柯一、不レ能レ愼レ之、禍之根也、口是何傷、禍之門也、强梁者不レ得二其死一、好レ勝者必遇二其敵一、盜怨二主人一、民害二其貴一、君子知二天下之不一レ可レ蓋也、故後レ之下レ之、使人慕一レ之、執レ雌持レ下、莫二能與レ之爭一者、人皆趨レ彼我獨守レ此、衆人惑惑、我獨不レ從、內二藏我知一、不二與レ人論一レ技、我雖二尊高一、人莫レ害レ我、夫江河、長二百谷一者、以二其卑下一也、天道無レ親、常與二善人一、戒レ之哉、戒レ之與』孔子顧て弟子に謂て曰く「之を記せよ。此言鄙しと雖、事情に中れり」と。詩に曰く「戰戰兢兢、深淵に臨むが如く、薄氷を履むが如し」と。身を行ふこと此の如し。豈口を以て禍に遇せんや說苑十巻。十七頁

要之、言は大である。其の言を出して善しきを得れば譽を招き千里の遐きと雖、之に應じて江海は比隣の如く、其の言を出して善しきを失すれば羞を起し千里も之に違ひ、肝膽の親しみも楚越の如くである。則ち言は否泰榮辱の由て繫がる所なることを知る。換言すれば是れは以て身を濟ふ可く、亦以て身を覆す可きである。終身善を爲すと雖、一言の失を以て容易に之を敗ることもできる。又聰明深察を以て人を議すれば死を招く。故に易經に曰く「愼二言語一」と。又書經に曰く「度《ハカレ》二乃《リンヂ》

ロ一」と。故に言は其の心を謀りて後之を發し、其の交はりを擇びて後談ずるやうになれば則ち終日言つて己が憂を遺さぬ。此の如くならば迺《スナハ》ち以て言ふ可きである。實に言語は君子の樞機といはねばならない。唐の徐彥伯はその著「樞機論」に於て之を論ずる所があつた。曰く、

「書曰、惟口起レ羞、惟甲胄起レ戎、又云、齊二乃位一、度二乃口一、易曰、愼二言語一、節二飮食一、又云、出二其言一善、千里應レ之、出二其言一不善、千里違レ之、禮亦云、可レ言也、不レ可レ行也、君子不レ言也、可レ行也、不レ可レ言也、君子不レ行也、嗚呼先聖、知二言之爲一レ大也、知二言之爲一レ急也、精微以勸レ之、典謨以告レ之、禮經以防レ之、守二名教一者、何可レ不レ脩二其詁訓一而服二其糟粕一乎、故曰、言語者、君子之樞機、動則物應、物應則得失之見也、得レ之者、江海比レ隣《ノ如ク》、失レ之者、肝膽楚越《ノ如シ》、然後知二否泰榮辱一、繫二於言一乎、夫言者德之柄也、行之主也、志之端也、身之文也、既可二以濟一レ身、亦可二以覆一レ身、故中庸鐫二其心一、左階銘二其背一、南容復二於白圭一、箕子疇二於洪範一、良有レ以也、是以掎二摭瑕玷一、參二詳躁競一、審二無常一以階亂、將二不レ密以致一レ危、利生二於口一、森然覆レ邦之說、道不レ由二衷變一、彼如二簧之刺一、可レ不レ懼レ之哉、其有二識暗邪正一、慮レ微形レ朕《マラハシアト》、破二金湯之篇一、封二禍亂之根一、用二詁譎一爲二全計一、以二號諛一爲二令德一、至レ若二梧宮問答一、荊齊所二以奔命一、韓魏加レ肘、知伯所二以危殘一、蔡侯縲二息嬀一也、亟招二甲兵之罰一、鄭曼圖二宗卿一也、而受鼎鑊之誅一、史遷輕義、終下二蠶室一、張紘詭說、更二齒龍淵一、凡此過言、其流匪レ一、或穢猶二糞土一、或動成二刀劍一、或苟二且其心一、或貽二嘗其吻一、哉レ邪作レ蠱、守レ之而不レ懈、往レ輒破レ的、去レ之而彌遠、亦何異三韓盧聚二音龐一也、羣吠得レ死爲レ幸、何循レ名之立乎、雖三復伯玉沮顏、追二謝於元凱一、蔣二濟胎恨一、失二譽於王陵一、犀首沒二齒於季章一、曹瞞齚二舌於劉主一、當何及哉、孔子曰、予欲レ無レ言、又云、終身爲レ善、一言敗レ之惜也、老子亦云、多言數窮、又云、聰明深察、而近レ於死一者、議レ人者也、何聖人之深思偉慮、杜レ漸防レ萌之至乎、夫不レ可レ言而言者曰レ狂、可レ言而不レ言者曰レ隱、鉗レ舌拱默、曷通二彼此之懷一、括囊而處、孰啓二沃明之訓一、則上言者下聽也、下言者上用也、睿喆之言、猶二天地一也、人覆齋而理焉、大雅之言、猶二鐘鼓一也、人考擊而樂焉、作以二龜鏡一、姬公之言也、出爲二金石一、曾子之言也、存二其家邦一、國僑之言也、立而不レ朽、臧孫之言也、是謂二德音一、詒二我宗極一、滿二于天下一、貽二厥後昆一、殷宗甘二之於酒醴一、孫卿諭レ

之以二琴瑟一、里貫二於四時一、對都輕二其千乘一、豈不レ韓哉、豈不レ休哉、但椕二探世猷一、克念二丕訓一、寧レ思者應、精レ慮而動、謀二其心一以後發、擇二其父一以後談、不三甓二趨於非黨一、不三屏二營於詭遇一、非二先王之至德一、不二敢行一、非二先王之法言一、不二敢道一、竊二其諜諜之緒一、撲二其炎炎之勢一、自然介爾、是福錫二茲純嘏一、則悔吝何由而生、怨惡何由而至哉、孔子曰、終日行不レ遺二己患一、終日言不レ遺二己憂一、如レ此廼《スナハチ》可二以言一也、戒レ之哉戒レ之哉」と舊唐書卷九十四第六頁。

註（7） 今の富貴を求むる者は、皆枉曲の道を以てし、昏夜哀みを乞ひて以て求め、而して以て白日に於て人に驕る。これ齊人の東郭墦閒の祭に於て酒肉を乞ふものと何ぞ以て異らん哉。其の妻妾をして之を見せしめば、ために羞ぢて泣かぬ者は少矣。則ち朱熹集註「孟子」卷四「離婁」第十七頁裏に「齊人有二一妻一妾一而處二室者一、其良人出、則心饜二酒肉一而後反、其妻問下所二與飲食一者上、則盡富貴也、其妻告二其妾一曰、良人出、則必饜二酒肉一而後反、問二其與飲食者一、盡富貴也、而未三嘗有二顯者來一、吾將瞯二良人之所一レ之也、蚤起、施從二良人之所一レ之、徧二國中之一無三與立談者一、卒之二東郭墦閒之祭一者、乞二其餘一不レ足、又顧而之レ他、此其爲二饜足一之道也、其妻歸、告二其妾一曰、良人者、所二仰望而終一レ身也、今若レ此、與二其妾一訕二其良人一、而相二泣於中庭一、而良人未二之知一也、施施從レ外來、驕二其妻妾一良人夫也、饜飽也、顯者富貴人也、施邪施而行、不レ使二良人知一也、墦家也、顧望也、訕怨詈也、施施喜悅自得之貌」とある。

且つ又富厚貧薄なるものは一に繫つて「命」又は「天」に在るものなれば富厚必らずしも驕るに足らず、同時に貧薄必らずしも悲しむに足らない。富厚と貧薄は相循環するものなれば、今の富厚は永へに爾りといふわけには參らず必らずや行く行く末には貧薄に變らざるを得ない。故に曰く「人生富貴春花耳、不レ足レ悲兮不レ足レ喜」と。又同樣に貧薄とてもさう何時迄も相隨ふものに非ずして必らずや何時かは化して富厚と爲るものである。所謂「滄桑の變」とは是を指す。北齊の魏收曰く「月滿如レ規、後夜則虧、槿榮二于枝一、望レ暮而萎」と。故に貧に在つて富を慕羨するに及ばぬこととなるのである。是れ寔に宋の顏延之の指摘せる通りである。則ち彼の作「庭誥」に曰く「富厚貧薄、事之懸也、以二富厚之身一、親二貧薄之人一、非レ可二以一時處一、然昔有二守レ之無レ怨、安レ之不レ悶者一、蓋有レ理存焉、夫有二富厚一、必有二貧薄一、豈其證然、時《コレ》乃天道、若人皆厚富、是理無二貧薄一、然乎、必不レ然也、若謂二富厚在レ我則宜、貧薄在一レ人、可乎、又不可矣、道在二不然一、義在二不可一、而横《ホシイママニ》意二去就一、謬生二希幸一、以爲レ達二至分一、中略、能以レ懷レ道爲レ人、必存二從レ理之心一、道可レ懷、而理可レ從、則不レ議レ貧、議レ所レ樂爾、或云、貧何レ由樂、此未レ求二道意一、道者瞻二富貴一、同二貧賤一、理固得而自我喪レ之、未レ爲二通議一、苟議不レ喪、夫何不レ樂、或曰溫飽之貴、所二以榮一レ生、饑寒在レ躬、空曰レ從レ道、取二諸其身一、將レ非二篤論一、此又通理所レ用、凡生之具、豈間定レ實、或《アリ》レ以二膏腴天性一、有レ以二菽藿一、登年中散云、所二足與一不レ由レ外、是以稱レ體而食、貧歲愈賺、量レ腹而炊、豐家餘餐、非二粒實息耗意一、有二盈虛一爾、況心得二復劣一、身獲二仁富一、明白入レ素、氣志如レ神、雖二十旬九飯一、不能レ令レ饑、業席三屬、不レ能レ爲レ寒、豈不レ信然」と宋書七十三巻二頁十三頁。

夫れ烈士は榮名に殉ひ、義夫は貞介を高とし、蔬食瓢飲す。樂其の中に在る。丈夫が運會に任せ自ら蒿蓬を守ることに甘んずる、實に玆に在る。孔子の七十二賢中の最たる顏淵は、則ち善く貧に安んじて道を樂しんだ。其の「陋巷操」に曰く「載レ我者地兮、覆レ我者天、萬物熙熙兮、並生二兩閒一、陋巷蕭然兮、我居孔《ハナハダ》安、博レ我約レ我兮、匪レ高匪レ堅、我飲二一瓢一兮、我食二一簞一、無味之味兮、亦孔之甘、黃唐虞夏兮、尙友二千年一、言不レ盡レ意兮、寫二彼五絃一」有竹居集巻一第一頁

註（8）古人の結交は情は「股肱」に同じく義は「倒屣」に合する。「桃園の結義」は最尾註參看衆人の仰慕する所である。今試みに結義の誓盟文を擧ぐれば則ち次の如し。「維何所信士某某等、是日沐手焚香請レ旨、伏爲《タメ》二桃園義重一、衆心仰慕、而敢效二其風一、管鮑情深、各姓追維而欲同二其志一、況四海皆可二兄弟一、豈異姓不レ如《ゴトク》二骨肉一、是以當今某年月日虔備二猪羊牲禮一、鸞馭二金貲一、耑叩二齊壇一、虔誠請禱、拜二投昊天、金闕玉皇上帝、五方直日功曹、本縣城隍社令、過往一切神祇、仗二此眞香一、普同鑒察、伏念某等、生雖二異日一、死冀二同時一、期二盟言之永留、安樂與共、顚沛相扶一、思二締結以常新一、必富貴常念二貧窮一、乃始終有レ所二依倚情共一、日往以月逝、誼若二天高而地厚一、伏願自盟以後、相好無レ尤、更祈人人增二有永之年一、戶戶慶二無疆之福一、凡在二時中一、全叨二覆庇一、謹疏」金瓶梅一巻廿五頁。

某年月日文疏

註（9）唐の張九齡はその「在郡秋懷詩」の末節に於て之を嘆じて云く「〻生去二外飾一、直道如二不羇一、未レ得二操割效一、

忽復寒暑移、物情有二固然一、身退毀亦隨、悠悠滄海渚、望望白雲涯、露下霜且《スラ》降、澤中草披離、蘭艾若不レ分、安用二馨香一爲」と（唐詩記事十五巻十二頁。）

同様に李白も亦た「蜀道難」の末節に於て之を歎いて曰く、「……朝避二猛虎一、夕避二長蛇一、磨レ牙吮レ血、殺レ人如レ麻、錦城雖レ云レ樂、不レ如二早還一レ家、蜀道之難、難三於上二青天一、側レ身西望長咨嗟」と（同十八巻六頁。）

又唐王の詔に曰く、「卿大夫無三進レ思盡レ忠之誠一、多退有二後言之謗一、士庶人無三切磋琢磨之益一、多二銷鑠浸潤之讒一、進則訣言諂笑以相求、退則羣居州處以相議、留中不出之請、蓋發二其陰私一、公二論不容之誅一、是生二於朋黨一、擢二一官一則曰恩皆自レ我、黜二一職一、則曰事出二他門一、比周之迹已彰、尙矜介特由徑之蹤盡露、自謂二貞方一、居二省寺一者、不下以二勤恪一蒞上レ官、而曰務從二簡易一、提二紀綱一者、不下以二準繩一檢上レ下、而曰密奏二風聞一、獻二章疏一者、更相是非、備二顧問一者、互有二憎愛一、苟非二秦鏡照レ膽、堯羊觸一レ邪、時君聽レ之、安可レ不レ惑、參二斷一謬一、俗化益訛、禍發二齒牙一、言生二枝葉一、率二是道一也、朕甚憫レ焉」と（舊唐書百六十八巻四頁。）夫れ情を同うする者は相妬み、事を同うする者は相害ふ。中人の免るること能はざる所である。

隋の盧思道も「勞生論」を作つて當時の「疾賢」の弊風を具さに指切する所があつた。その一節に曰く、「夫人之生也、皆未レ若レ無レ生、在二余之生一、勞亦勤止《ノミ》、紈綺之年、伏膺二教義一、規レ行矩レ步、從レ善而登、巾冠之後、濯レ纓受レ署、纏二綿仁義一、籠二絆朝市一、失二翹陸之本性一、喪二江湖之遠情一、淪二此風波一、溺二於倒置一、憂勞總至、事非二一緒一、何則地胄高華、既致二嫌於管庫一、才識美茂亦受二疾于愚庸一、篤學強記、聲譽於レ焉側目、淸言可レ潟、木訥所二以疾一レ心、豈徒鹽惜二春將一、鴟恡二腐鼠一、云々」と（隋書巻五十七第二頁。）

故に宋の歐陽修は「朋黨論」を作り、小人は朋無く有りとするもそれは「僞朋」なれば宜しく之を退くべく、而して朋有るは惟だ君子のみなれば須く之を用ふべきであり然らば天下治まると云ふことを指示してゐる。曰く、「君子以レ同レ道爲レ朋、小人以レ同レ利爲レ朋、此自然之理也、臣謂二小人無レ朋、惟君子則有一レ之、小人所レ好者利祿、所レ貪者財貨、當二其同レ利之時一、暫相黨引以爲レ朋者僞也、及ニ其見一レ利而爭レ先、或利盡而反相賊害、雖ニ兄弟親戚一、不レ能ニ相保一、故曰、小人無レ朋、君子則不レ然、所レ守者道義、所レ行者忠信、所レ惜者名節、以レ之修レ身、則同レ道而相益、以レ之事レ國、則同レ心而共濟、終始如レ一、故曰惟君子則有レ朋、紂有レ臣億萬惟億萬心、可レ謂レ無レ朋矣、而紂用以亡、武王有レ臣三千惟一心、可レ謂ニ大朋一矣、而周用以興、蓋君子之朋、雖ニ多而不一レ厭故也、故爲レ君但當下退ニ小人之僞朋一、用中君子之眞朋上、則天下治矣」と。

註(10) 夫れ忠姦は氷炭の如く以て器を同うすべからず。則ち新唐書卷百〇七第七頁に曰く、「夫尙ニ德行一者無ニ凶險一、務ニ公正一者無ニ邪朋一、廉者憎レ貪、信者疾レ僞、智不下爲ニ愚者一謀上、勇不下爲ニ怯者一死上、猶ニ鸞隼不レ接レ翼薰蕕不一レ共レ氣、其理自然、何者、以レ德並レ凶、勢不ニ相入一、以レ正攻レ佞、勢不ニ相利一、以レ廉勸レ貪、勢不ニ相售一、以レ信質レ僞、勢不ニ相和一、智者尙レ謀、愚者所レ不レ聽、勇者徇レ死、怯者所レ不レ從、此趣向之反也」と。又語にも「枳棘叢中、非下棲ニ鸞鳳一之所上」とか又は「同明相照、同類相求、雲從レ龍、風從レ虎」とか或は「同惡相助、同好相留、同情相求、同欲相趨、同利相死」と云つてゐる通り、忠姦の相容れざるは固り其れ宜なる所である。則ち忠は姦に害せられる。今試みに北朝の陽固の姦を痛詈せる所を眺めよう。彼は「刺」讒疾ニ嬖幸一、と題して曰く『巧佞巧佞、讒言興侮、營營習習、似ニ靑蠅一兮、以レ白爲レ黑、在ニ汝口一兮、汝非ニ蝮蠆一、毒何厚兮、巧巧佞佞、一何工矣、司レ間司レ忿、言必從矣、朋黨噂沓、自相同矣、浸潤之譖、傾ニ人レ攜一矣、成レ人之美、君子貴レ焉、攻レ人之惡、君子恥レ焉、汝何人斯、譖毀日繁、子實無レ罪、何罵ニ汝言一、番番緝緝、讒言側入、君子好レ讒、如ニ或弗一レ及、天疾ニ讒說一、汝其至矣、無妄之禍、行將レ及矣、泛泛遊鳧、弗レ制弗レ拘、行藏之徒、或智或愚、維余小子、未明ニ玆理一、毀與レ行俱、言與レ釁起、我其懲矣、我其悔矣、豈求レ人兮、忠恕在レ己、彼諂諛兮、人之蠹兮、刺ニ促昔粟一、罔レ顧ニ恥辱一、以求レ媚兮、邪干側入、如ニ恐弗一レ及、以自容兮、志行ニ褊小一、好習不レ道、朝挾ニ其車一、夕承ニ其輿一、或騎或徒、載奔載趨、或言或笑、曲レ事視レ要、正路不レ由、邪徑是蹈、不レ識ニ大猷一、不レ知ニ話言一、其朋其黨、其徒實繁、有レ詭ニ其行一、有レ佞ニ其音一、籧篨戚

施、邪媚是欽、既詭且妬、以通二其心一、是信是任、敗其以多、不レ始不レ愼、末如レ之何、習習宰嚭、營營無レ極、極深寡智、王鮒淺識、伊戻二息夫一、異レ也同レ力、江充趙高、甘言似レ直、豎刁上官、擅生二羽翼一、乃如レ之人、僭爽二其德一、豈徒喪レ邦、又亦覆レ國、嗟爾中下、其親其昵、不レ謂二其非一、不レ覺二其失一、好レ之有、年、寵レ之有レ日、我思二古人一、心焉苦疾、凡百君子、宜其愼矣、覆車其礎、近可レ信矣、言既備矣、事既至矣、反レ是不レ思、維塵及矣』と北史四十上巻五頁。而して「姦」には「讒」と「佞」がある。王充は此の兩者の異同を次の如く說いてゐる。「讒」と「佞」は倶に嫉妬を有するも前者は率直に人を中傷し、後者は之に反し端を匿し譽めて後之を危くする。則ち施行發動に異がある。故に讒は知り易きも佞は知り難い。王充則ち「知佞の道」を之を左の如く說く。『問曰佞與讒者同レ道乎、有二以異一乎、曰讒與佞倶小人也、同レ道異レ材、倶以二嫉妬一爲レ性、而施行發動之異、讒以レ口害レ人、佞以レ事危レ人、讒人以二直道一不レ違、佞人依レ違匿レ端、讒人無二詐慮一、佞人有二術數一、故人君皆能遠レ能親レ仁、莫レ能二知レ賢別一レ佞、難曰人君皆能遠レ讒親レ仁、而莫レ能二知レ賢別一レ佞、然則佞人意不レ知乎、曰佞可レ知、人君不レ能レ知、庸庸之君、不レ能レ知レ賢、不レ能レ知レ賢、不レ能レ知レ佞、唯聖賢之人、以二九德一檢二其行一、以二事效一考二其言一、行不レ合二於九德一、言不レ驗二於事效一、人非レ賢則賢矣、夫知レ佞以知レ賢、知レ賢以知レ佞、知レ賢則賢智自覺、知レ賢則奸佞自得、賢佞異レ行、考二之一驗一、情心不レ同、觀二之一實一』論衡十一巻二十頁而して佞人が好んで人を毀傷せざるは利を求むればである。けだし人を毀傷すれば人亦た之を毀傷する。毀傷さるれば衆は親ます、士は附せぬからである。則同上第二四頁に於て續いて曰く『問曰、佞人好毀レ人、有レ諸、曰、佞人不レ毀レ人、如毀レ人、是讒人也、何則佞人求レ利、故不レ毀レ人、苟利二於已一、曷爲毀レ之、苟不レ利レ已、於レ毀之無レ益、以レ計求レ便、以レ數取レ利、利則便得、妬人共レ事、然後危レ人、其危レ人也、非レ毀レ之、而其害レ人也、非レ泊レ之、譽而危レ之、故人不レ知レ厚而害レ之、故人不レ疑、是故佞人危而不レ怨、害二人之敗一而不レ仇、隱レ情匿レ意爲二之功一也、毀レ人人亦毀レ之、衆不レ親、士不レ附也、安能得三容レ世取二利於上一』と。

註(11)　伯牙と鍾子期即ち是である。伯牙は善く琴を彈じ、子期は善くそれをしる。即ち其の志泰山に在れば子期曰く「善

なる哉、巍巍乎として太山の若し」と。須臾にして志流水に在れば子期曰く「湯湯乎として流水の若し」と。故に子期死んだ時は、伯牙晋の大夫則ち親しくその墓に詣り衷心の哀情を盡して弔つたのであつた。曰く、「憶昔去年春、江邊曾會レ君、今年重來訪、不レ見二智音人一、但見一坏土、慘然傷二我心一、傷心傷心復傷心、不レ忍二涙珠紛一、來歡去何苦、江邊起二愁雲一、子期子期兮、你我千金義、歷二盡天涯一無レ足レ語、此曲終兮不二復彈一、三尺瑤琴爲レ君死」と今古奇觀卷十九第十二頁。かくて彼は衣袂の間から刀を取り出して琴絃を割斷し、雙手祭石臺の上に向つて琴を擧げ、力を用ひて一摔してそれを粉碎したのであつた。その所以を明にして曰く『摔二摔瑤琴一鳳尾寒、子期不レ在對レ誰彈、春風滿面皆朋友、欲レ覓二智音一難上難』と同上。則ち爲めに鼓するに足る智音なければ終身復と琴を鼓しなかつた呂氏春秋。

註(12) 惠施と莊子即ち是れ也。准南子の「脩務訓」巻十九第十四頁に『惠施死而莊子寢レ說レ言、見下世莫中可二爲語一者上也』とある。則ち彼と莊子は相ひ逢へば好んで元道を談じ、莊子の至理を善く解する者は只惠施一人のみである。尚、莊集第十巻下第二十三頁には「惠施日以二其智一、與二人之辯一特獨、與二天下之辯者一爲レ怪、此其柢也、也體也、惠子日用二分別之智一共人評レ之獨將二已、與二天地一殊異、雖二復姦狡萬端一、然猶レ如レ惠施之口談、自以爲最賢言惠施解レ理、亞二乎莊生一、加之口曰天地其壯乎也壯大施存レ雄而本體莫レ過於此一此也談最賢二於衆一豈似二諸人直辯一而已而无レ術術道也、言天地與レ我並生、不レ足レ稱レ大、意在二雄俊、超レ世過一レ人、既不二謙柔一、故無二眞道一、而言二其壯一者、猶二獨壯一也司馬云惠施唯以二天地一爲レ壯二於已一也』と。

註(13) 語に『甘言逆二客三冬煖一、惡語傷レ人六月寒』と云ふ尚註五末尾參看。が併し獨り我を愛す者が知已と爲るのみならず、能く我を忌む者も亦た知已と爲すに妨げぬ。獨り我を用ひんと欲する者が知音と爲るのみならず。我を殺さんと欲する者も亦た知音とたり得る。苟も能く我を愛して用ふること能はず我を用ひて其の才を盡さしめさざれば反つて我を忌み我を殺す者の我を知るに如かずである。夫の孔明の周瑜に於けるは即ち此の種の智音である。是れ孔明が吾に抗した公瑾を弔ふ辭の一節に『從レ此天下更無二知音一』と云ひたる所以である。彼の知音を弔ふの文は字々句々吾人の腑臟を撞くものがあつた彼は其の我を助けて以て曹操を攻むること能はざるを哭する也。曰く『嗚呼公瑾、不幸夭亡、修短固天、人豈不レ傷、我心實痛、酹酒一觴、君其有レ靈、享二我烝嘗一、弔下君幼學、以交二伯符一、仗レ義疎レ財、讓舍以居上、弔下君弱冠、萬里鵬摶、定二建覇業一、割中據江南上、弔

君壯力、遠鎭㆓巴丘㆒、景升懷慮、討㆑逆無㆖㆑憂、弔㆘君丰度、佳㆓配小喬㆒、漢臣之壻、不㆗㆑愧當朝㆖、弔㆓君氣概、諫㆑阻納㆑質、始不㆑垂㆑翅、終無㆒㆑奮㆑翼、弔㆓君鄱陽、蔣幹來說、揮洒自如、雅量高志㆒、弔君㆓弘才、文武籌略、火攻破㆑敵、挽㆑强爲㆒㆑弱、想㆓君當年㆒、雄資英發、哭㆓君早逝㆒、俯㆑地流血、忠義之心、英靈之氣、命終㆓三紀㆒、名垂㆓百世㆒、哀㆑君情切、愁腸千結、惟我肝膽、悲夫《カナ》斷絕、昊天昏暗、三軍愴然、主爲哀泣、友爲淚漣、亮也《マタ》不才、丐㆑計求㆑謀、助㆑吳拒㆑曹、輔㆑漢安㆑劉、犄角之援、首尾相儔、若㆑存若㆑亡、何慮何憂、嗚呼公瑾、生死永別、朴㆓守其貞㆒、冥冥滅滅、魂如《モシ》有㆑靈、以鑑㆓我心㆒、從㆑此天下、更無㆓知音㆒、嗚呼痛哉、伏惟尙饗』三國誌演義。卷九第三頁

因みに瑜の死は孔明に激せられた爲めである。則ち瑜は荊州を取還する爲めに或は孫權の妹を詐つて劉備に降嫁する名目の下に備を江東に誘ひ入れて殺さん策を立てたこの策は孔明の知る所となつて竟に假を弄じて眞と成る結果を生じた。或は詐つて劉備の身を安んぜんが爲めに西川を取る計を設けたのであつたが之は西川へ赴く途中、荊州に立ち寄り、荊州の兵が遠征隊の勞を稿ふ虛に乘じて荊州を攻取せんとする策である何れも孔明の料る所となつて失敗に了つた。この失敗を見て孔明はさらに、前者に對しては、態と孫夫人を前に立たせ而して瑜に向つて『どうだい。今後若し又美人計があつたら大に用へ』と云ひ、後者に對しては次の如き封書を送つて彼を甚しく激怒したのである。

『漢軍師中郎將諸葛亮、致㆓書於東吳大都督公瑾麾生麾下㆒、自㆓柴桑一別㆒、至㆑今戀戀不㆑忘、聞足下欲㆑取㆓西川㆒、亮竊以爲不可、益州西川舊名民强地險、劉璋雖㆓暗弱㆒、足㆓以自守㆒、今勞㆓師遠征㆒、轉㆓運萬里㆒、欲㆑收㆓全功㆒、雖㆓吳起㆒不㆑能㆑定㆓其規㆒、孫武不㆑能㆑善㆓其後㆒也惡極妙極、曹操失㆓利於赤壁㆒、志豈須臾忘㆑報㆑讐哉、今足下興㆑兵遠征、倘操乘㆑虛而至、江南虀粉矣、亮不㆑忍㆓坐視㆒惡植妙植、特此告知、幸垂㆓昭鑒㆒』同上。二頁

尙ほ曹操が孫權に向つて『汝爲㆓臣下㆒、不㆑尊㆓王室㆒、吾奉㆓天子慮㆒、特來討㆑汝』と曰つたとき、權笑つて『此言豈不㆑羞乎、天下豈不㆑知㆘佐挾㆓天子㆒令㆗諸侯㆖、吾非㆑不㆑尊㆓漢朝㆒、正欲㆔討㆑汝、以正㆓國家㆒耳』と云つて彼を痛罵した同上三十二頁かくの如く權はよく操に抗したのであるが、これにも拘らず操は已に投降した劉琮を薄くして權の英雄を嘉した。曰く『生子當㆑如㆓孫仲謀㆒、若㆓劉景外㆒、兎子豚犬耳』と同上。是れ亦たこの種の智晉である。

註（14）　夫れ兄弟の好みは必ずしも同姓同宗を必要とせず、苟も同心同德であれば以て兄弟の盟を結ぶに足る。否、眞の兄弟の好みは之を同姓同宗に求むるを得るものにあらずして之は同心同德に於てのみ始めて索め得るのである。現時の世態を撿ずるに同胞兄弟が往々にして財に因りて義を失ふに反し、異姓異宗の所謂「義兄弟」が却つてよく義を守り、義の爲めには凡ゆる利を犧牲に供するも敢て辭しないのであるが、斯る奇現象を呈する所以のものも洵に之が爲めに外ならぬのである。夫の桃園の三義を試みに觀よ。各自は一姓ではないか。而も世の氣を同じうし、枝を連ぬる同胞兄弟の何れか之に過ぎんや。則ち三國誌演義巻一第一頁表に曰く、『今人結レ盟必拜二關帝一、不レ知三桃園當日又拜二何神一、可レ見下盟者、盟二諸心一、不中レ非中レ盟諸神上也、今人好レ通レ譜、往往非レ族認レ族、試觀、桃園三義、各自一姓、可レ見下兄弟之約、取二同心同德一、不中レ取同姓同宗一也、若不レ信レ心而信レ神、不レ論レ德而論レ神、則神道設敎、莫レ如二張角三人一、同レ氣連レ枝、亦莫レ如二張角三人一矣、而彼三人者、其視二桃園一、爲レ何如耶』と。

註（15）　唐の竇威は太宗に「和親」の利說いて曰く

『臣聞夷狄者、同二天禽獸一、窮則搏噬、羣則聚レ麀、不レ可下以二刑法一威上、不レ可下以二仁義一敎上、衣食仰給、不レ務二耕桑一、徒損二有爲之民一、以資二無知之虜一、得レ之則無レ益二於治一、失レ之則無レ損二於化一、然彼首上之情、未レ易レ忘也、誠恐三一旦變生、犯二我王略一、愚臣之所二深慮一、如二臣計一者、莫レ如下因二其破亡之後一、加二其無レ忘之福一、假之二賢王之號一、妻以二宗室之女一、分二其土地一、析二其部隊一、使二其權弱勢分一、易中レ爲羈制上、自可下永保二邊塞一、俾中レ爲藩臣上、此實長轡遠馭之道、于二時務一在二懷輯一』と（舊唐書六一巻五頁）。

然れども如上に於て知るが如く意氣苟も相投ぜざれば十の西施有りと雖、尙ほ雲泥の隔りある戎狄の心を繫ぐに足らぬ。この意義に於て古來慣用の「和親」なるものは策の拙なるものといはねばならない。是れ實に唐の憲宗が大臣の蒙を啓けし所である。則ち唐詩記事巻二十八第十五頁に『憲宗朝、號狄頻寇レ邊、大臣奏議、古者和親、有二五利一而無二千金之費一、帝曰此聞有レ士、子能爲レ詩、而姓名稍僻、是誰、宰相對以二包子虛冷朝陽一、皆非也、帝遂吟曰「山上靑松陌上塵、雲泥豈合得二

相親一、世路盡嫌二良馬痩一、唯君當合二臥龍貧一、千金未二必能移一レ性、一諾從來許レ殺レ身、莫レ道三書生無二感激一、寸心還是報恩人」、侍臣對曰、此是戎昱詩也、京兆尹李鑾擬二以レ女嫁一レ昱、令二其改一レ姓、昱固辭焉、帝悅曰、朕又記二得詠史一篇一、云、「漢家靑史內、計拙是和親、社稷因二明主一、安危託二婦人一、豈能將二玉貌一、便欲レ靜二胡塵一、地下千年骨、誰爲二輔佐臣一、帝笑曰、魏絳之功、何其懦之、大臣遂息二和レ戎之戎一矣」とある。

二、君臣の際は計數の出づる所也

それ故に韓非子は君臣の際は計數計算の心の出づる所でなければならないと爲した。父子の間すら尙斯の如し。況んや君臣の間に於てをや。則ち卷十八第三頁表に曰く、『今上下之接、無二子父之澤一、而欲下以二行義一禁上レ下無レ法而以二道義一相禁、則交必有レ去矣在レ間、際也、且父母之於レ子也、產レ男則相賀、產レ女則殺レ之、此俱出二父母之懷衽一、然男子受レ賀、女子殺レ之者陳明卿曰、此惡俗也豈盡人、然乎、非子是不レ擇レ言也、慮二其後便一、計二之長利一也女子成長嫁レ之必、有二資裝之費一、故父母之於レ子也、猶用二計算之心一以相待也、而況無二父子之澤一乎言君臣以レ義合、非二父子以レ恩合一也』と。則ち臣主の利は與に相ひ異なる者である。何を以て之を明にせん哉。曰く、主の利は能有つて官に任ずるに在るも臣の利は無能にして事ふることを得るに在る。又主の利は勞有つて爵祿するに在るも臣の利は功無くして富貴するに在る。又主の利は豪傑の能を使ふるに在るも臣の利は朋黨して私を用ふるに在る。是を以て姦生じ國地削つて私家富み主上卑くして大臣重いのである卷四第五頁哀。

彼は人臣に「五姦」有りとして曰く、『人臣有二五姦一、而主不レ知也、爲二人臣一者、有下侈二用財貨レ賂以取レ譽者上多用二財貨一、賂取二左右一以譽レ之、使四身得三進二用於君一、其奸一也、有下務二慶賞賜予一以移レ衆者上廣推二私恩小惠一、以動二衆心一、使三歸二附于己一、其奸二也、有下務解レ免赦二罪獄一、以事《タツル》レ威者上免恐寃、施二恩獄囚一、而解亡其罪一、自作二威福一者、其姦三也、有務朋黨狥レ知尊レ士以擅逞者一連二結朋黨一、互相標榜、以擅逞三、名高一、其姦四也、有下務奉二下曲直一奉三行民所毀二譽一、以取二媚於下一也、恠言偉服瑰稱、以眩二民耳目一者上務爲二異言異服一、左道惑レ衆者、其姦五也』と卷十七第十九頁表。十八卷第十七頁。此の五者が有ると君臣は累卵の危が有り、百姓は倒懸の苦が有るのである。故に之等は明君の疑ふ所にして聖王の禁ずる所である人主の「五蠹」と比照せられよ。

斯の如く父子・兄弟・臣の賢を以てすら尚ほ且つ恃るに足らないものがある況んや。他人に於てをや。それ故に人に恃るよりかは己に頼るに如かぬのである。則ち韓詩外傳卷八第三十頁表に『魏文侯問二狐卷子一曰、父賢足レ恃乎、對曰、不レ足、子賢足レ恃乎、對曰、不レ足、兄賢足レ恃乎、對曰、不レ足、弟賢足レ恃乎、對曰、不足、臣賢足レ恃乎、對曰、不レ足、文侯勃然作レ色而怒曰、寡人問二此五者于子一、一一以爲レ不レ足者何也、對曰、父賢不レ過レ堯、而丹朱放、子賢不レ過レ舜、而瞽瞍頑、兄賢不レ過レ舜、而象傲、弟賢不レ過二周公一而管叔誅、臣賢不レ過二湯武一、而桀紂伐、望レ人者不レ至、恃レ人者不レ久、君欲レ治、從レ身始、人何可レ恃乎云々』とある。故に人主と爲つて大に其の子を信ずれば則ち姦臣は其の子に乘じて以て其の私を成すことを得る。故に李兌は趙王に傅して主父を餓した。人主と爲つて大に其の妻を信ずれば姦臣は其の妻に乘じて以て其の私を成すことを得る。(1) 故に優施が麗姫に傅して申生を殺して奚齊を立てた。かくの如く、妻の近と子の親とを以てすら猶ほ信ずべからざれば則ち其の餘は信ず可き者が無いこと自明の理である。

且つ萬乘の主、千乘の君の后妃夫人は適々太子の爲めに或は其の君の蚤死を欲する者が有る。何を以て其の然るを知る。夫れ妻なる者は骨肉の恩有るに非ず。愛すれば則ち親しく、愛せざれば則ち疎んずる。語に曰く、『其の母好かれば其の子抱かる』と。然れどもその反對に其の母惡まるれば其の子は釋《ス》てらる。今丈夫は五十にして色を好むこと未だ解かぬ。他方、婦人は三十にして美色衰ふのだから美衰へる婦人を以て好色の丈夫に事へば則ち身は疏賤せられ、(2・3) 其の子は主爲らずと疑ふ。此れ后妃夫人の其の君の死を冀ふ所以の者である。唯だ母が太后と爲り、子が主爲らば則ち令は行はざるは無く、禁は止らざるは無く、男女の樂は先君より減せず、萬乘を擅にして疑はぬ。此れ酖毒、扼昧謂二暗中紋縊一也の用ひらる所以である。それは情として君を憎むに非ざれども併し、君死せざれば則ち勢重からず、故に君の死を利とするのである。猶ほ輿人の輿《カゴ》を成せば則ち人の富貴を欲し、匠人の棺を械せば則ち人の夭死を欲する同樣である。是は決して輿人の仁にして匠人の賊なるに非ず。人貴からざれば則ち輿は售《ウ》れず、人死せざれば則ち棺を買はず、則ち利の加ふる所なるが爲めである。故に人主は以て夫人太子の黨の己の死を利する者に心を加へなければならぬ。是れ故に明主は凡そ事を參驗せざれば擧げて用ひぬのである卷五第七頁。

註（1）　妻を信ずるの禍は啻に是に止まらず、後に「外戚の患」を生ずる。累代を歴觀するに、外戚の家は母后の權に乘じて以て高位厚秩を取る者が多い。からなれば能く終りを克くするの美有るは鮮く、必らず顚覆の患に罹り、身を殺し族を傾ける。是れ魏の文帝の深く誡む所以である。

註（2）　是れ「秋風紈扇之悲」、「龍陽泣魚之怨」の由つて生ずる所である。則ち戰國策卷七第六十四頁に『魏王與龍陽君魏之幸臣共船而釣、龍陽君得十餘魚而涕下、王曰、有所不安乎、如是何不相告也、對曰、臣無敢不安也、王曰、然則何爲涕出、曰、臣爲王之所得魚也、王曰、何謂也、對曰、臣之始得魚也、臣甚喜、後得又益大、今臣直欲棄臣前之所得矣、今以臣之凶惡、而得爲王拂枕席、今臣爵至人君、走人於庭、避人於途、四海之內、美人亦甚多矣、聞臣之得幸於王也、必褰衣而趨大王、臣亦猶曩臣之前所得魚也、臣亦將棄矣、臣安能無涕出乎、魏王曰、誤、有是心也、何不相告也、於是布令於四境之內曰、有敢言美人者族』とある。

註（3）　母疏賤せられて子と別るの歌白樂天作あり。「母別子」に曰く、『母別子、子別母、白日無光哭聲苦、關西驃騎大將軍、去年破虜新策勳、敕賜金錢二百萬、洛陽迎得如花人、新人來、舊人棄、掌上蓮花眼中刺、寵新棄舊未足悲、悲在君家留兩兒、一始扶床一初坐、坐啼行哭牽人衣、以汝夫婦新嬿婉、使我母子生別離、不如林中烏與鵲、母不失雛雄伴雌、應以後園桃李樹、花落隨風子在枝、新人新人聽我語、洛陽無限紅樓女、但願將軍重立功、更有新人勝於汝』と樂府九九卷四頁。

又男の一日の恩に感じて輕しく身を將て人に許したるも君家に到れば計らずも戚の冷遇に逢ひ、又潛かに來つたものなれば里家にも歸られず爲めに百年の身を誤つたことを「瓶墜簪折」に譬へて後悔する「靑梅歌」有り。その辭に曰く『井底引銀瓶、欲上絲繩絕、石上磨玉簪、玉簪欲成中央折、瓶墜簪折兩若何、似妾今朝與君別、憶昔在家做女時、人

言下擧止有二殊姿一、嬋娟兩鬢秋蟬翼、宛轉蛾眉遠山色《ノゴトシト》上、笑隨二戲伴一後園中、此時與レ君未二相識一、君騎二白馬一傍《ヨル》二垂陽一、妾在二青梅一倚《ヨル》二短墻一、墻頭馬上遙相顧、一見知レ君卽斷腸、爲レ君斷腸共レ君語、君指二南山松柏樹一レ、感二君松柏化爲一レ心、暗合二双鬢一共レ君去、去到二君家一五六年、君家大小皆有レ言、暇則爲レ妻奔則妾、不レ堪三主祀奉二蘋蘩一、終知二君家不一レ可レ住、其奈出レ門無二出處一、豈無三父母在二高堂一、亦有二親妾一滿二故鄕一、潛來就不レ通二消息一、此日悲羞歸不レ得。感二君一日恩一、誤二妾百年身一、寄二言痴小人家女一、愼レ勿二將レ身輕許一レ人』國色天香二一。巻卅五頁

同樣に輕しく千金の軀を男に許して遂に見棄てられて自殺を遂げた嬌鸞の「長恨歌」有り。字字句句吾人の肺腑を擣くものがある。曰く『長恨歌爲レ誰作、題二起頭一來心 便《スナハチ》惡、朝思暮想無三了期一、再把二鸞箋一訴二情薄一、妾家原在二興安路一、麟閣功勳受二恩露一、後因二親老一失二軍機一、降二調南陽衞千戸一、深閨養二育嬌鸞身一、不三曾擧レ歩離二中庭一、豈知二一九災星到、忽隨二女伴一粧臺行、鞦韆戲蹴方纔罷、忽驚二牆角生人話一、含レ羞歸二去香房中一、倉忙尋二覓香羅帕一、羅帕誰知入二君手一、只因二一幅香羅帕一惹二起千秋長恨歌一空令二梅香往來走一、得三蒙三君贈二香羅詩一帕出二佳人一分外香、天公敎レ付二有情郎一、殷勤寄取二相思句一、擬作二紅絲一入二洞房一惱二妾相思一淹レ病久、感レ君拜レ母結二妹兄一、來詞去簡饒二恩情一、只恐三恩情成二苟合一、兩曾結レ髮同二山盟一、山盟海誓還不レ信、又托二曹姨一作二媒證一、婚書寫定燒二蒼穹一、始結二于飛一在二天命一、情交二一載甜如レ密、才子思レ親忽成レ疾、妾心不レ忍二君心愁一、反勸三才郎歸二故籍一、叮嚀此去二姑蘇城一、花街莫レ聽二陽春聲一、一覩二慈顏一便囘レ首、香閨可レ念二人孤另一、囑付殷勤別二才子一、棄レ舊憐レ新任從レ爾、那知一去意忘レ還、終日思レ君不レ如レ死、有人來說二君重婚一、幾番欲レ信仍難レ憑、後因二孫九去復返一、方知伉儷諧二文君一、此情恨二殺薄情者一、千里姻緣難二割捨一、到レ手恩情都負レ之、得意風流在レ何也、莫レ論二妾愁長與一レ短、無二處箱囊詩不一レ滿、題殘二錦札五十張一、寫二禿毛錐二三百管一、玉閨人瘦嬌無レ力、佳期反作二長相憶一、枉將二八字一推二子平一、空把二三生一卜二周易一、從レ頭一一思量起、往日交情不レ虧レ汝、既然恩愛如二浮雲一、何不三當初莫二相與一、鶯鶯燕燕皆成レ對、何獨天生レ我無レ配、嬌鳳妹子少二二年一、適添二孩兒一已三歲、自慚三輕棄二千金軀二、伊《ナンジ》歡我獨心孤悲、先年誓願今何在、擧レ頭三尺有二神祇一、君往二江南一妾江北、千里關山遠相隔、若能兩翅忽然生、飛向二吳江一近二君側一、初交你我天地知、今來無數人揚レ非、虎門深鎖二千金色一、天敎三一笑遭二君機一、恨二君短行一歸二陰府一、譬似二

皇天不レ生レ我、從レ今書遞《オクリテ》故人收、不レ望三回音到二中所一、可レ憐鐵甲將軍家、玉閨養レ女嬌如レ花、只因三頗識二琴書味一、風流不レ久歸二黃沙一、白羅丈二懸二高梁一、飄然眼底魂茫茫、報二道一聲一嬌鸞縊、滿城笑三殺臨安王二、妾身自愧レ非二良女一、擅把二閨情一賤輕許、相思債滿還二九泉一、九泉之下不レ饒レ汝、當初寵レ妾非二如今一、我今怨レ汝如二海深一、自知妾意皆仁意、誰想君心似二獸心一、再將二一幅羅紋銷一、殷勤遠寄二郎家遙一、自歎興亡皆此物、殺レ人可レ恕情難レ汝、反覆叮嚀只如レ此、往日悶愁今日止、君今肯念二舊風流一、飽看二嬌鸞書一紙』今古奇觀。三五卷

尙ほ夫が行商に出で妻子を家に棄て萱堂の慈母を顧みず、遂に母は病死し、妻は之がために一男一女の子を遺し恨を飲み乍ら黃泉に下つた「長恨歌」がある。詞は粗なりと雖、情は最も切である。其の辭に曰く『良人重レ利輕二離別一、東走二南陽一西走レ越、君今棄レ妾不二回歸一、萬水千山音信絕、妾身未レ嫁守二深閨一、彼時與レ君無レ所レ思、自《ヨリ》二從一去一經二數載一、一日思レ君十二時、思レ君滴二盡相思泪一、濕二衣溫隔一濕二衾被一、泪珠滴盡眼欲レ枯、月復日兮思憔悴、幾回對レ鏡爲レ君愁、體瘦形枯對レ鏡羞、人來問レ我因レ何瘦、不三敢開二レ言爲レ汝愁一」、妾身本是書香女、九歲女書識二經史一、讀書不レ讀二行路難一、自讀嫁レ夫不レ如レ此、豈料夫心好レ作レ商、弃レ妻弃レ子走二他鄕一」、妾身二十纔有六、衾枕孤眠苦二夜長一、朝觀二城嶺霜垂一レ地、暮是文華山色翠、愁二君兩蜀路崎嶇一、展轉教二人心欲一レ碎」、蜀江水碧蜀山靑、野草閑花處處新、當時耳畔叮嚀諒、莫下學二玉魁一負中桂英上、古云錦成雖二快樂一、不レ如二還レ家意非一レ惡」、宗祖自有二復レ業計一、知三君鐵石作二心腸一、更不三回頭思二故鄕一、秋鴻社燕年年在、燕語双双雁結レ行、在レ天比翼地連枝、物像相成亦如レ此、何況人爲二萬物灵一、含レ齒帶レ髮不二相似一」、嫁去意欲レ了二生平一、今身反爲レ夫誤レ身、妾今受レ病誰湯藥、誰與二愁人一愁二傷人一、世間生《アキナヒ》理雖レ不レ做、有レ謀有レ策皆有レ富、何須三辛苦弃二長途一、日日青春等閑度」、吾州多少富豪翁、種レ穀積レ財似レ不レ崇、朝歌暮宴樂復樂、妻子團圞樂萬鐘、唯有二我夫身落魄、梗跡萍蹤《ノ如キノキキ》意飄泊一、我家門戶誰主持、拿二得鷹一來走二了雀《ニゲリ》一、萱堂慈母眞可レ憐、生母孤魂下二九泉一、二親待二汝歸來葬一、汝不二歸來一反逆レ天、此時此際說不レ盡、留二與傍人一作二話柄一、不レ如三緘レ口下二黃泉一、盡道レ不レ言君自見、君今弃レ妾不二回歸一、他日歸來不レ見レ妻、一男一女誰爲レ養、汝不二歸來一倚二阿

誰一、衣裳鞋襪妾針線、衣是綾羅裳是絹、應須三分ニ付綿春妝一、且《シバラク》待ニ歸來一與レ君看、君歸來、必讀ニ琴瑟一、琴瑟而諧意亦然、妾今爲レ汝禁持了、未三必他人以ニ我賢一、吾今返レ死不ニ復生一、死生兩途難レ會レ面、願君囘レ首顧ニ吾兒一、有レ室有レ家從ニ此願一、命終信レ手剪ニ香雲一、剪ニ下香雲一付ニ與君一、今生與レ汝爲ニ夫婦一、再結ニ來生未了緣一』。同樣に唐の張朝の「小長干行」の末節に曰く『自憐ニ十五餘、顏色桃花紅一、那《ナンソ》作ニ商人婦一、愁レ水復愁レ風』と。又その「江行風」に曰く『壻貧如ニ珠玉一、壻富如ニ埃塵一、貧時不レ忘レ舊、富能多ニ寵新一、妾本富家女、與レ君爲ニ偶匹一、念レ汝一何深、中門不ニ曾出一、妾有ニ綉衣裳、葳蕤金縷光一、念ニ君貧且賤一、易レ此從ニ遠方一、遠方三千里、發レ竟悔不レ已、日暮情更來、空望ニ去時水一、孟夏麥始秀、江上多ニ南風一、商賈歸欲レ盡、君今尙巴東、巴東有ニ巫山一、窈窕神女顏、常恐レ遊ニ此方一、果然不レ知レ還』と（唐時記事ニ十七卷五頁）。

故に唐の陳子昂はその作「感遇詩」に於て曰く、『貴人難レ得レ意、賞愛在ニ須臾一、莫ニ以レ心如一レ玉、探ニ他《カレ》明月珠一、昔稱ニ夭桃子一、今爲ニ春市徒一、鴟鴞悲ニ東國一、麋鹿泣ニ沽蘇一、誰見三鴟夷子、扁舟去ニ五湖一』と（唐詩記事八卷四頁）。同樣に李白亦た曰く『昔作ニ芙蓉花一、今爲ニ斷腸草一、以レ色事ニ他人一、能得ニ幾時好一』と（同十八卷十三頁）。色を以て他人に事ふる嬌女の一日と雖も之を忘るべからざる金言である（尙拙稿「莊周小傳」臺法三十三卷十一號五十二頁註一參看）。

三　愛すれば令行はれず

又愛すれば則ち令行はれず、愛無ければ却つて令能く行はる。故に曰く『父子は以て愛に滯るべからず。愛に滯れば或は愁を生ぜん』と。韓子則ち之を説いて曰く『母之愛レ子也倍レ父、父令之行ニ於子一也十レ母（十ニ倍於母一）、吏之於レ民無レ愛、令之行ニ於民一也萬ニ父母一之一也（萬、萬ニ倍、父母積レ愛而令窮也不レ行、吏用ニ威嚴一而民聽、嚴愛之筴、亦可レ決矣（可レ見三愛則令不レ行、不ニレ如威嚴而民畏一也）、且父母之所三以求ニ於子一也、動作則欲ニ其安利一也、行レ身則欲ニ其遠一レ罪也、君上之於レ民也、有レ難則用ニ其死一、安平則盡ニ其力一（言君之求ニ於臣一、求ニ其所一レ難レ盡也）

親以ニ厚愛一、關ニ子於安利一而不レ聽、君以レ無ニ愛利一、求ニ民之死力一而令行、明主知レ之、故不レ養ニ恩養之心一、而增ニ威嚴之勢一（言捨ニ恩愛一、而數ニ法禁一也）、故母厚愛處レ子（以ニ厚愛一處ニ養子之道一也）多敗、推レ愛也、父薄愛敎ニ笞子一多レ善、用レ嚴也（善作レ成、用レ威則法行而民畏、用レ恩則法弛而民玩）云々』と（卷十八第四頁裏及十三頁十九卷第五—六、二十頁參看。）則ち民は固より上の威勢に服して能く上の義に懷く者は寡い。夫の仲尼が魯の哀公の民となつたのは其の義に懷くに非ずして其の威勢に服したにすぎぬのである。

既述の如く君臣の際は父子の親み有るに非ず。計數の出づる所である。勢に縛られて事えざるを得ぬ。故に君は臣の力を計り、臣は君の祿を計りて忠誠を致す。故に君、道有れば則ち臣は力を盡して姦生せず、君、道無ければ則ち臣は上は主の明を塞ぎて下は私を成す。即ち人臣たる者は其の君を窺覘するや須臾と雖、休むことがない。人主が怠して上に處すれば、君を劫かし主を弑す。故に明主の道は民の欲する所を設けて以て其の功を求む。是れ爵祿を爲して以て之を勸むる所以である。又民の惡む所を設けて以て其の姦を禁ずる。是れ刑罰を爲して以て之を威する所以である。かくして慶賞信《マコト》にして刑罰必らずすれば則ち臣は死力を盡して以て市し、君は爵祿を垂れて以て臣と市す。姦佞な臣ありと雖、その毒を肆にする餘地がない（商君傳によれば姦を告ぐる者は敵首を斬ると賞を同ふすと）是れ姦邪を絶つの道である（卷十五第六頁）然らば廊廟には主を擅にするの重臣なく、君令は下に究《イタ》り、臣情は上に通じて卑賤は尊貴を待つて進むことなく、大臣は左右に因て見《マミ》ゆることがなく、百官は修通し、群臣は輻輳するのである。
更に又人主爲る者にして身百官を察すれば則ち日足らず、力も給《タ》らぬ。且つ上が目を用ふれば則ち下は外望を善くし、觀を飾れば則ち目視るも其の眞を得ぬ。又《タ》上が耳を用ふれば則ち下は聲を善くし、聲を飾れば則ち耳聽くも其の僞を知らぬ。又上が慮を用ふれば則ち下は辭を繁くし、辭繁ければ則ち慮は說に惑ふ。先王はこの目耳慮の察する所を以て足らずと爲す。故に己が能を舍てて法術に因つて賞罰を審にする。此を用ひて之を察すれば則ち百官は其の眞僞を混同するを得ぬ。此の術は實に先王が守る所の要である。故に法省て民は之を侵さず、姦臣は國を擅にすることを得ず、聰智は其の詐を用ふることを得ず、險躁も其の佞を關《モチフ》ることを得ず、姦邪は依る所無く遠く千里の外に在ては職に力を效し、勢ひ郎中に在つては敢て善を蔽ひ非を飾らぬ。上は朝廷より下は群下に至るまで其の行止を謹み、微少の事と雖、必ず之を單《ツク》して肅整し、思は敢て其の位を出でて相ひ踰越しない。故に治足らずして日餘り有るのである。上の任用の勢が法敎に違はざるが爲めである 二卷六頁
彼曰く、『夫嚴刑者、民之所レ畏也、重罰者、民之所レ惡也、故聖人陳ニ其所一レ畏、以禁ニ其衺一、設ニ其所一レ惡、以防ニ其姦一、是以國安而暴亂不レ起、吾以レ是明ニ仁義愛惠之不一レ足レ用、而嚴刑重罰之可ニ以治一レ國也、無ニ棰策之威、銜橛之備銜勒也、橛騑レ馬口中長銜也、雖ニ造父一、不レ能ニ以服一レ馬、無ニ規矩之法、繩

墨之端一、雖二王爾一、不レ能三以成二方國一、無二威嚴之勢、賞罰之法一、雖二堯舜一、不レ能二以爲一レ治（中略）托二於犀車良馬之上一、則可三以陸犯二阪阻之患、乘二舟之安一、持二檝之利一、則可三以永絶二江河之難一（直渡曰レ絶、車以行二陵陸一、舟以行二川谷一）操二法術之數一、行二重罰嚴誅一、則可三以致二霸王之功一、治國之有二法術賞罰一、猶若下陸行之有二犀車良一馬也、水行之有中輕舟便檝上也、乘レ之者遂得二其成一也（成、濟）、伊尹得レ之、湯以王、管仲得レ之齊以霸、商君得レ之秦以彊、此三人者、皆明二於霸王之術一、察二於治レ彊之數一、而不三以牽二於世俗之言一』と。（四卷二十三頁及十六卷四頁、十七卷十一頁）故に善く主たる者は賞を明にし利を設けて以て之を勸め、民を使ふに功賞を以てして仁義を以て賜はず、刑を嚴にし罰を重くして以て之を禁じ、民を使ふに罪誅を以てして惠愛を以て免《ユル》さぬ。是を以て功無き者は覬覦せずして罪有る者は僥倖せぬのである則ち王道は民を開くに賞を以てし、民を塞ぐに刑を以てするに在る（二十卷十頁）。もし法を嚴にせざれば曾史も幽隱に在る布帛の尋常（尋は八尺常は一丈六尺至微な物）を釋てず、害を必ずすれば盜跖も鑠金の百鎰を掇らぬ。則ち卷十八第四頁に曰く、『夫陳二輕貨於幽隱一、雖二曾史一也（仁者）可レ疑也、懸二百金於市一、雖二大盜一不レ取也、不レ知則曾史可レ疑二於幽隱一、必知則大盜不三敢攫二懸金於市一（懸レ法而不レ犯之喩）、故明主之治レ國也、衆二其守一而重二其罪一、使レ民以二法禁一、而不レ以二廉恥一云々』と。

且つ又人窮困すれば則ち憂ひ勤めて衣食を自ら補足する。家人の產を治むるが如し。佚豫すれば則ち怠慢して飢寒身に切する。仁人の相ひ憐れむが如し。故に法の道たるや前に苦んで長へに利あり、仁の道たるや蹔く樂んで後に窮するのである。曰く、『今家人之治レ產也、相忍以二饑寒一相彊以二苦勞一、雖レ犯二軍旅之難、饑饉之患一溫衣美食者、必是家也、相憐以二衣食一、相惠以二佚樂一、天饑歲荒、嫁レ妻賣レ子者、必是家也、故法之爲レ道、前苦而長利（蹔勞長佚）仁之爲レ道、偷樂而後窮、聖人权《ハカリ》二其輕重一出二其大利一、故用二法之相忍一、而棄二仁人之相憐一也（言能任レ法而廢レ恩也）云々』と（巻十八第四頁裏）

昭和十五年九月二十五日印刷
昭和十五年九月三十日發行

政學科研究年報　第六輯

定價　貳圓五十錢

編輯兼發行者　臺北帝國大學政學科研究會
代表者　堀　豐彦

印刷者　臺北市兒玉町二丁目一三番地
阪牧莊之進

發賣所　臺北市兒玉町三丁目九番地
野田書房
電話七五九八番
振替口座臺灣六一九三番

サカマキ商行印刷　太田製本所製本